BORBOLETAS DA ALMA

DRAUZIO VARELLA

Borboletas da alma
Escritos sobre ciência e saúde

Organização:
Maria Guimarães

Companhia das Letras

Copyright © 2006 by Drauzio Varella

Capa
Carolina Aboarrage

Preparação
Carlos Alberto Bárbaro

Índice remissivo
Maria Guimarães
Luciano Marchiori

Revisão
Roberta Vaiano
Otacílio Nunes

Dados Internacionais de Catalogação na Publicação (CIP)
(Câmara Brasileira do Livro, SP, Brasil)

Varella, Drauzio
Borboletas da alma / Drauzio Varella; organização Maria Guimarães. – São Paulo : Companhia das Letras, 2006.

ISBN 85-359-0915-X

1. Ensaios brasileiros 2. Medicina 3. Saúde - Promoção I. Guimarães, Maria. II. Título.

06-7559   CDD-086.9

Índice para catálogo sistemático:
1. Ensaios em português : Coletâneas   086.9

[2006]
Todos os direitos desta edição reservados à
EDITORA SCHWARCZ LTDA.
Rua Bandeira Paulista, 702, cj. 32
04532-002 — São Paulo — SP
Telefone (11) 3707-3500
Fax (11) 3707-3501
www.companhiadasletras.com.br

Sumário

Nota do autor 9

PARTE I — EVOLUÇÃO 11

1. Vida na Terra 13
   "E o homem povoou a Terra..." 13
2. Genes 23
   Sobre homens e ratos 23
   A história da clonagem 26
   Andi, o macaquinho transgênico 36
3. Cérebro 39
   As borboletas misteriosas da alma 39
   Mulheres intuitivas, homens autistas 50
   Cérebro e diferenças sexuais 53
   Instinto materno 55
4. Sexos 59
   Evolução do sexo e sobrevivência 59

O odor dos genes 68
Machos exibicionistas, fêmeas seletivas 77
Amor, só de mãe 80
Causas da homossexualidade 82
5. Violência 85
Raízes orgânicas e sociais da violência urbana 85
Violência na TV e comportamento agressivo 107

PARTE II — DIA-A-DIA 111

1. Cuidados 113
A alergia do isolamento 113
Os micróbios da boca 116
Mercurocromo, mertiolate e outras crenças 118
Olha esse vento nas costas, menino! 121
Privação do sono 124
O sonho 129
Planejamento familiar 130
Estilo de vida 136
2. Dieta 139
Come, meu filho! 139
Raízes biológicas da obesidade 142
Carne vermelha: verdade ancestral 147
Inimigo traiçoeiro 165
Crianças obesas e sedentárias 169
Uvas, vinhos e longevidade 172

PARTE III — A SAÚDE NO COTIDIANO 177

Azia: sintoma de mal crônico 179
Doença de Alzheimer 181
Aterosclerose: doença infecciosa 187

Dengue 190
A gripe dos frangos 195
Prevenção de cálculo renal 198
O segundo cérebro 201
Síndrome da fadiga crônica 207
DPOC 212
Sintomas nasais crônicos 215
Dor crônica 218
Gota: a doença dos reis 220
Repouso e dor ciática 223
Depressão 224
O combate ao mau hálito 233
A epidemia de diabetes 236
A cura do câncer 241
A próstata do seu Olinto 245
O risco do câncer de mama 248
Regeneração cardíaca 252
Um exame de sangue para prevenção do ataque cardíaco 255
A terceira onda da aids 261
Transmissão de HIV resistente 264

PARTE IV — DROGAS: REMÉDIOS E DEPENDÊNCIA QUÍMICA 269

Toma, que é bom para a gripe 271
Fórmulas milagrosas 274
Descoberta da vacina da poliomielite 277
Erradicação da poliomielite 280
A vacina da gripe 283
Reposição hormonal: continuar ou descontinuar? 287
Disfunção erétil e doença vascular 291
Compulsões comportamentais 294
Morfina 301

Abuso de anabolizantes 304
Abstinência de antidepressivos 307
Considerações sobre o alcoolismo 309
Alcoolismo em mulheres 313
Cigarro: droga pesada 316
De gravata ou revólver na mão 322
Café e ataque cardíaco 325

PARTE V — VIDA E MORTE 329

Longevidade 331
Os genes do envelhecimento 336
O ambiente e o envelhecimento 345
A memória dos neurônios 356
O momento da morte 367

Notas 371
Índice remissivo 379

Nota do autor

Este livro contém boa parte dos artigos sobre temas científicos que escrevi nos últimos cinco anos para o jornal *Folha de S.Paulo* e para a revista *CartaCapital*. Nele, o leitor encontrará textos ligados à medicina, ao comportamento social e aos fatos biológicos responsáveis pelos rumos que a vida tomou na Terra.

Com todo o respeito pelos que acreditam ter sido o homem criado por um sopro transcendental, a visão de que a vida surgiu aleatoriamente, há quase 4 bilhões de anos, a partir de moléculas capazes de fazer cópias de si mesmas e que, através da seleção natural, formaram seres tão díspares quanto bactérias, árvores e mamíferos encerra mais mistério e poesia.

Entender os seres vivos como indivíduos em competição permanente pelos recursos naturais, empenhados em sobreviver a todo custo para transmitir seus genes às gerações futuras, integra o homem na ordem natural adotada pela vida em nosso planeta e em qualquer outro onde ela porventura exista ou venha a existir.

O conjunto de ensaios reunidos em *Borboletas da alma* tem

a pretensão de discutir, sob a ótica evolutiva, temas que vão das origens dos primeiros seres vivos ao aparecimento do sexo, às bases bioquímicas do comportamento, ao desequilíbrio provocado pelas doenças e à organização íntima da estrutura mais complexa do universo conhecido: o cérebro humano.

PARTE I

EVOLUÇÃO

1. Vida na Terra

"E o homem povoou a Terra..."

A vida na Terra é um rio que começou a correr há quase 4 bilhões de anos, e chegou até você e eu no meio de uma diversidade espetacular: leões, mosquitos, coqueiros, bactérias, algas marinhas e dezenas de milhões de outras espécies.

Veja o caso dos dinossauros. Dominaram o planeta por mais de 200 milhões de anos e sumiram num piscar de olhos, possivelmente varridos por um meteoro que abriu uma cratera de dez quilômetros no México. A poeira levantada e os vulcões que entraram em atividade como conseqüência do impacto poluíram tanto a atmosfera que a Terra ficou no escuro e os dinossauros foram extintos. Para azar deles. E sorte nossa. Um desvio de milésimo de grau na órbita do meteoro e eles estariam aí até hoje, enormes, predadores, sem deixar qualquer espaço para que surgisse algo parecido com o homem. Enquanto os dinossauros existiam, os mamíferos não passavam de uns poucos roedores noturnos apavorados nas tocas.

Indiferente à tragédia dos desaparecidos, o rio da vida seguiu seu destino impiedoso de formar novas espécies e abandoná-las à própria sorte. Estima-se que as 30 milhões de espécies existentes hoje correspondam a apenas 1% das 3 bilhões que já povoaram a Terra.

Há uma fração de minuto evolutivo surgiu na África um primata diferente dos macacos comuns: era grande e não tinha rabo. Esse ancestral teve cinco descendentes: orangotango, gorila, homem, chimpanzé e bonobo.

Até a metade do século passado, a ciência acreditava que todas as espécies haviam sido criadas por Deus num único dia. Nessa época, os museus britânicos já contavam com uma coleção razoável de fósseis, recolhidos em vários países. Entre os naturalistas, a análise desse material gerou três grandes indagações: Que fenômenos teriam provocado a extinção irreversível dessas espécies? Por que razão muitos fósseis guardavam tanta semelhança anatômica com espécies ainda vivas? Como explicar o sucesso ecológico de uma espécie e o fracasso de outra?

Os cientistas da época elaboraram diversas teorias para responder a essas questões. Então vieram Alfred Wallace e Charles Darwin, dois naturalistas ingleses que imaginaram uma teoria incrivelmente simples: a vida é uma competição eterna na qual os mais aptos sobrevivem e os fracos são extintos.

Embora Darwin tenha justificado suas idéias através da publicação de uma série de observações meticulosas colhidas numa viagem pelas Américas e pelo Caribe, que incluiu o Brasil, a teoria de Wallace-Darwin nasceu de apenas uma idéia, como costumam surgir as teorias universais.

Desde sempre, a experiência mostrou que um fruto maduro cai da árvore, no chão. Todos os animais sabem disso e nós também, mas foi preciso nascer um homem chamado Isaac Newton para interpretar a queda de forma nunca antes imaginada: não é a maçã que cai da árvore, é a Terra que a atrai. Assim foi criada a lei da gravitação, válida para todos os corpos celestes. Princípio universal, como a teoria da seleção natural enunciada por Wallace-Darwin. Se no futuro a vida for descoberta num planeta distante, ela obedecerá à mesma ordem: competição e seleção natural.

Imagine a Terra há quase 4 bilhões de anos, no instante em que surgiu a vida. Que instante foi esse? Foi quando apareceu a molécula de RNA, a primeira dotada de uma propriedade singular: fazer cópias de si mesma. A vida nada mais é do que uma replicação eterna: um ser forma dois, dois formam quatro, quatro geram oito, dezesseis, 32, 64... numa progressão sem fim.

Se não existissem limites impostos ao processo de multiplicação, uma molécula replicante como essa cobriria a superfície da Terra em camadas sucessivas, acumuladas geometricamente até preencher o universo.

Como a vida, no entanto, está longe de ser matemática, as moléculas de RNA não puderam se multiplicar sem restrições. Para se formar precisaram ser sintetizadas a partir de outras moléculas presentes no ambiente primordial que compunha a superfície da Terra. Em outras palavras, foram obrigadas a competir pelos recursos existentes naquele tempo, de tal modo que sobreviveram as mais aptas, aquelas capazes de retirar do meio tudo o que necessitavam para dar origem a moléculas-filhas, que herdaram a habilidade das mães.

É fácil imaginar que a primeira molécula de RNA capaz de sintetizar uma camada externa protetora ficou menos sujeita às intempéries químicas ambientais e criou uma estrutura como a de certos vírus existentes hoje (o da aids, por exemplo). Essas formas de vida devem ter levado tamanha vantagem na competição, que persistiram até nossos dias.

Na competição desenfreada entre as moléculas replicantes primordiais, algumas moléculas de RNA desenvolveram a propriedade de sintetizar o DNA, molécula capaz de arquivar informações genéticas muito mais complexas que as arquivadas pelo RNA, que lhe deu origem. Apareceram então os primeiros seres unicelulares, as bactérias arcaicas, habitantes exclusivos do planeta por 3 bilhões de anos. O sucesso ecológico desses seres formados por uma só célula pode ser medido não só pelo tempo em que eles constituíram a única forma de vida existente, mas pelo fato de as bactérias estarem disseminadas nos mais diversos ambientes da Terra até os dias de hoje.

Foi apenas há 600 milhões de anos que o rio da vida abandonou a monotonia unicelular e deu origem aos primeiros seres formados por agrupamentos rudimentares de várias células. A competição por nutrientes e condições físicas favoráveis fez com que essas formas de vida multicelulares aumentassem rapidamente de complexidade, dando origem a animais e vegetais que deixaram os mares e se estabeleceram em terra firme.

Caracteristicamente, temos uma visão fantasiosa do processo evolutivo. Talvez por nossa espécie ser proprietária do sistema nervoso central mais complexo entre os seres vivos, consideramos nosso aparecimento na Terra o objetivo final da evolução. É como se a vida tivesse evoluído a partir das bactérias mais primitivas com o único propósito de atingir o momento supremo da criação, há 5 milhões de anos, com o nascimento dos nossos antepassados diretos nas savanas da África.

Essa visão antropocêntrica não tem respaldo científico. Se fosse para eleger a forma de vida que teve maior sucesso evolutivo, seríamos obrigados a escolher as bactérias, seres unicelulares que estão por aí há 3,5 bilhões de anos, enquanto nós mal acabamos de chegar. Diante da natureza, somos apenas uma das 30 milhões de espécies que povoam atualmente o planeta. O sucesso ou fracasso ecológico de uma espécie nada tem a ver com a importância que ela atribui a si mesma (os dinossauros que o digam). Se uma hecatombe destruísse até o último ser humano, que diferença faria para os fungos, formigas e corais marinhos?

Os estudos sobre o comportamento dos grandes primatas devem ser interpretados de acordo com essa perspectiva evolutiva. Quando vemos um lobo, uma onça ou um urso atacar uma presa, aceitamos com facilidade a idéia de que tal comportamento tenha evoluído da mesma forma nas três espécies: nelas, os caçadores mais habilidosos sobreviveram e tiveram mais filhos, transmitindo aos descendentes o traço hereditário da caça. Ao contrário, os maus caçadores não deixaram descendentes.

Tiramos essa conclusão baseados no princípio da parcimônia, segundo o qual se duas ou mais espécies geneticamente próximas exibem determinado comportamento é provável que ele tenha sido herdado de uma espécie ancestral que já o apresentava. A alternativa seria a natureza inventar estratégias especiais para cada uma das 30 milhões de espécies, acontecimento altamente improvável. Se fosse assim, como explicar que todos os seres vivos capazes de enxergar têm dois olhos e um sistema nervoso central para montar as imagens; que todos os que andam têm membros localizados simetricamente de ambos os lados do corpo; e que todos os que dependem de oxigênio já nascem respirando?

Uma vez que as diferenças genéticas entre lobos, onças e ursos são bem maiores do que as encontradas entre orangotangos, gorilas, homens, chimpanzés e bonobos, por que razão a natureza agiria de forma diferente nos grandes primatas, criando para o homem uma linha evolutiva especial?

A verdade é que as semelhanças entre os grandes primatas vão muito além da aparência física:

- O filhote é dependente de cuidados maternos durante vários anos: cinco anos nos chimpanzés, sete anos nos orangotangos e até mais no homem.
- Os chimpanzés, bonobos e homens são carnívoros. Homens e chimpanzés machos organizam grupos para caçar. Entre eles existe o ritual de divisão da carne.
- Como regra geral, os machos disputam as fêmeas em batalhas violentas. Os bonobos são exceção, e os homens têm comportamento que oscila entre os dois extremos.
- A defesa do território é menos nítida nos orangotangos e gorilas, mas nos chimpanzés e homens pode desencadear batalhas mortais entre os membros de diferentes comunidades.

- Nas cinco espécies, os machos são mais fortes do que as fêmeas. Quanto mais acentuado o dimorfismo sexual, como nos orangotangos e gorilas, mais dominadores são eles e mais desunidas as fêmeas. Nos bonobos e homens, espécies menos dimórficas, com fêmeas capazes de formar alianças, o poder masculino é reduzido significativamente.
- Os machos, como regra geral, procuram o acasalamento com diversas fêmeas e se empenham em evitar que outros machos façam o mesmo. Os bonobos são exceção; o homem, um caso intermediário.
- Nas cinco espécies, muitos filhotes são concebidos fora do grupo em que as mães vivem, graças à infidelidade feminina.
- As fêmeas têm preferência sexual pelos machos que ocupam os postos mais altos na hierarquia masculina. A gorila chega a abandonar o macho que não foi capaz de proteger o filhote, e pode até acompanhar o invasor infanticida.
- A vida terrestre dos primatas, que começou com os gorilas, trouxe a necessidade de formação do grupo. Chimpanzés, bonobos e homens formam comunidades maiores, nas quais os indivíduos estabelecem redes complexas de alianças. São os mais políticos dos animais.
- O canibalismo é encontrado nos homens e chimpanzés. Nessas espécies, os machos formam bandos para, com premeditação, invadir território alheio e matar o semelhante. São os únicos animais com essa característica.
- Como regra geral, os grandes primatas são capazes de utilizar ferramentas. Chimpanzés e bonobos reconhecem a própria imagem no espelho, capacidade que a criança desenvolve a partir dos dezoito meses de vida. Chimpanzés e bonobos conseguem aprender o significado dos sinais representados na linguagem dos surdos-mudos, e chegam a interpretar sentenças que nunca ouviram antes.

Milhares de horas de observação de primatas no campo e em cativeiro permitiram aos primatólogos modernos estabelecer as bases evolutivas do comportamento humano. De fato, admitimos que temos em nossas personalidades um lado escuro, despótico, sanguinário, herdado de nossos ancestrais primitivos. Já as qualidades das quais temos orgulho, consideramos tipicamente humanas — afinal, apenas nós somos capazes de amar ao próximo como a nós mesmos.

A evolução não cria mecanismos especiais para nenhuma espécie. Se nosso lado sinistro denuncia nosso passado animal, o mais nobre também o revela. Quando um chimpanzé traz comida para o companheiro doente, uma gorila enfrenta o macho enorme para defender um filhote que não é dela, a orangotango coça as costas do filho ou um bonobo cola os lábios nos da fêmea e introduz a língua em sua boca, por que não dizer que tais atitudes representam altruísmo, solidariedade com o mais fraco, carinho materno e beijo na boca?

O que nos diferencia dos outros primatas não são as atitudes nobres nem as bestiais, mas o fato de termos um sistema nervoso central mais elaborado e versátil que o deles. O orangotango-alfa dá gritos longos para atrair fêmeas receptivas e assustar subordinados; gorilas e chimpanzés berram e quebram galhos na floresta para afastar intrusos; e os bonobos, quando brigam, gritam alternadamente na direção do adversário, como se trocassem ofensas. Não há dúvida de que os grandes primatas não humanos conseguem dizer coisas fundamentais um para o outro através da fala. O que eles não são capazes é de recombinar sílabas sem sentido de modo a formar milhares de palavras que podem ser agrupadas em sentenças com infinitos significados. A linguagem, sim, é uma característica tipicamente humana; nada parecido com ela existe em qualquer espécie.

Nosso cérebro evoluiu passo a passo a partir de ancestrais comuns aos dos outros primatas. Não houve saltos qualitativos ou acrobacias evolutivas, apenas um longo processo de competição e seleção natural que conduziu aos cinco grandes primatas e seus mais de 95% de identidade genética, entre 30 milhões de outras espécies sobreviventes das sucessivas extinções em massa.

Num mundo de reservas limitadas, a diferença de 5% que surgiu entre nós e os grandes primatas foi decisiva para o homem povoar o planeta aos bilhões, número jamais sonhado por qualquer outro vertebrado, e ainda aventurar-se às viagens espaciais. Nessa pequena constelação de genes exclusiva dos humanos estão aqueles que aumentaram a complexidade da atividade cerebral.

Comparado ao de orangotangos, gorilas, chimpanzés e bonobos, o cérebro humano não é apenas mais volumoso e saliente na frente: ele apresenta maior capacidade computacional. Na evolução da espécie humana não ocorreu simplesmente o crescimento volumétrico cerebral, houve o crescimento diferencial de algumas áreas.

Nosso cérebro é formado por células nervosas, os neurônios, que se comunicam por circuitos computacionais montados pacientemente durante milhões de anos de competição e seleção natural. Cada estímulo que atinge o sistema nervoso central percorre um circuito particular de neurônios até chegar às estações centrais que decodificam os sinais recebidos. Quando um raio de luz impressiona nossa retina, por exemplo, o estímulo visual cruza o cérebro até a parte posterior da cabeça, no lobo occipital, onde se encontram os centros da visão. A partir deles, novos circuitos de neurônios fazem a informação trafegar em velocidade vertiginosa às áreas cerebrais que irão situar o estímulo no domínio do consciente. Em milésimos de segundos saberemos se aquela luz indica um barco se aproximando, um vaga-lume ou um automóvel ameaçador.

No caminho evolutivo que conduziu ao homem, houve o crescimento diferencial de alguns centros cerebrais nas regiões que correspondem à transição dos ossos occipitais (atrás da cabeça), parietais (em cima) e temporais (do lado). Nessas áreas, são recebidos e integrados os estímulos visuais, táteis, olfativos, acústicos e gustativos. O crescimento dessa parte do cérebro permitiu a criação de um universo abstrato, desconhecido entre os outros animais. Num instante, o cheiro de uma flor pode evocar uma música, a partir dela uma pessoa, um vestido branco e um compromisso que não podemos perder no dia seguinte, senão faltará dinheiro no final do mês para pagar a prestação do automóvel. Como no caso da linguagem, não há evidência de que nossos irmãos primatas ou outros animais sejam dotados de circuitos de neurônios capazes de associações tão complexas.

Além do crescimento diferencial das áreas situadas na parte posterior do cérebro, na linhagem que conduziu aos seres humanos houve crescimento progressivo do lobo frontal. O homem de hoje não tem a testa inclinada para trás como os demais primatas ou mesmo os homens primitivos. O lobo frontal proeminente permitiu a organização e processamento das informações colhidas do resto do corpo e do ambiente pelos circuitos cerebrais específicos. Disso resulta uma integração do universo interno do organismo com o mundo externo, que nos permite avaliar simultaneamente o nível de urina na bexiga, a velocidade do carro, a chuva que as nuvens negras trarão, o impacto delas no tráfego e quanto tempo ainda falta para chegar no próximo posto de gasolina.

O desenvolvimento do lobo frontal na espécie humana colocou as representações internas do corpo permanentemente *on-line* com as do mundo externo. Desse universo *on-line* resultou um crescimento exponencial da capacidade de elaborar projetos. Como, por exemplo, o de criar colônias em Marte nos próximos cem anos.

Neste ponto, voltemos às moléculas replicantes, o DNA e o RNA. Consideramos como o início da vida na Terra o instante em que surgiu uma molécula que se dividiu em duas, estas em quatro, oito etc. Raramente nos detemos a pensar na potência de progressões desse tipo. A característica fundamental delas é que, abandonadas à própria sorte, são matematicamente ilimitadas: podem criar trilhões, quatrilhões de indivíduos. Entre as 3 bilhões de espécies que já habitaram nosso planeta, surgiu um grande primata, muito parecido com os outros, exceto pelo volume computacional de seu cérebro, capaz de processar informações como jamais se viu. Em apenas 5 milhões de anos esse primata bípede se espalhou pela Terra inteira e partiu para povoar outros corpos celestes com suas moléculas replicantes: uma se divide em duas, duas em quatro...

2. Genes

Sobre homens e ratos

Mulheres e homens têm apenas 30 mil genes! A divulgação desse dado pelo Projeto Genoma foi um balde de água fria no orgulho humano: imaginávamos que fossem pelo menos 100 mil.

Se as moscas têm 13 mil genes, qualquer verme, 20 mil, um abacateiro, 25 mil, e os camundongos que caçamos nas ratoeiras têm 30 mil, 100 mil para nós parecia uma estimativa razoável. Afinal, não foi culpa nossa havermos sido criados à imagem e semelhança de Deus.

A bem da verdade, já sabíamos que cerca de 98% de nossas seqüências de DNA são idênticas às dos chimpanzés. Mas chimpanzés são animais políticos que formam comunidades com culturas próprias, utilizam instrumentos rudimentares e matam seus semelhantes premeditadamente. São, por assim dizer, seres mais humanos.

Admitir, no entanto, que nosso genoma é formado pelo mesmo número de genes dos ratos e que somente trezentos genes são responsáveis pelas diferenças entre nós e eles, representa humilhação inaceitável.

A visão antropocêntrica, segundo a qual a vida na Terra teria evoluído dos seres unicelulares para indivíduos cada vez mais complexos até chegar ao homem, é um mau entendimento das leis da natureza. No "ranking" evolutivo não existe primeira posição. A prova é que as bactérias foram os primeiros habitantes do planeta e não só ainda estão por aí como representam mais da metade da biomassa terrestre, isto é, se somarmos o peso de cada uma, obteremos mais da metade da massa de todos os demais seres vivos somados, incluindo árvores, elefantes e baleias.

O *Homo sapiens* é simplesmente uma entre milhões de espécies. Nascemos há 5 milhões de anos, um segundo evolutivo comparado aos 4 bilhões de anos das bactérias. Não fizemos nenhuma falta à vida na Terra durante praticamente toda a existência dela, e se um dia formos extintos, nenhuma formiga, cigarra ou besouro chorará a nossa ausência. A evolução continuará seu caminho inexorável de competição e seleção natural, como ensinaram Charles Darwin e Alfred Wallace.

Na verdade, os números do Projeto Genoma são lógicos. Os seres vivos mantêm a quase totalidade de seus genes ocupados na execução das tarefas do dia-a-dia: respiração, circulação, movimentação, digestão, excreção e produção de energia, entre outras.

Muitos desses genes são tão essenciais ao trabalho doméstico que a evolução os preservou praticamente intactos de um ser vivo para outro. Vejam o caso do gene responsável pela ubiquitina.

A ubiquitina é uma proteína envolvida no maquinário celular, encarregada de cortar outras proteínas. Dentro da célula, essa é uma função importantíssima, porque as proteínas que ficaram velhas ou saíram defeituosas precisam ser destruídas para não interferir no funcionamento celular. Outras têm que ser cortadas para permitir que ocorram determinadas reações inibidas por sua presença, da mesma forma que a tampa de um tanque precisa ser retirada para que escoe a água nele contida.

Se compararmos a ubiquitina de um fungo à da mosca que sobrevoa as bananas maduras, à de um verme, à de um sapo ou à do homem, veremos que as moléculas são praticamente iguais (daí o nome, para sugerir ubiqüidade). A semelhança é tanta que os biólogos interessados nos mecanismos de ação da ubiquitina não são obrigados a estudá-la no homem: podem fazê-lo num fungo e transpor os resultados para a fisiologia humana.

É provável que o ancestral comum aos fungos e aos homens, que viveu há 600 milhões de anos, tenha desenvolvido um método tão eficiente de cortar proteínas que o mesmo se manteve intacto durante o processo evolutivo. Os descendentes desse ancestral incapazes de produzir ubiquitina não tiveram chance na competição e desapareceram.

Como o gene da ubiquitina, vários outros são compartilhados por todos os seres vivos, com diferenças mínimas. Estão geralmente ligados às funções essenciais à manutenção da vida celular. Representam soluções tão econômicas para a execução das tarefas diárias que a evolução não conseguiu selecionar outras melhores. É o caso da existência de dois olhos na cabeça, por exemplo, estratégia adotada por todos os animais dotados de visão.

Entender a razão pela qual temos 30 mil genes como os ratos é fácil: eles são mamíferos como nós e apresentam fisiologia tão semelhante à nossa que costumamos utilizá-los em experiências para entender a fisiologia humana. O que intriga na evolução não é a proximidade genética entre as espécies, mas os genes responsáveis pelas diferenças.

Se o que nos distingue dos ratos são mesmo trezentos genes, as interações entre estes e o ambiente envolvem imensa complexidade biológica.

A história da clonagem

Todos lembram de Dolly, clonada a partir de uma ovelha adulta. Ian Wilmut e Keith Campbel, os dois escoceses que a clonaram, ganharam as páginas dos jornais, e provavelmente um dia receberão o prêmio Nobel.

A clonagem é um processo simples de entender, mas difícil de executar com segurança por causa de dificuldades técnicas, que no entanto estão sendo transpostas rapidamente. Em pouco tempo teremos rebanhos de animais clonados, e estaremos às voltas com os aspectos éticos e sociais das clonagens na espécie humana.

A revista *Science*, que divide com a *Nature* o pódio do prestígio científico, publicou na seção "Pathways of Discovery" [Caminhos da Descoberta] uma revisão sobre a evolução ocorrida no campo da clonagem.[1] Vamos mostrar como a ciência chegou a Dolly e o que aconteceu depois de seu nascimento, em 1996.

Para isso, é preciso voltar no tempo.

Em 1839, Theodor Schwann[2] criou a teoria celular, estabelecendo que os organismos são formados por células que se organizam em tecidos. Em 1855, outro alemão, Rudolf Virchow, enunciou o conceito *Omnis cellula e cellula*: toda célula vem de outra célula. Dez anos mais tarde, o monge Gregor Mendel descreveu em ervilhas as leis fundamentais da hereditariedade, ignoradas até o início do século xx.

Há mais de cem anos, portanto, já se sabia que depois da fecundação o ovo se divide sucessivamente até formar o indivíduo. De acordo com a teoria celular, as células-filhas herdam as características das células-mães e depois se diferenciam para exercer as funções específicas dos órgãos às quais se destinam, seja fígado, pulmões ou pele.

Na época, não havia dúvida de que as duas células resultantes da primeira divisão do óvulo recém-fecundado eram aparentemente iguais. Mas e se fossem separadas uma da outra? Conservaria cada uma a capacidade de gerar o embrião inteiro ou formaria apenas metade dele?

A questão da igualdade ou diferença das duas primeiras células do embrião foi mais uma das demonstrações de que em ciência é fundamental formular a pergunta instigante. O esclarecimento dessa dúvida deu origem aos bebês de proveta e às clonagens de vegetais e animais como Dolly.

Em 1892, Hans Driesch[3] esperou um ovo de ouriço-do-mar dividir-se pela primeira vez num meio de cultura e separou as duas células: cada uma formou uma larva de ouriço-do-mar completa. Numa segunda experiência, esperou a divisão formar quatro células para depois separá-las, e o resultado foi o semelhante: surgiram quatro larvas.

Em 1901, Hans Spemann[4] separou as duas primeiras células de um ovo de rã e com elas obteve dois girinos bem formados. Estava confirmada, num animal mais complexo, a experiência com o ouriço-do-mar.

Assim, no início do século xx a ciência chegou à conclusão de que as primeiras células embrionárias são totipotentes, isto é, carregam consigo todas as informações necessárias para gerar o organismo completo.

Aí foi feita a pergunta seguinte: em que parte da célula estaria armazenada essa informação?

Como nessa época os cromossomos já haviam sido caracterizados como responsáveis pela hereditariedade, a suspeita recaiu sobre o núcleo. Jacques Loeb e o próprio Spemann, trabalhando respectivamente com ouriços-do-mar e sapos, se encarregaram de resolver a questão.

Os dois cientistas separaram as células resultantes da primeira divisão do ovo e retiraram o núcleo de apenas uma delas. A célula anucleada perdia a capacidade de se reproduzir, ao contrário da outra de núcleo intacto: as informações genéticas estavam armazenadas no interior do núcleo.

Com técnicas rudimentares mas engenhosas, Loeb e Spemann conduziram uma série de experimentos nos quais esperavam essa célula nucleada dividir-se até o estágio de oito a dezesseis células-filhas, retiravam o núcleo de uma delas e o enxertavam na célula inicial, da qual o núcleo havia sido previamente retirado. Esta, de posse de um novo núcleo, recuperava a capacidade de multiplicação e formava larvas completas.

Assim, os cientistas alemães, que na época dominavam o campo, provaram que pelo menos as dezesseis primeiras células embrionárias conservavam o potencial para desenvolver o embrião inteiro e que o segredo dessa potencialidade estava encerrado no núcleo.

Em 1938, um ano antes de começar a Segunda Guerra, Spemann fez uma pergunta que ele mesmo definiu como "algo fantástica": Será que o núcleo de uma célula de adulto retém o mesmo potencial das células embrionárias? Passaram-se 58 anos e nasceu Dolly para provar que sim.

Veio a guerra, e o eixo do progresso científico deslocou-se para os Estados Unidos. Em 1952, Robert Briggs e Thomas King surpreenderam a comunidade científica com uma série de experimentos nos quais testaram transferência de núcleos em uma espécie de rã conhecida como rã-leopardo (*Rana pipiens*).[5]

Quando retiravam o núcleo de uma célula obtida nas primeiras fases do desenvolvimento embrionário (fase de blástula) da rã e o transferiam para um óvulo não fertilizado e sem núcleo, os girinos se formavam como no ouriço-do-mar. Entretanto, se o núcleo a ser transferido fosse colhido numa fase mais tardia do desenvolvimento embrionário (fase de gástrula), a proporção de girinos obtidos era consideravelmente mais baixa. Quando colhido de fases mais tardias ainda, nas quais o embrião já se havia diferenciado a ponto de formar a cauda do girino, o núcleo transferido perdia totalmente a capacidade de gerar novos girinos.

Diante disso, Briggs e King concluíram que à medida que o embrião se desenvolve suas células se diferenciam e perdem o potencial de gerar novos embriões. O tempo demonstraria que estavam enganados.

No ano seguinte, 1953, James Watson e Francis Crick desvendaram a estrutura do DNA,[6] e os genes passaram a ser entendidos como moléculas passíveis de manipulação.

Em 1958, Thomas Elsdale e John Gurdon[7] publicaram na *Nature* um estudo semelhante, conduzido com outra espécie de rã, a rã-africana (*Xenopus laevis*). Nele demonstravam que os núcleos de células colhidos numa fase precoce do desenvolvimento embrionário (blástula) e transplantados para óvulos anucleados não só formavam girinos saudáveis, como estes se desenvolviam para dar sapos e rãs sexualmente maduros: estava dado um passo a mais para a obtenção de animais adultos por clonagem.

Colhidos os núcleos na fase de blástula, 30% das clonagens tinham sucesso. Quando colhidos mais tarde, imediatamente antes de os girinos deixarem o ovo, o rendimento caía para 6%. E se os núcleos fossem colhidos de girinos que já nadavam no aquário, apenas 3% das clonagens davam origem a adultos.

Em 1962, John Gurdon[8] retirou núcleos de células intestinais de sapos adultos, transferiu-os para óvulos não fecundados e clonou vinte sapos que chegaram à fase adulta aparentemente idênticos, com exceção de um deles, de tamanho pequeno, e de outro, estéril. Foi a primeira clonagem a partir de células retiradas de adultos. Começava a ser respondida a pergunta que Spemann fizera 24 anos antes: o núcleo de células adultas, já diferenciadas, parecia reter o mesmo potencial do núcleo das células embrionárias.

Cinco anos depois, em 1967, Marie Di Bernardino relatou mais de 1200 transferências de núcleos obtidos a partir de células nervosas de rãs adultas para óvulos não fecundados. Apesar do sucesso técnico das transferências, apenas quatro dos animais gerados tinham cromossomos normais, dos quais três apresentaram defeitos de desenvolvimento.

Em 1977, o mesmo John Gurdon retirou o núcleo de um óvulo de rã preta e nele inseriu o núcleo de células adultas de uma rã albina.[9] Nasceram trinta rãs, todas elas albinas, como a doadora do núcleo que lhes deu origem. O autor publicou a foto das rãs dispostas em cinco colunas de seis indivíduos cada.

Esses trabalhos provocaram furor na imprensa leiga. A comparação com os seres humanos clonados da ficção de Aldous Huxley — *Admirável mundo novo*, publicada em 1932 — foi inevitável, e alimentou numerosas especulações na imprensa, histórias literárias e cinematográficas: *A duplicação do homem*, de David Rorvik (1978),[10] *Os meninos do Brasil*, de Ira Levin (1976),[11] *A clonagem de Joanna May*, de Fay Weldon,[12] dentre outros.

Até então, os cientistas pareciam interessar-se apenas pela ciência básica envolvida na clonagem. A consciência de suas aplicações práticas veio apenas em 1979, quando Steen Willadsen[13] conseguiu realizar 101 transferências de núcleos retirados de células na fase inicial do desenvolvimento de embriões de boi. As técnicas de clonagem de ouriços-do-mar e sapos chegavam à pecuária.

Em 1991, o mesmo Willadsen isolou núcleos de oito células do embrião de um boi na fase de blástula e transferiu-os para oito óvulos previamente anucleados.[14] Verificou que diversos bezerros nascidos apresentavam defeitos congênitos, dos quais o mais freqüente era o excesso de peso ao nascer, causador de sérias dificuldades de parto que inviabilizavam a aplicação comercial do experimento.

Nos anos que se seguiram, Ian Wilmut e Keith Campbell[15] trabalhavam no célebre Roslin Institute, na Escócia, para encontrar formas de modificar geneticamente ovelhas e bois. Impressionados pelas experiências que demonstravam a possibilidade de clonar sapos e rãs a partir de núcleos obtidos de células adultas, os pesquisadores criaram culturas de células de embriões de carneiro para mantê-las em estado de "dormência" (quiescência). Nesse ambiente, as células embrionárias envelhecem e diferenciam-se como a dos adultos. Em seguida, os autores colocaram essas células em presença de óvulos não fecundados e aplicaram uma corrente elétrica no meio de cultura para fundir as células embrionárias com o óvulo e lhes transferir o núcleo.

Em 1995, Wilmut e Campbell haviam conseguido 244 transferências. Delas, 34 atingiram o estágio de desenvolvimento que lhes permitiu o implante no útero de ovelhas-mães adotivas. Nasceram cinco carneiros, dos quais apenas dois sobreviveram até a idade adulta: Megan e Morag, os primeiros mamíferos clonados a partir de células diferenciadas envelhecidas em cultura.

Insensíveis aos fracassos de seus predecessores com clonagens a partir de células adultas, os dois escoceses tentaram transferir para óvulos núcleos retirados das glândulas mamárias de uma ovelha de seis anos. Em 1996, depois de 277 tentativas, nasceu Dolly, o primeiro mamífero clonado a partir das células de um adulto, experimento que muitos julgavam impossível.[16]

Foram necessários 58 anos para que a hipótese "fantástica" de Spemann ficasse comprovada: a informação genética guardada no núcleo das células adultas retém de fato a capacidade de gerar novos indivíduos.

A metodologia empregada na concepção de Dolly foi alvo de intensa polêmica nos meios acadêmicos, como tradicionalmente acontece com a publicação de observações revolucionárias. Difícil aceitar que um animal seja cópia em carbono de um adulto, gerado por um método que subverte os papéis clássicos de pai e mãe.

Em 1997, os dois escoceses que criaram Dolly obtiveram Polly,[17] ovelha clonada a partir de fibroblastos adultos (células do tecido conjuntivo) nos quais havia sido inserido um gene que codifica o fator IX, proteína de valor comercial envolvida na coagulação do sangue humano. Polly foi o segundo mamífero obtido a partir de células adultas e o primeiro animal clonado para funcionar como biorreator — fábrica de proteínas de interesse econômico.

Nos anos seguintes, a transferência de núcleos de células adultas para óvulos anucleados foi executada com sucesso em bois, cabritos e ratos. Por enquanto o rendimento está abaixo das expectativas comerciais: as clonagens são trabalhosas e os índices de sucesso raramente ultrapassam 3%, porque os embriões morrem com facilidade. Outros morrem ao nascer, freqüentemente com anormalidades físicas.

As razões para essas mortes são desconhecidas. Talvez o núcleo adulto exija técnicas especiais para reprogramar-se na medida necessária para formar um novo indivíduo. Apesar dos reveses, porém, inúmeras companhias de biotecnologia fazem investimentos pesados no setor, com a intenção de clonar animais de raças mais apuradas e biorreatores que produzam proteínas ou tecidos de interesse médico.

No começo de 2001 havia cerca de trezentos bezerros clonados a partir de células fetais ou adultas. Gestações como essas muitas vezes terminam em abortamento espontâneo. Nesses casos, os fetos costumam ser surpreendentemente grandes. Dos que sobrevivem até o nascimento, cerca de 25% são maiores do que os normais, dificultando o trabalho de parto. Mesmo os que nascem com tamanho normal apresentam pulmões imaturos e níveis de potássio muito altos no sangue.

Os pesquisadores que trabalham com gado constroem atualmente um banco de dados contendo informações sobre as linhagens de células utilizadas na clonagem, técnicas usadas para a transferência de núcleos, os cuidados e a alimentação indicada para as mães adotivas e a velocidade de crescimento intra-uterino dos embriões, com o objetivo de caracterizar melhor os fatores envolvidos no processo.

Em março de 2000, Alan Colman, cientista de uma companhia chamada PPL Therapeutics, comunicou a obtenção de porcos clonados. Clonagem de porcos é um dos tópicos mais disputados da ciência atual, pois muitos cientistas acreditam que tecidos como coração, fígado e pâncreas de porcos transgênicos poderão ser usados para substituir órgãos humanos nos transplantes.

Trabalhar com porcos é mais difícil do que com bois ou ovelhas porque os filhotes nascem em ninhadas, e, a menos que existam quatro fetos viáveis no útero, a gravidez termina espontaneamente. Isso representa uma complicação a mais: é preciso conseguir implantar pelo menos quatro embriões viáveis no útero adotivo. Além disso, os embriões são mais frágeis e difíceis de manipular.

Apesar das dificuldades, empresas como a PPL procuram modificar as células doadoras de material genético para obter tecidos mais facilmente aceitos pelo sistema imunológico humano.

Cabritos parecem mais fáceis de ser clonados. Em 1999, duas companhias relataram a obtenção desses animais. Uma delas, Nexia Biotechnology, clonou dois cabritos biorreatores, portadores de um gene retirado de uma espécie de aranha que constrói sua teia com um fio semelhante à seda. Em 2000, os dois foram cruzados com fêmeas normais para tentar obter no leite materno a proteína responsável pela teia. Com ela esperam fabricar fios para sutura cirúrgica, coletes à prova de balas e componentes para a indústria automobilística e aeronáutica.

Diversas companhias estão apostando que as galinhas serão biorreatores imbatíveis. Afinal, o custo de um ovo é insignificante, e se for possível cloná-los com genes que produzam proteínas de valor na clara ou na gema, separar uma da outra está ao alcance de qualquer cozinheiro. O problema é que os ovos são grandes e opacos, o que dificulta a inserção de genes em seu núcleo. Apesar disso, uma companhia americana, a Avigenics, anuncia para breve o primeiro pássaro clonado.

Muito mais problemáticas têm sido as tentativas de clonar macacos. Embora haja relatos de sucesso na transferência de núcleos para óvulos, surgem dificuldades quando são implantados no útero. As anormalidades do embrião são visíveis já nas primeiras divisões celulares e a gravidez é abortada com freqüência.

É bem provável que clonagens humanas venham a enfrentar problemas semelhantes; macacos são primatas como nós. De qualquer forma, nos dias de hoje, está fora de cogitação na espécie humana a clonagem reprodutiva à custa de embrião derivado do núcleo de uma célula adulta transferido para o óvulo e implantado no útero de uma mãe disposta a aceitá-lo. O grande número de mortes e as anormalidades físicas em ratos, bois e outros animais clonados tornam a tecnologia inaceitável aos padrões humanos.

No entanto, a julgar pela velocidade com que as dificuldades técnicas estão sendo contornadas, e pelo capital investido pelas empresas que atuam nessa área, é quase certo que em dez ou vinte anos a clonagem de células humanas estará ao alcance de uma parcela expressiva da população.

Células humanas que fabriquem determinadas proteínas que o organismo parou de produzir poderão ser clonadas e usadas para tratar doenças como diabetes, câncer, arteriosclerose, mal de Parkinson ou doença de Alzheimer. Por meio da clonagem, alguns genes poderão ser introduzidos para corrigir defeitos genéticos que provocam retardo intelectual, perda de visão e distúrbios metabólicos. Células clonadas serão modificadas geneticamente para que o sistema imunológico não as rejeite nos transplantes.

No ambiente científico, mesmo os mais céticos admitem que a clonagem provocará uma revolução na medicina, na pecuária e na agricultura. É muito importante que a sociedade se familiarize com essa tecnologia, para evitar o pânico diante do desconhecido que aconteceu quando de outras descobertas científicas.

Em particular, o medo da clonagem de rebanhos de seres humanos cordatos a interesses alheios é absolutamente infundado. O mais insignificante de nossos comportamentos é controlado por tantos genes que, quando nos referimos a eles, usamos o termo "constelação de genes". Entender as minúcias das interações entre eles a ponto de manipulá-las com intenções específicas, não está no universo previsível da ciência. Talvez nem daqui a mil anos esteja.

Não há como negar, no entanto, que haverá situações complexas a exigir legislação especial para que a sociedade estabeleça os limites da aplicação desse tipo de tecnologia.

Mas não será fácil legislar. Por exemplo, a mãe de um filho com lesão cerebral irreversível terá direito de cloná-lo? A mãe de uma criança com leucemia, cirrose ou insuficiência renal, que necessite de um transplante a médio prazo, poderá cloná-lo para obter um irmão gêmeo capaz de doar ao doente tecidos que nunca serão rejeitados? Uma mulher solteira poderá conceber uma filha à custa da clonagem de suas próprias células, implantadas no útero que é dela? E um casal de heterossexuais irreversivelmente estéreis que desejar um filho clonado a partir de um deles?

O argumento de que crianças assim nascidas viriam ao mundo apenas para atender a interesses egoísticos dos pais não justificaria a proibição nesses casos. Desde os primórdios da humanidade os filhos têm nascido para preencher as mais variadas expectativas de mulheres e homens.

Mesmo proibir a clonagem porque a criança assim gerada seria cópia idêntica do progenitor que lhe doou os genes não parece argumento razoável: a semelhança estaria limitada ao aspecto físico, se tanto. A personalidade individual é conseqüência de interações muito complexas entre o genoma e as experiências colhidas do ambiente.

Andi, o macaquinho transgênico

A biologia começa a decifrar os mecanismos de criação da vida. No passado, a vida era estudada como um produto acabado da evolução das espécies, uma massa de atividade biológica criada por imposição de um conjunto de genes impossíveis de manipular.

Foi nos anos 1950 que Watson e Crick descobriram a estrutura do DNA, a estante-arquivo dos genes, e aprendemos que eles não passam de substâncias químicas, ou seja, substâncias quimicamente iguais em todas as espécies. O que nos diferencia de uma bactéria é simplesmente a complexidade: elas possuem 10 mil genes, e nós, cerca de 30 mil.

Como conseqüência, se isolarmos o gene responsável pelo azul dos olhos de uma criança e, com uma agulha microscópica, formos capazes de implantá-lo numa bactéria, ela não o estranhará. Ao contrário, passará a considerá-lo seu na hora de executar o ofício incansável de todos os genes: dar ordem para produzir proteína. Assim, uma reles bactéria pode fabricar a proteína que deixa azul o olho de uma criança.

Foi o que os cientistas fizeram a partir dos anos 1960 e 1970: transplantaram para bactérias o gene da insulina humana, do interferon e de outras proteínas de interesse comercial. A tecnologia foi chamada de DNA recombinante.

Em 1980, um grupo de pesquisadores americanos retirou células da medula óssea de um rato, introduziu nelas um novo gene e devolveu-as ao animal. Foi o primeiro animal transgênico. Pouco depois, surgiram os experimentos de transplantes de genes em óvulos e espermatozóides, procedimento muito mais radical, porque o gene transplantado fica definitivamente incorporado ao genoma e pode ser transmitido às gerações futuras.

A transgenia não ficou limitada aos ratos. Logo apareceram as ovelhas, porcos e bois — para não falar dos vegetais transgênicos. Diversas proteínas de interesse para o homem começam a ser fabricadas por essa tecnologia que mudará a medicina, a agricultura e a pecuária.

Na edição de janeiro de 2001, na revista *Science*, pesquisadores do centro de primatologia de Oregon, nos Estados Unidos, relataram um trabalho que mais parece curiosidade de almanaque: o transplante de um gene da água-viva para um macaco *Rhesus*.[18] O gene transplantado produz uma proteína (GFP) que exibe coloração esverdeada quando iluminada por laser. Foi escolhido um macaco porque a presença da luz verde nos tecidos desse animal seria uma maneira fácil de confirmar o sucesso do transplante.

O gene foi retirado das células de uma água-viva e introduzido num vírus preparado para funcionar como vetor do transplante. Os pesquisadores tomaram então 224 óvulos de macacas e introduziram neles os vírus-vetor carregando o gene em questão. Depois, fecundaram esses óvulos *in vitro*, com a mesma técnica dos bebês de proveta. Os quarenta embriões mais vigorosos foram finalmente implantados no útero de vinte macacas. Nasceram apenas três macaquinhos, entre eles Andi, com traços da proteína esverdeada em seus músculos, cabelos e glóbulos brancos. Se Andi será capaz de transmitir o gene a seus descendentes, só saberemos daqui a quatro ou cinco anos, quando atingir a maturidade sexual.

O assunto ganhou destaque no noticiário internacional. O olhar meigo do macaquinho no colo da pesquisadora deixou claro que os transplantes de genes entre espécies diferentes chegaram muito próximo do homem. Enquanto eram ratos, porcos ou ovelhas, tudo bem, mas macacos!

Esse tipo de situação provoca os mesmos temores da época de Dolly, a ovelhinha clonada pelo escocês de barba ruiva. Não faltam visionários para antever hordas de crianças clonadas para atender ao desejo de tiranos desalmados ou uma profusão de pais a inserir genes em seus filhos para torná-los mais espertos.

Embora a tecnologia para obtenção de macacos transgênicos esteja muito atrasada em relação à utilizada nos ratos, há razões óbvias para desenvolvê-la: macacos são primatas como nós. Os conhecimentos obtidos por meio deles serão fundamentais para corrigirmos defeitos genéticos que trazem ao mundo crianças com retardo intelectual, cegueira, deformidades físicas, além de adultos que terminam a vida com câncer, infarto do miocárdio ou enclausurados na solidão das demências.

Os transplantes de genes encontrarão tantas aplicações no tratamento de doenças congênitas e adquiridas que provocarão uma revolução sem precedentes na história da medicina.

É absurdo renunciarmos a esse tipo de tecnologia por medo de possíveis aplicações criminosas. Bastará à sociedade criar leis que estabeleçam limites rígidos para esses procedimentos, como fizemos para os transplantes de órgãos, por exemplo.

3. Cérebro

As borboletas misteriosas da alma

O cérebro humano é a estrutura mais complexa do universo. Pesa ao redor de um quilo e meio, mas contém tantos neurônios quantas estrelas a Via Láctea: 100 bilhões.

Para dar idéia da complexidade de nosso sistema nervoso, vale lembrar que em um milímetro cúbico de tecido cerebral existem 100 mil neurônios que estabelecem 1 bilhão de conexões uns com os outros. Se medíssemos uma por uma todas as ramificações que essas células apresentam, chegaríamos à conclusão de que o cérebro contém uma fiação de 100 mil quilômetros, duas vezes e meia a circunferência da Terra.

A curiosidade pela fisiologia cerebral é muito antiga. Existe farta documentação sobre esqueletos de 10 mil anos que exibem um buraco regular no topo da cabeça, procedimento ainda hoje utilizado com o nome de trepanação. Pelas características da ossificação no local, é possível concluir que esses orifícios foram abertos em pessoas vivas, e não como parte de um ritual depois da morte. Há forte suspeita de que essas trepanações tenham sido realizadas por médicos para tratar cefaléias e doenças mentais, talvez com o propósito de abrir caminho para os maus espíritos abandonarem o cérebro.

Há 5 mil anos, os egípcios, que descreveram diversos sinais de doenças neurológicas, consideravam o coração o templo da alma e a biblioteca das memórias.

O coração permaneceu como sede da consciência até Hipócrates (460-379 a.C.), o pai da medicina ocidental. Para ele, o órgão que controlava as sensações e a inteligência era o cérebro. Nem todos os gregos aceitavam essa idéia, no entanto. O célebre Aristóteles, por exemplo, continuava acreditando no coração como albergue do intelecto. Para ele, o cérebro seria um simples radiador para esfriar o sangue esquentado pelas batidas do coração.

Então, no ano de 200 a.C., nasceu Galeno, e a anatomia humana nunca mais foi a mesma. Galeno era médico dos gladiadores que se batiam nas arenas romanas, dissecava animais e, possivelmente, cadáveres humanos também. Para ele, o cérebro era constituído pela parte da frente, o *cerebrum*, e pela de trás, o *cerebellum*. Como a consistência do cerebelo é endurecida, ele supôs que aí estivesse a sede do comando dos músculos. O cerebelo teria consistência mais tenra, para receber as sensações e gravar memórias. Apesar da estranheza do raciocínio, sua intuição estava próxima da verdade, como ficou claro mais tarde.

Essa visão de Galeno, como tantas outras de sua autoria, permaneceu incontestável por 1500 anos. Na Renascença, os franceses ainda defendiam a idéia de que o cérebro funcionaria como uma bomba capaz de impulsionar o líquido contido em seu interior para o interior dos nervos (que seriam ocos), a fim de contrair os músculos. O matemático e filósofo Descartes, há trezentos anos, imaginava que o cérebro controlaria apenas a parte do comportamento humano que se assemelha ao das feras. A mente seria uma entidade espiritual, extracorpórea, que receberia sensações e comandaria os movimentos comunicando-se com o resto do cérebro por intermédio da glândula pineal.

A partir do início do século XX, entretanto, a ciência começou a suspeitar que os fenômenos mentais seriam elaborados como simples conseqüência do tráfego de impulsos nervosos pelo tecido nervoso. Vejamos o caminho que a neurociência percorreu para demonstrar que a mente humana tem uma base física: o cérebro. Para tanto, é fundamental compreender como as células cerebrais funcionam, como os impulsos nervosos são transmitidos de uma para outra, como elas se organizam em circuitos que convergem para determinadas regiões cerebrais e, sobretudo, como a arquitetura de tal rede de circuitos se molda plasticamente sob o impacto da experiência vivida. Sem saber como trabalha o neurônio é impossível falar de funções complexas como visão, linguagem, aprendizado, memória ou a consciência da inexorabilidade da própria morte, atributo aparentemente exclusivo da espécie humana.

Há cem anos, Santiago Ramón y Cajal, anatomista espanhol, teve a idéia de preparar cortes microscópicos de tecido cerebral e mergulhá-los numa solução de sais de prata para corá-los. Os sais impregnaram todas as células de um determinado tipo, deixando as outras sem coloração. No microscópio, ele notou que o cérebro era povoado por células dotadas de um corpo central de onde partiam ramificações que estabeleciam incontáveis conexões umas com as outras. Pareciam aranhas de múltiplas formas conectadas por infinitos tentáculos.

Cajal chamou-as de neurônios, e as descreveu como células capazes de receber sinais através de suas ramificações (os dendritos) e transmiti-los por extensões não ramificadas (os axônios). A essa propriedade de captar impulsos nervosos pelos dendritos e transmiti-los pelos axônios para os neurônios seguintes, Cajal deu o nome de polaridade.

Esse princípio, segundo o qual a informação flui do dendrito para o axônio, embora tenha encontrado exceções no futuro, foi crucial para o surgimento da neurociência, pois permitiu ligar a estrutura à função. A enunciação do princípio da polaridade abriu caminho para as tentativas de entender os circuitos que os neurônios formam no interior do tecido nervoso.

Ao microscópio, Cajal observou que os corpos centrais dos neurônios e as ramificações que deles partiam apresentavam, além da extrema diversidade de forma, diferenças significantes de tamanho. Algumas células tinham prolongamentos curtos que se comunicavam com vizinhas próximas, enquanto outras enviavam seus tentáculos para regiões cerebrais distantes e até para a medula espinhal.

A respeito dos neurônios, escreveu: "são as misteriosas borboletas da alma, cujo bater de asas poderá algum dia — quem sabe? — esclarecer os segredos da vida mental". Estava enunciada a teoria neuronal. Graças a ela, Cajal ganhou o prêmio Nobel de medicina e o título inconteste de pai da neurociência moderna.

Segundo a teoria neuronal, o cérebro é formado por neurônios que constituem as unidades elementares na transmissão de sinais. Através de suas ramificações, os neurônios estabelecem conexões que obedecem aos seguintes princípios gerais:

- As conexões que um neurônio estabelece com outro são altamente específicas, isto é, embora num ser humano existam 100 bilhões de neurônios e trilhões de ramificações, as conexões não acontecem ao acaso, cada uma tem arquitetura própria e propriedades individuais.
- Em todas as espécies de animais os neurônios se conectam segundo padrões bem definidos, obedientes à mesma organização geral característica da espécie à qual o animal pertence.
- Salvo raras exceções, a informação trafega sempre na mesma direção no interior do neurônio: entra pelos dendritos (as ramificações) e corre na direção do axônio (a extensão não ra-

mificada). Essa propriedade recebe o nome de polarização dinâmica.
• Nos circuitos, o contato entre dois neurônios ocorre apenas em pontos especializados, chamados de sinapses. Nelas os neurônios não se tocam, deixando um espaço minúsculo entre as duas terminações: em média, vinte nanômetros (vinte milésimos de milímetro).

Esta última observação foi de importância fundamental. Antes dela, imaginava-se que a informação seria transmitida de um neurônio para o outro como nos fios elétricos: por continuidade. Não poderia ser assim, pois, se fosse, a voltagem do impulso nervoso cairia à medida que ele percorresse o circuito de neurônios, da mesma forma que a voltagem cai enquanto percorre os fios elétricos da rua (por isso a companhia instala transformadores de tantos em tantos metros).

Nas sinapses, os neurônios não se conectam como fios elétricos, mas se comunicam por meio de uma linguagem físico-química.

Estudando as sinapses em 1929, Otto Loewi descobriu que nesse local havia liberação de pequenas quantidades de uma substância química: a acetilcolina. Essa substância era liberada na sinapse pelo neurônio que traz a informação (pré-sináptico), e captada por receptores localizados no neurônio que a recebe (pós-sináptico). Foi a primeira prova da existência de uma linguagem química na comunicação entre neurônios.

Na década de 1940, uma série de experimentos demonstrou que os impulsos elétricos transmitidos de um neurônio para outro surgem porque partículas carregadas de eletricidade (íons de sódio, potássio, cloreto e cálcio) migram através dos poros das terminações do neurônio pré-sináptico para a sinapse, e daí para os poros do neurônio que vai receber o sinal pós-sináptico, criando uma corrente elétrica. Estava explicada a origem da linguagem física entre os neurônios.

Dos anos 1960 até hoje foram identificados mais de cem neurotransmissores, entre eles a dopamina e a serotonina, envolvidos nas sensações de prazer e nos quadros de depressão.

Dependendo do desenho espacial da molécula do receptor situado na terminação do neurônio que vai receber o sinal elétrico, o neurotransmissor liberado na sinapse poderá potencializar, simplesmente facilitar, ou inibir a passagem da informação.

Já se pode vislumbrar a complexidade funcional do sistema nervoso humano: 100 bilhões de neurônios organizados em circuitos com trilhões de conexões. Cada um deles com centenas de dendritos que captam sinais na vizinhança, separam aqueles relevantes dos que constituem ruído fútil, e os transmitem na direção do axônio. Na extremidade deste, a sinapse, nicho microscópico que precisa ser transposto pelo sinal para chegar ao neurônio seguinte (pós-sináptico). A informação conduzida pelo axônio do neurônio pré-sináptico, quando chega na sinapse, vai encontrar partículas carregadas de eletricidade (íons) que entram e saem dos dois neurônios através de canais submicroscópicos. É esse entra-e-sai que gera a corrente elétrica.

E quem controla a velocidade de entrada e saída dos íons, que em última análise condiciona a intensidade do impulso nervoso? Os neurotransmissores. A afinidade que o neurotransmissor liberado por um neurônio tem com o receptor existente no neurônio seguinte do circuito, pode fechar ou abrir os canais por onde passam os íons sódio, potássio etc., facilitando ou inibindo a passagem do impulso nervoso.

Imaginemos os circuitos neuronais envolvidos na captação do estímulo doloroso causado por uma picada de abelha no pé direito. A circuitaria começa nas terminações nervosas da pele do pé, segue pelos nervos que vão dar na medula espinhal, e dela sobe para conectar-se aos circuitos cerebrais. O estímulo atravessará centenas de sinapses, nas quais serão liberados neurotransmissores que agirão sobre os receptores dos neurônios seguintes, modificando-lhes a arquitetura pelo bloqueio ou abertura dos canais por onde passarão os íons. Num piscar de olhos, a pessoa que recebeu a picada puxará o pé com força e dará um tapa na abelha. Nessa fração de segundo, a informação terá chegado na medula espinhal e disparado o reflexo de puxar o pé para trás. Simultaneamente, atingirá diversas estações cerebrais que compararão o estímulo recebido com os demais arquivados na memória, até identificá-lo como resultante da picada de uma abelha que merece ser morta a tapa.

A velocidade com que a informação pode trafegar pelo sistema nervoso é assustadora: chega a atingir de dez a cem metros por segundo. Mais ainda quando se pensa que o impulso para atravessar as sinapses depende da arquitetura molecular dos poros da membrana dos neurônios; dos neurotransmissores que são liberados não como moléculas isoladas, mas na forma de pacotes contendo 5 mil delas (chamados de quanta), que se ligam a receptores específicos e provocam reações químicas capazes de modular o fluxo de íons de acordo com o interesse do organismo — ora reforçando ora diminuindo a intensidade do impulso nervoso.

É lógico que tanta rapidez no processamento de dados não surgiu da noite para o dia. A seleção natural começou a favorecer a sobrevivência dos animais que conduziam impulsos nervosos com maior eficácia há mais de 600 milhões de anos, quando surgiram os primeiros seres multicelulares.

Poucas divisões celulares depois da fecundação do óvulo, já aparecem as primeiras células nervosas, primitivas, que se multiplicam sem parar.

Em 1956, Rita Levi-Montalcini e Stanley Cohen inauguraram a era da neurociência do desenvolvimento ao descrever a primeira proteína dotada da propriedade de agir como fator de crescimento das células nervosas.[19] Foi chamada de NGF (Fator de Crescimento dos Neurônios), proteína essencial para a sobrevivência dessas células, capaz de enviar sinais contínuos para que um neurônio dirija suas terminações na direção de outro e forme uma sinapse.

Depois do NGF foram descritas diversas moléculas com propriedades semelhantes e importância decisiva na formação do embrião.

Na embriogênese humana, a multiplicação dos neurônios é tão rápida que ao chegar no terceiro trimestre de gestação o número de neurônios do feto atinge o dobro dos 100 bilhões encontrados no adulto. Surge entre eles um processo de competição pela disponibilidade dos fatores de crescimento de tal ordem que os neurônios incapazes de formar sinapses estáveis são marcados para morrer.

Nessas circunstâncias, no núcleo dos neurônios mal conectados, um grupo de genes põe em ação um programa de morte celular premeditada. Acontece então um suicídio em massa de neurônios, fenômeno conhecido como apoptose, palavra grega que descreve a queda das folhas das árvores no outono. No melhor estilo darwinista de competição e seleção natural, sobrevivem à apoptose coletiva apenas os neurônios mais aptos, que conseguiram formar sinapses bem estruturadas.

A presença ou ausência de determinado fator de crescimento pode atrair um axônio na direção das terminações de outro ou desviá-lo para formar sinapse com um terceiro, e assim sucessivamente, até compor as malhas ou redes de transmissão de informações características de cada espécie animal.

O mais surpreendente desse processo é que as conexões se organizam a partir do reconhecimento mútuo do desenho espacial das moléculas presentes nas terminações dos dois neurônios, nas fases iniciais do desenvolvimento embrionário. Essa foi uma das maiores contribuições da década de 1990 para a neurociência moderna: a descrição da arquitetura das sinapses baseada nas moléculas que as constituem. A partir dela, a neurociência deixou definitivamente de ser descritiva para se tornar uma disciplina molecular.

Os sinais moleculares que orientam a maturação dos neurônios, a migração deles para formar circuitos e a arquitetura das sinapses começam a exercer suas funções ainda na vida intra-uterina, bem antes de o embrião exibir sinais de atividade neural. Nessa fase, a organização obedece exclusivamente ao comando todo-poderoso do programa genético herdado dos pais. A configuração básica das redes neuronais de cada indivíduo, adquiridas antes dos estímulos ambientais, vai constituir o arcabouço computacional do cérebro por onde trafegarão as informações futuras.

A atividade neural poderá ser iniciada espontaneamente pelo embrião em fases ainda precoces do desenvolvimento. No entanto, para a circuitaria desenvolver sua potencialidade serão imprescindíveis os estímulos do meio. A experiência exerce impacto decisivo na organização das redes neuronais; sem ela, o sistema nervoso não atinge a maturidade plena.

Por exemplo, se taparmos o olho esquerdo de um gato recém-nascido durante trinta dias consecutivos, a visão desse olho estará definitivamente comprometida. Do ponto de vista anatômico, os neurônios que se dispõem na retina esquerda estão lá, os circuitos que os conectam aos centros cerebrais envolvidos na visão também, mas a falta do estímulo luminoso no momento adequado terá comprometido irreversivelmente a função da rede encarregada de processá-lo.

Essa experiência clássica ilustra a característica mais importante das redes neuronais: a plasticidade. Viemos ao mundo com uma circuitaria montada na ordem imposta por nosso programa genético, mas o impacto da experiência modifica a estrutura molecular das redes, promove novas conexões e desliga outras com a finalidade de aumentar a capacidade operacional do sistema diante dos desafios que a luta pela sobrevivência impõe.

O conceito de plasticidade dos circuitos cerebrais sepultou de vez o velho debate da psicologia sobre a preponderância dos genes ou do ambiente no comportamento e na formação da personalidade. Insistir nessa dicotomia é o mesmo que ouvir uma música ao longe e perder tempo discutindo se ela vem do piano ou do pianista.

Na excelente revisão "Pathways of Discovery", publicada na revista *Science*, dois destacados neurocientistas, Eric Kandel e Larry Squire, resumem o novo alinhamento entre neurociência e psicologia: "O poder computacional do cérebro é conferido pelas interações existentes entre bilhões de células nervosas, organizadas em redes ou circuitos que executam operações específicas para dar suporte ao comportamento e à cognição".[20]

Se estudarmos as características do sistema nervoso na escala zoológica, ficaremos surpresos com tantas similaridades. As semelhanças são de tal ordem que grande parte da neurociência foi desenvolvida à custa de experiências conduzidas em três organismos: um verme de 1 mm de comprimento chamado *Caenorhabditis elegans*, a mosca que voa sobre as bananas maduras (drosófila) e o rato.

Em muitos casos, as moléculas que agem como neurotransmissores, as responsáveis pela arquitetura das sinapses e as que controlam o desenvolvimento embrionário do sistema nervoso são praticamente as mesmas no verme, na mosca e nos mamíferos. As moléculas envolvidas e as propriedades elétricas dos neurônios se acham conservadas na escala zoológica. Na verdade, o que diferencia a capacidade computacional do sistema nervoso de duas espécies é o número de neurônios e os detalhes das conexões estabelecidas entre eles.

A incomparável habilidade cognitiva da espécie humana, que nos permite criar computadores e sinfonias, é resultado da atividade de 100 bilhões de neurônios conectados em circuitos de grande plasticidade através de trilhões de sinapses encarregadas de modular o fluxo de informações que por elas trafega.

Atividades mentais como memória, percepção de estímulos e cognição só encontram sentido quando interpretadas à luz das propriedades das células nervosas, dos circuitos e das áreas anatômicas do cérebro que as integram em sistemas computacionais. O trânsito de íons e moléculas pelos circuitos neuronais é essencial para a expressão do mais reles ao mais nobre sentimento humano.

Entender os fenômenos mentais como conseqüência de eventos físico-químicos é inaceitável para os que imaginam a mente uma entidade puramente espiritual, como o fez Descartes há trezentos anos. Para os cientistas empenhados na criação de modelos destinados a decifrar as bases moleculares da consciência, porém, esse é o desafio mais maravilhoso que a biologia enfrentará no século XXI.

Mulheres intuitivas, homens autistas

Em média, os homens são mais altos e mais musculosos do que as mulheres. Característico da maioria dos mamíferos, esse dimorfismo sexual é evidência indiscutível da seleção natural resultante da competição milenar entre os machos pela posse das fêmeas, sempre interessadas em se acasalar com os mais poderosos, capazes de proteger suas proles.

Nos últimos cinqüenta anos, os neurocientistas têm demonstrado que o dimorfismo na espécie humana não se restringe à aparência física, mas está presente na configuração do cérebro.

Apesar de variações individuais, o cérebro masculino é cerca de 9% maior do que o feminino, graças às dimensões da substância branca, uma vez que a quantidade de massa cinzenta (associada às funções cognitivas superiores) é semelhante em ambos os sexos. Por outro lado, o corpo caloso, estrutura que estabelece a conexão entre os hemisférios cerebrais direito e esquerdo, é proporcionalmente mais desenvolvido nas mulheres.

Os neurônios das mulheres parecem formar maior número de conexões (sinapses), essenciais do ponto de vista funcional, mas os homens têm em média 10 milhões a 20 milhões de neurônios a mais, e eles se encontram mais densamente empacotados na maior parte dos centros cerebrais.

Antes que você, leitora feminista, tenha um ataque de nervos, vamos lembrar que, até hoje, nenhum estudo científico conseguiu demonstrar superioridade dos quocientes médios de inteligência em qualquer dos sexos.

Tomadas em conjunto, essas informações talvez expliquem por que os homens demonstram mais habilidade na realização de tarefas restritas a um único hemisfério cerebral, como interpretar mapas geográficos, encontrar saídas em labirintos, lidar com máquinas, ao passo que as mulheres levam vantagem em atividades que se beneficiam das conexões entre os dois lados do cérebro: interpretação de emoções alheias, sensibilidade social, fluência verbal.

Enquanto as áreas cerebrais controladoras da linguagem masculina estão limitadas ao hemisfério cerebral esquerdo, a mulher utiliza os dois hemisférios ao falar. Graças a essa versatilidade, as meninas começam a falar mais cedo (e, segundo os maledicentes, não param mais) e se saem melhor nas atividades escolares que privilegiam a linguagem. A presença de áreas que controlam a linguagem nos dois hemisférios cerebrais explica por que nos derrames a fala é comprometida com maior freqüência no sexo feminino; explica, também, a recuperação mais rápida das mulheres nesses casos.

Comparadas com os meninos, elas nascem com uma diferença de maturação cerebral de quatro semanas. Até a idade escolar, a diferença se mantém de tal forma que o dr. José Salomão Schwartzman, um dos neuropediatras brasileiros mais conceituados, considera erro grosseiro levar em conta apenas o critério de idade para misturar crianças de ambos os sexos na mesma sala de aula.

Dados experimentais demonstram que essas características sexuais estão ligadas a fatores biológicos. Ratos machos realizam com mais facilidade os testes para encontrar saídas de labirintos, vantagem perdida quando as fêmeas são tratadas com testosterona no período neonatal. Na infância, os machos de diversas espécies de macacos preferem brincar com carrinhos, enquanto as fêmeas escolhem as bonecas.

Em trabalho publicado em 2001, no qual bebês de um dia de vida foram colocados diante da face de uma pessoa e de um objeto mecânico móvel, ficou demonstrado que as meninas passam mais tempo a olhar para a face; os meninos, para o objeto.

O mecanismo responsável por essas diferenças corre por conta da exposição do sistema nervoso à ação da testosterona produzida pelos testículos durante a vida embrionária e neonatal. Meninas que nascem com hiperplasia adrenal congênita, condição genética em que ocorre aumento de produção de testosterona, exibem comportamento mais semelhante ao dos meninos.

É cada vez mais aceita na psicologia moderna a teoria da Empatia-Sistematização (E-S), segundo a qual os indivíduos podem ser classificados de acordo com sua maior habilidade de sistematizar ou estabelecer empatia. Sistematizar é a capacidade de analisar um sistema com o objetivo de prever seu comportamento. Empatia é a capacidade de identificar estados mentais alheios e de responder a eles com a emoção mais apropriada.

A teoria E-S propõe que as diferenças psicológicas entre os sexos sejam definidas pelo diferencial entre as dimensões da empatia (E) e da sistematização (S), uma vez que prever comportamentos e emoções alheias não obedece às regras que regem sistemas mecânicos, nos quais a resposta a um mesmo estímulo é sempre previsível. O tipo psicológico E > S é característico das mulheres; S > E é mais encontrado nos homens.

De acordo com a teoria, o processo de masculinização cerebral, levado ao extremo, conduziria ao autismo, condição associada a comportamentos repetitivos, obsessão por sistemas previsíveis como decorar horários de trens e nomes de ruas, resistência às mudanças do ambiente, dificuldade de compreender metáforas, precocidade para decifrar funcionamento de máquinas e dificuldade de relacionamento afetivo.

O dimorfismo cerebral explica por que as mulheres tantas vezes nos surpreendem ao interpretar atitudes e prever intenções alheias, e a habilidade demonstrada por elas na execução de tarefas simultâneas como dar banho nos filhos, falar ao telefone com o escritório, avisar que o depósito deve ser feito no dia seguinte e pedir para desligar o forno, enquanto dez homens na sala, assistindo ao futebol, perdem a concentração quando entra uma mulher para perguntar quem vai encomendar a pizza.

Cérebro e diferenças sexuais

A anatomia do sistema nervoso e as particularidades dos sinais bioquímicos mediadores das mensagens que trafegam pelo cérebro são moldadas pela ação dos hormônios sexuais desde os primeiros passos da vida embrionária.

O advento da ressonância magnética funcional e de outras técnicas de imagem por meio das quais podemos obter imagens do cérebro em funcionamento permitiu demonstrar que as áreas cerebrais ativadas na execução de determinada tarefa por mulheres ou homens não são exatamente as mesmas.

Tão importante quanto as influências culturais a que estamos sujeitos desde a mais tenra idade, essa assimetria sexual na arquitetura dos circuitos de neurônios explica diferenças de aptidões, habilidades e o padrão dos distúrbios mentais característicos de cada sexo.

As mulheres, por exemplo, estão mais sujeitas a quadros de depressão, de anorexia nervosa e a distúrbios de ansiedade. Os homens exibem comportamento anti-social, abusam de drogas e desenvolvem esquizofrenia com maior freqüência. Tentativas fracassadas de suicídio são mais comuns no sexo feminino; as que resultam em óbito, no masculino.

Distúrbios que afetam as emoções acontecem com maior prevalência nas mulheres. Eles incluem os quadros de depressão e os distúrbios de ansiedade (síndrome do pânico, estresse pós-traumático, distúrbio de ansiedade generalizada, fobias e distúrbios alimentares).

Em relação aos homens, a prevalência de depressão nas mulheres é duas vezes maior; a de estresse pós-traumático, quatro vezes; a de fobias, duas vezes; a de síndrome do pânico, três vezes; a de anorexia nervosa, dez vezes.

Experiências negativas provocam liberação de neurotransmissores capazes de modular impulsos nervosos que disparam o estresse, mecanismo fortemente influenciado pelos hormônios sexuais.

Níveis baixos ou muito elevados de estrogênio causam quadros depressivos em mulheres suscetíveis. A testosterona protege contra os efeitos deletérios das experiências negativas e da depressão por reduzir a liberação de cortisol, hormônio produzido pelas supra-renais na elaboração do mecanismo de estresse.

A sensação de medo ativa a resposta ao estresse com mais intensidade no sexo feminino. Em testes nos quais espectadores de ambos os sexos são colocados diante de imagens assustadoras, as mulheres apresentam aumento mais intenso da freqüência cardíaca e da sudorese nas mãos, e maior ativação de uma área cerebral denominada amígdala, estrutura central na configuração das reações ao medo.

A qualidade da experiência negativa provoca reações particulares segundo o sexo. Por exemplo, testes em que mulheres e homens devem executar tarefas intelectuais diante de uma banca de examinadores levam à maior produção de cortisol, o hormônio do estresse, em homens. Já nos testes de "rejeição social", em que homens e mulheres são excluídos do grupo pelos examinadores, as mulheres liberam concentrações mais altas desse hormônio.

A tendência masculina é reagir ao estresse com impulsos de agressividade e expressar com clareza as insatisfações, enquanto as mulheres tendem a ser mais contidas. A diferença de tendências coloca-as em risco de desenvolver depressão, ansiedade e distúrbios alimentares, enquanto nos homens o risco é de violência e abuso de drogas.

Experiências em seres humanos e outros primatas mostram que o aumento súbito dos níveis de testosterona na puberdade masculina coincide com a instalação de comportamentos agressivos e atitudes anti-sociais. Os ovários também produzem testosterona, mas em concentrações vinte vezes menores. Quando as mulheres fazem uso de testosterona, tornam-se mais agressivas.

Como nenhum fenômeno biológico encontra sentido se não for analisado à luz da evolução, a justificativa para a diversidade sexual dos distúrbios mentais mencionados deve ser procurada no passado remoto de nossa espécie. Nas fêmeas, a pronta ativação dos circuitos cerebrais envolvidos nas reações ao medo certamente terá sido útil na hora de fugir do perigo para proteger a prole. Nos machos, a agressividade foi crucial nas disputas de território, nas lutas pela posse das fêmeas e na defesa da família.

Instinto materno

Mulheres que engravidam depois dos quarenta têm quatro vezes mais chance de chegar aos cem anos. Essa é uma das conclusões do grupo da Universidade de Boston que participa do célebre New England Centenarian Study, dedicado a acompanhar uma coorte de homens e de mulheres que ultrapassaram a invejável marca de um século de vida, sonhada mesmo pelos que negam até à morte o desejo de atingi-la.

Os autores do estudo atribuem tal achado a um possível retardo no processo de envelhecimento associado à ocorrência da gravidez numa época em que a concentração de hormônios sexuais já se encontra em declínio. A tempestade hormonal e os mediadores neuroquímicos liberados durante as fases de gestação e aleitamento teriam a propriedade de contrabalançar deficiências cognitivas relacionadas com a menopausa, proteger melhor o cérebro e conduzir à longevidade.

Do ponto de vista evolutivo, nós, mamíferos, descendemos dos répteis, animais que se acasalam, botam ovos em esconderijos aquecidos e vão cuidar da vida pessoal; o futuro da prole não lhes diz respeito. Na transição para animais que amamentam seus filhotes, há mais ou menos 90 milhões de anos, nossos antepassados optaram por estratégias mais responsáveis: manter os filhos no útero materno para nascer com maior probabilidade de sobrevivência, amamentá-los e defendê-los das agressões externas até serem capazes de andar com as próprias pernas.

Craig Kinsley e Kelly Lambert,[21] no número de janeiro de 2006 da revista *Scientific American*, fazem uma revisão sobre esse tema. Virtualmente, dizem eles, "nos mamíferos, todas as fêmeas sofrem profundas mudanças comportamentais durante a gravidez e a maternidade, porque o que antes era um organismo devotado a suas necessidades e à sobrevivência individual, agora precisa concentrar-se nos cuidados e no bem-estar dos filhos".

Na década de 1940, foi demonstrado que estrogênio e progesterona, os hormônios sexuais femininos, modulam respostas como agressão e sexualidade em cachorros, gatos e ratos. Mais tarde, ficou claro que esses hormônios sexuais, juntamente com a prolactina, mensageiro essencial à produção de leite, são fundamentais para a adoção do comportamento materno.

Nos últimos vinte anos, além desses hormônios, foram descritos mediadores químicos que também exercem influência no comportamento materno através de ação direta sobre o sistema nervoso central. É o caso das endorfinas, produzidas pela hipófise e pelo hipotálamo para combater os efeitos nocivos da dor, mediadores liberados em quantidades crescentes à medida que a gestação se aproxima do final, com o objetivo de reduzir o sofrimento causado pelas dores do parto e de contribuir para a instalação do comportamento maternal.

No momento do parto, a hipófise e o hipotálamo secretam, ainda, ocitocina, hormônio que estimula as contrações uterinas e a liberação do leite. A ocitocina, também produzida na fase de amamentação em resposta à sucção do leite através do mamilo, estimula o hipocampo, área cerebral envolvida no processamento da memória e no aprendizado.

O mais interessante é que, uma vez disparado pelos hormônios e mediadores citados, o comportamento materno diminui sua dependência deles: a simples presença do filho se torna suficiente para mantê-lo. Exames do cérebro de ratas em época de aleitamento mostram que ocorre ativação de uma área cerebral conhecida como núcleo acumbens, na qual se integram neurônios encarregados das sensações de reforço e de recompensa, mecanismos semelhantes aos envolvidos na dependência de drogas. Curiosamente, ratas tornadas dependentes de cocaína, quando colocadas diante do dilema da escolha entre a droga e os filhotes recém-nascidos, dão preferência aos filhos.

Uma área situada no hipotálamo feminino guarda relação importante com o comportamento materno. Em ratos, a injeção de morfina nessa região desestrutura a ligação mãe-filho. Mas outras áreas cerebrais estão envolvidas nesse relacionamento: a amígdala e o córtex cingulado, estações para onde confluem os circuitos de neurônios que transmitem sinais relacionados com as emoções e o medo.

A ativação dessas áreas em animais de laboratório tem profundo impacto no comportamento materno. A ação dos hormônios e dos mediadores citados tem a finalidade de reduzir o medo e a ansiedade, e de proporcionar maior habilidade de orientação espacial (característica que não é o forte feminino), a fim de dar coragem às mães para abandonar o ninho, achar alimentos com mais facilidade e encontrar rapidamente o caminho de volta para proteger os filhotes com unhas e dentes, como só elas sabem fazer.

É muito provável que o desafio de engravidar e de garantir a sobrevivência da prole induza alterações persistentes no cérebro materno, capazes de interferir nas emoções, na memória, no aprendizado, e de explicar a facilidade com que as mulheres executam múltiplas tarefas simultâneas.

Filhos pequenos são seres totalmente dependentes, mamam a cada três horas, sujam fraldas, esfolam os mamilos maternos, choram por qualquer necessidade e ainda custam caro. Que mulher agüentaria viver esse inferno com o cérebro de moça virgem?

4. Sexos

Evolução do sexo e sobrevivência

Para morrer basta estar vivo. Parece verdade universal, mas não é. A morte não é companheira inseparável da vida. Esta é uma das afirmações mais importantes da biologia: existem seres imortais, e são muitos.

É o caso das bactérias, formas de vida constituídas por uma única célula capaz de captar nutrientes do meio, convertê-los em energia para exercer as funções básicas e multiplicar-se. Elas representam o maior sucesso ecológico de todos os tempos: foram a primeira manifestação da vida na Terra há 3,5 bilhões de anos e não só estão aí até hoje, como constituem metade da biomassa, isto é, metade da somatória do peso de todos os seres vivos existentes.

Na reprodução das bactérias, a célula-mãe duplica o material genético a cada divisão. As bactérias funcionam como máquinas de replicar DNA, a molécula que arquiva os genes de quase todos os seres vivos, inclusive os do homem. Nesse processo, descontadas as mutações que ocorrem ocasionalmente, as células-filhas são em tudo idênticas à mãe.

Embora uma bactéria possa morrer acidentalmente — de fome ou porque a temperatura do meio aumentou —, mantidas as condições ambientais e o acesso a nutrientes, a divisão não pára. Podemos dizer que a bactéria que se dividiu em duas morreu? Numa comparação antropocêntrica, se você pudesse se dividir em dois indivíduos iguais, duas réplicas em tudo idênticas a você mesmo, seria possível dizer que você morreu? Nesse caso, onde estaria seu cadáver?

A morte não é fenômeno obrigatório nos seres unicelulares. A morte surgiu com o sexo, e está definitivamente associada a ele. Esta é outra constatação da biologia, tão fundamental quanto a anterior, como veremos a seguir.

Na evolução, a estratégia da divisão simples traz a desvantagem da identidade genética. Qualquer evento letal para um indivíduo pode provocar a extinção da espécie inteira. Por isso, na competição entre os seres unicelulares, habitantes exclusivos da Terra de 3,5 bilhões até 600 milhões de anos atrás, emergiu a multicelularidade como forma de vida mais versátil para enfrentar variações deletérias do meio ambiente.

Organismos constituídos por muitas células apresentam algumas vantagens ecológicas:

- A diversidade genética entre os indivíduos aumenta a possibilidade de sobrevivência da espécie frente às variações do meio.
- O tamanho maior permite a elaboração de funções orgânicas mais complexas.
- A capacidade de atribuir funções específicas a cada tipo de célula faz com que populações celulares especializadas passem a cuidar de funções essenciais para o funcionamento do organismo: respiração, digestão, excreção etc. As células que exercem tais funções são chamadas de somáticas.
- Como conseqüência, células especiais serão encarregadas da transmissão do DNA para as futuras gerações através da reprodução sexual: são as células germinativas ou gametas.

Na evolução, o aparecimento das células germinativas é considerado como o nascimento do sexo. Enquanto as demais células do corpo (somáticas) carregam dois pares (uma cópia materna, outra paterna) de cada gene que constitui o patrimônio genético do indivíduo, nas células germinativas os pares se separam, e cada gameta passa a conter uma só cópia de cada gene. Algumas cópias terão origem materna, outras terão origem na linhagem paterna.

É lógico que não podemos dizer qual dos dois tipos de células, somáticas ou germinativas, é mais importante para a sobrevivência da espécie. Sem gametas não há reprodução, e se não existissem células somáticas não haveria corpo. Do ponto de vista da evolução da vida na Terra, entretanto, a única função do corpo é a de otimizar a sobrevivência e a função reprodutiva dos gametas.

Richard Dawkins, biólogo evolucionista de Oxford, resume o pensamento anterior numa frase: "a galinha é a melhor forma que um ovo encontrou para fazer outro ovo".

O advento do sexo como estratégia reprodutiva trouxe, como conseqüência inevitável, o envelhecimento e a morte das células somáticas no final de cada geração.

Se os seres multicelulares que se reproduzem sexualmente são todos constituídos por DNA, como se explica que um inseto possa viver no máximo uma semana, um rato viver três anos, e um homem, 120 anos?

No momento em que o espermatozóide fecunda o óvulo e os genes maternos e paternos formam pares, cada um traz para essa união toda a história da vida na Terra.

Os genes que chegaram até hoje foram selecionados a partir dos primeiros habitantes unicelulares do planeta. Aqueles que controlam características úteis para a sobrevivência conferiram vantagem competitiva a seus portadores e foram transmitidos às gerações futuras. Os outros não deixaram descendentes, no melhor estilo darwinista de competição e seleção natural.

No decorrer de tantos milhões de anos, os genes essenciais para a sobrevivência foram preservados sem possibilidade de grandes variações individuais. Por exemplo, os genes envolvidos na respiração da mosca que sobrevoa as bananas maduras (drosófilas) são tão semelhantes aos humanos que os estudos conduzidos numa espécie valem para a outra, com diferenças mínimas.

Esses genes que controlam mecanismos essenciais persistiram nas espécies, porque os indivíduos que nasceram sem eles não deixaram descendentes. Imagine uma criança que precisasse aprender a respirar, ou a fazer o coração começar a bater. Qual seria sua chance de ter filhos?

Os genes transmitidos sexualmente trazem com eles informações sobre todo o passado vivido pela espécie. Quando esticamos o dedo na frente de um bebê, a primeira coisa que ele faz é agarrá-lo: reflexo preênsil, herança de nossos ancestrais arbóreos que viveram milhões de anos atrás. Pela mesma razão, temos medo de precipício, e a criança de seis anos nascida na cidade se assusta quando vê uma cobra na televisão.

Os genes que recebemos foram selecionados de forma a elaborar as estratégias básicas de sobrevivência da nossa espécie. Por isso temos paladar, reconhecemos na pele sensações agradáveis de temperatura, sentimos dor e gostamos tanto de sexo. Os genes que engendraram nossos corpos não determinam nosso comportamento futuro, para o qual o meio ambiente exerce função fundamental; o que eles fazem é aumentar a probabilidade de que, diante de certo estímulo, o indivíduo reaja de determinada maneira.

Parte de nossas células somáticas morre diariamente devido à ação de fatores externos (como a epiderme queimada pelo sol ou as células hepáticas intoxicadas pelo álcool). Ao lado dessa morte acidental, o conjunto de informações genéticas que codificam as informações necessárias para assegurar nossa sobrevivência traz com ele a programação prévia da morte. Isso não implica um determinismo fatalista; a qualquer momento a morte pode nos alcançar por acidente, mas se isto não acontecer, virá, inexorável, em obediência ao programa impresso em nossos genes.

Se aplicarmos à nossa espécie a analogia do ovo e da galinha, podemos dizer que o corpo humano foi a melhor forma que o espermatozóide e o óvulo encontraram para fazer novos óvulos e espermatozóides.

A genética clássica imaginava que, no embrião, os genes maternos e paternos se dispunham aos pares, ordenadamente. As características finais dos filhos seriam determinadas por essa combinação genética harmoniosa. Viessem do pai ou da mãe, as propriedades de cada gene seriam as mesmas.

Assim, para o filho não faria a menor diferença se o pai tivesse olhos castanhos e a mãe olhos azuis, ou vice-versa. Genes para olhos castanhos são sempre dominantes, e quando formam par com os que codificam cor azul impõem sua característica, seja ela paterna ou materna.

Esse dogma clássico da genética foi abalado na década de 1990. Quando se trata do embrião, a relação entre os sexos paternos está longe de ser amorosa: é uma guerra, como diz Shirley Tilghman, da Universidade de Princeton, numa entrevista à revista *Science*.[22] E continua: "Não importa quanto amor pareça existir entre o casal, seus genes podem ser tudo, menos amigáveis. O campo de batalha deles é o embrião em desenvolvimento. No corpo do embrião ocorre uma guerra molecular entre os genes do pai, que fazem de tudo para promover sua propagação, e os da mãe, que contra-atacam para garantir que não serão derrotados".

Assim que acontece a fecundação, começa a luta dos genes maternos para silenciar os paternos, e vice-versa, através de mecanismos bioquímicos ainda mal conhecidos mas muito estudados. É o caso dos genes que controlam o crescimento fetal: a intenção dos genes da mãe é manter o crescimento do feto dentro de determinados limites, para evitar problemas de parto e consumo excessivo de energia (quanto maior o filhote, mais energia a mãe terá de investir na sua criação). Do ponto de vista evolutivo, o interesse dos genes masculinos é oposto: quanto maior o feto, maior a possibilidade de sobrevivência e a propagação das características paternas.

Tal fenômeno, segundo o qual um gene silencia o do sexo oposto, é chamado de *imprinting*. Em ratos, ele foi demonstrado com elegância pelo grupo de Princeton: fêmeas monogâmicas acasaladas com machos poligâmicos dão à luz recém-nascidos que pesam mais do que vinte gramas. O acasalamento inverso, fêmeas poligâmicas com machos monogâmicos, gera filhotes com dez gramas, ao nascer. Parece que quanto maior a oferta de espermatozóides diferentes geneticamente, menor o investimento feminino em cada gravidez.

A existência de interesses sexuais opostos em relação ao tamanho dos filhos é descrita em animais e nas plantas, mas é nos mamíferos que ela se estabelece de maneira mais nítida, porque neles o feto parasita o corpo da mãe por longo período de tempo. O interesse evolutivo do macho é fecundar o maior número de fêmeas que puder, e conseguir que cada uma invista o máximo de energia no tamanho da prole. O da fêmea é controlar o crescimento do feto e poupar energia para futuras concepções, provavelmente em parceria com outros machos.

Charles Darwin foi o primeiro a afirmar que qualquer comportamento que ocorra com regularidade tem sua lógica baseada na dinâmica da seleção natural para obter sucesso reprodutivo. O exemplo mais óbvio é o interesse que os animais têm pelo sexo oposto. O que Darwin não podia imaginar é que, um século e meio depois de ter enunciado a teoria mais importante da biologia, fosse demonstrado que a seleção natural começa com uma acirrada disputa molecular entre os genes do pai e os da mãe, empenhados egoisticamente em assegurar sobrevivência nas gerações futuras.

Na evolução, os genes que não foram capazes de silenciar seus competidores desapareceram do repertório genético da espécie da mesma forma que os machos incapazes de atrair fêmeas perderam a oportunidade de deixar filhos. Assim, dentro de uma espécie os indivíduos são selecionados em obediência ao sucesso seletivo dos genes parentais. Somos descendentes de uma linhagem de ancestrais portadores de genes que lhes conferiram a capacidade de elaborar estratégias sexuais que deram certo.

Na evolução, os animais optaram por duas estratégias básicas: poligamia e monogamia. Ambas têm vantagens e desvantagens ecológicas que o indivíduo precisa avaliar criteriosamente se quiser transmitir seus genes às gerações futuras.

A poligamia tem a vantagem de permitir acesso a genes de variados indivíduos e criar uma prole com maior diversidade genética. Tem riscos, no entanto. Para os machos, a possibilidade de fecundar várias fêmeas pode provocar confrontos violentos com outros machos e trazer doenças sexualmente transmissíveis. Além disso, a poligamia reduz o investimento de energia masculina nos cuidados com a prole. Como conseqüência, está associada a níveis mais altos de mortalidade infantil.

A opção poligâmica faz mais sucesso entre os animais menos dependentes de cuidados paternos, que vivem em ambientes com alta disponibilidade de alimentos e baixa pressão predatória.

A monogamia é uma estratégia empregada com menor freqüência pelas espécies. Os biólogos modernos têm ficado surpresos com a complexidade dos fatores ambientais e da rede de mediadores químicos cerebrais envolvidos nesse comportamento sexual.

Para a maioria dos animais, a monogamia está associada aos cuidados com a prole. Os pássaros, por exemplo, tradicionalmente considerados como modelo de associação monogâmica, teriam adotado essa estratégia pressionados pela necessidade de investir energia na construção do ninho, incubação dos ovos, alimentação e proteção dos filhotes indefesos.

Ao lado desses fatores ambientais, a monogamia parece ter um substrato bioquímico. Um grupo da Universidade de Maryland estudou duas espécies, geneticamente muito próximas, de pequenos roedores herbívoros parecidos com os ratos. A primeira espécie é constituída por animais que vivem em campo aberto e copulam numerosas vezes, durante 24 horas, com uma parceira única. A intensa atividade sexual libera hormônios que agem no cérebro provocando o estabelecimento de laços fortes entre o casal. Na fêmea, o hormônio liberado é a ocitocina, associado ao comportamento materno e à lactação; no macho, é a vasopressina, ligada à agressividade e ao comportamento paterno. Quando a produção desses hormônios é bloqueada durante o acasalamento, não se formam ligações monogâmicas.

A outra espécie desses animais vive nas montanhas em associações poligâmicas. Embora neles a atividade sexual também libere ocitocina e vasopressina, nos animais poligâmicos da montanha esses hormônios atuam em receptores cerebrais localizados em áreas do cérebro completamente diferentes. De acordo com o tipo de circuito de neurônios ativados por via hormonal, emergiria a estratégia reprodutiva.

Ocitocina e vasopressina também são produzidos em resposta à atividade sexual pela espécie humana e atuam em receptores cerebrais dispostos em áreas associadas ao comportamento.

Uma série de trabalhos publicados recentemente sobre a evolução da monogamia tem evidenciado que embora o comportamento monogâmico social seja característico de muitas espécies (muitas aves e de 3% a 10% dos mamíferos formam pares monogâmicos), a monogamia genética é um fenômeno extremamente raro. Um grupo da Universidade da Georgia estudou 180 espécies monogâmicas de pássaros canoros nos últimos dez anos. A análise do DNA dos filhotes mostrou que apenas 10% deles haviam sido concebidos pelo pai social.

Mesmo machos competitivos e violentos — como gorilas e chimpanzés, por exemplo, que costumam punir com extrema agressividade o adultério — são ludibriados com freqüência muito maior do que a imaginada no passado. A equipe de Jane Goodal, a célebre primatóloga americana, encontrou grupos de chimpanzés com mais de 50% dos filhotes concebidos fora da comunidade.

A vantagem reprodutiva conferida pelo acesso a genes com maior diversidade oferecida pela poligamia parece ser utilizada pelos animais socialmente monogâmicos, tornando difícil a distinção entre as duas estratégias.

Em conclusão, nos últimos 3,5 bilhões de anos a vida reprodutiva na Terra passou pelos seguintes estágios evolutivos:

- Durante 3 bilhões de anos a vida foi exclusivamente unicelular. Nessas espécies, a morte não é acontecimento obrigatório. Desde que as condições do meio sejam favoráveis, seres formados por uma célula única não envelhecem e só morrem por acidente.
- A multicelularidade inaugurada há 600 milhões de anos permitiu a especialização de populações celulares para exercer funções específicas. Os organismos passaram a ser formados por um corpo composto por células somáticas, encarregado de produzir e armazenar gametas (células germinativas).
- Na fecundação, os genes femininos e masculinos desencadeiam uma guerra para silenciar os genes do adversário em benefício próprio.

- Em busca de perpetuação, os genes engendram no indivíduo duas estratégias sexuais básicas: monogamia e poligamia. Embora o comportamento social monogâmico esteja difundido entre muitas espécies, a exclusividade sexual monogâmica é fenômeno extremamente raro na natureza.

O odor dos genes

Disparidades genéticas despertam ímpetos de acasalamento nos animais. Essa atração pela diversidade está claramente demonstrada na escala zoológica e vale para seres tão distintos como ouriços-do-mar, ratos e homens.

Sob a perspectiva evolutiva, tal afirmação obedece à lógica: quanto maior a identidade genética entre os pais, menor chance de sobreviver terão os filhos. Todos sabem que um vira-lata é mais resistente do que cachorro de madame, e a história está repleta de famílias extintas pela consangüinidade.

Indivíduos geneticamente muito diferentes levam vantagem ao combinar e recombinar informações genéticas porque as diferenças diminuem a possibilidade de um gene defeituoso de um dos cônjuges formar um par com outro portador de defeito semelhante.

Nos organismos complexos, a luta pela vida é sobretudo dependente da integridade do sistema imunológico. O corpo resiste a inúmeros defeitos, mas não à falta de imunidade. Tal dependência favoreceu a predominância dos filhos de pais com grande disparidade nos genes que controlam as mil e uma atividades do sistema imunitário. Num mundo habitado por parasitas, bactérias e vírus mortais, e por inimigos internos como as células malignas, a capacidade de ajuste fino das defesas faz diferença nos momentos em que o organismo é agredido por invasores ou enfrenta crises internas.

Por isso, no decorrer de milênios a evolução selecionou sistemas imunológicos primorosos no exercício de suas funções fundamentais: destruir o que é estranho e preservar o que é próprio.

No exercício desta última função, para não confundir as próprias células do organismo com eventuais agentes invasores, cada indivíduo traz uma marca particular na membrana de suas células, que serve de salvo-conduto para escapar do exército de defesa. Diante dela, anticorpos e glóbulos brancos passam ao largo. Quando não estão presentes as marcas individuais, como nos tecidos transplantados, por exemplo, o exército ataca para destruir.

Essas marcas que indicam a procedência de cada célula do organismo são conhecidas com o nome de antígenos de histocompatibilidade (de agora em diante: MHC). Na clínica, são eles que testamos para saber quem pode doar órgãos para quem.

Se o interesse reprodutivo dos casais é transmitir aos filhos genes que construam sistemas imunológicos eficientes, e se os de melhor qualidade são oriundos de pais geneticamente díspares (MHCs distintos), que critério os animais usam na prática para escolher seus parceiros sexuais? De que forma as diferenças genéticas entre machos e fêmeas são detectadas a ponto de despertar atração sexual?

Dos cinco sentidos de que o animal dispõe para identificar diferenças no parceiro ou parceira sexual, o mais importante é o olfato. Seu papel é tão fundamental que muitos consideram o nariz como órgão sexual acessório. Ou, na imagem de Hans Witzel, diretor do Instituto Karolinska, de Estocolmo: "Temos a capacidade de cheirar genes alheios".

Duas experiências mostraram que ratos de laboratório são capazes de identificar diferenças na constituição do sistema imunológico. Em ambas, os pesquisadores expuseram ao olfato do rato observado panos usados nos ninhos em que dormiram ratos portadores de MHCs conhecidos. Depois, repetiam o experimento, colocando o rato observado em contato físico com os próprios ratos que haviam dormido nos ninhos testados. Através do cheiro, o rato observado era capaz de identificar diferenças mínimas de histocompatibilidade, muitas vezes limitadas a uma única alteração em determinado gene.

Em 1998, Dustin Penn e Wayne Potts, da Universidade da Flórida, conduziram um experimento com quarenta casais de ratos domésticos caçados e levados para o laboratório. Cada casal foi apartado em gaiolas pequenas e observado diariamente para a identificação de fêmeas grávidas. Nas primeiras 24 horas depois do parto, os filhotes eram identificados, marcados sob anestesia, e tinham o MHC catalogado.[23]

Metade dos 134 recém-nascidos foi deixada com suas famílias verdadeiras. A outra metade foi separada dos pais e transferida com cuidado para gaiolas que continham ninhadas de casais estranhos. Com menos de um dia de idade, esses filhotes foram aceitos sem resistência pelos pais adotivos.

Entre três e seis meses mais tarde, período que os ratos levam para amadurecer sexualmente, tanto os filhotes criados pelos pais naturais quanto os adotivos foram libertados em quatro gaiolas de 49 m² para criar condições mais próximas da natural. As gaiolas estavam subdivididas em oito compartimentos iguais. Em cada um deles, foram colocados doze fêmeas e seis machos.

Todas as fêmeas de cada compartimento apresentavam o mesmo MHC, tivessem sido criadas pelos pais verdadeiros ou pelos adotivos. Os machos, não: em cada subdivisão havia três machos com o mesmo MHC da família natural da fêmea, e três com o MHC das famílias adotivas. A intenção do experimento era descobrir se a preferência sexual das fêmeas recaía sobre machos iguais ou díspares geneticamente delas, e se essa escolha sofria influência do convívio familiar.

Os ratos foram observados de uma a quatro horas por dia, de cinco a sete dias na semana, por pesquisadores que desconheciam a origem genética de cada animal.

A análise das observações permitiu as seguintes conclusões:

- As fêmeas criadas pelos pais verdadeiros se acasalavam preferencialmente com machos de outras famílias, portadores de MHCs diferentes dos delas.
- Já as fêmeas criadas pelos pais adotivos davam preferência a machos nascidos das mesmas famílias que elas (portanto, portadores de MHC igual ao delas), mas que cresceram longe delas.

Esse estudo confirmou pelo menos três observações feitas na década de 1980, de que ratas sexualmente maduras têm preferência sexual por machos com diferenças genéticas na histocompatibilidade do sistema imunológico (MHC). Reforçou, ainda, a hipótese de que a convivência familiar altera essa preferência sexual: a fêmea tende a recusar acesso sexual a machos que cresceram com elas, mesmo que sejam geneticamente díspares.

Embora os mecanismos dessa percepção sensorial não sejam conhecidos com precisão, trabalhos publicados nos últimos vinte anos sugerem que o estímulo químico captado pelos sentidos nesse caso sejam os odores do corpo. A exposição precoce do animal ao cheiro dos familiares do sexo oposto gera estímulos olfativos que vão interferir nas emoções e no comportamento sexual futuro.

Tal mecanismo de reconhecimento levou vantagem evolutiva nas espécies, porque os indivíduos que o possuíam foram capazes de gerar descendentes com maior diversidade imunológica, portanto mais preparados para enfrentar o meio externo.

Na década de 1980, E. Westermack levantou a hipótese de que em seres humanos ocorreria fenômeno similar: a familiaridade desde a infância aboliria o desejo sexual, na vida adulta. Na prática, a comprovação dessa idéia não é fácil: relacionamentos humanos apresentam outra complexidade, e não podem ser observados em gaiolas comportamentais.

Em 1995, Claus Wedekind e colaboradores da Universidade de Berna, na Suíça, programaram um estudo em seres humanos para testar a hipótese de Westermack.[24] Os autores "tiparam" a histocompatibilidade de 49 moças e 44 rapazes estudantes universitários que não se conheciam uns aos outros. Os rapazes foram obrigados a dormir sozinhos em suas camas, usando a mesma camiseta, numa noite de domingo e no dia seguinte, segunda-feira.

Por rigor científico, a partir da manhã de segunda-feira deveriam guardar a camiseta num saco plástico fechado durante todo o tempo em que estivessem sem ela. Só podiam lavar as mãos ou tomar banho com um sabonete inodoro cedido pelos pesquisadores e ficaram proibidos de usar qualquer perfume ou desodorante, fumar, beber álcool, manter relações sexuais e freqüentar locais com cheiros fortes ou concentração de pessoas.

Na manhã de terça-feira, foram apresentados a cada mulher seis sacos plásticos, etiquetados, com camisetas usadas: três continham as camisetas de rapazes portadores de genes mais próximos ao dela, e as outras três, as pertencentes a homens mais díspares. Com as seis camisetas usadas vinha uma do mesmo tecido, nova (camiseta-controle), para a mulher comparar e identificar melhor o cheiro deixado pelo homem. Evidentemente, as mulheres desconheciam os graus de similaridade ou diversidade genética dos homens testados.

As mulheres deviam dar notas de zero a dez para cada camiseta, de acordo com a análise de dois critérios: atração sexual e sensação agradável àquele odor. Zero para os cheiros extremamente desagradáveis e para os que provocassem repulsa sexual, cinco para os neutros, e dez para os muito agradáveis e para os causadores de clara atração sexual.

O tratamento estatístico dos resultados mostrou que:

- As avaliações referentes à atração sexual foram concordantes com as que provocaram sensação agradável nas mulheres.
- As mulheres deram notas mais altas para os homens testados que apresentavam maior disparidade genética em relação a elas, confirmando os resultados obtidos com ratos.
- Nas mulheres que estavam tomando pílula anticoncepcional, a relação se inverteu: elas preferiram o odor dos homens com maior identidade genética.
- Estimuladas a comparar o odor da camiseta testada com a lembrança do cheiro de namorados atuais ou antigos, as mulheres identificaram-no nas camisetas de homens com MHCs díspares, com o dobro da freqüência do que nas de MHCs similares.

Esses achados reforçaram a impressão de que o cheiro do corpo humano também é dependente da histocompatibilidade do sistema imunológico e que desempenha papel importante na escolha da parceria sexual. Como a pílula anticoncepcional cria artificialmente na mulher um quadro hormonal que se assemelha à gravidez, é provável que subverta a ordem natural: grávidas preferem odores de homens mais compatíveis e protetores, como o pai ou os irmãos.

Em 1997, Carole Ober e colaboradores de diversas universidades americanas publicaram um estudo conduzido em três comunidades huteritas, que proíbem a seus membros a prática de qualquer forma de contracepção, por razões religiosas.[25]

Essas comunidades huteritas descendem de um grupo de protestantes batistas que se estabeleceu nos Alpes do Tirol em 1528. Por causa de perseguições religiosas, ao redor de 1870, cerca de quatrocentos huteritas emigraram para os Estados Unidos e se instalaram em três fazendas comunitárias, onde é hoje o estado de Dakota do Sul. Essa população original deixou mais de 35 mil descendentes, ainda fiéis a seus princípios religiosos, distribuídos em cerca de 350 colônias espalhadas por diversos estados americanos e canadenses.

Os huteritas foram escolhidos pelos autores por viver em comunidades fechadas, constituir famílias numerosas e apresentar variabilidade genética limitada: nos testes de histocompatibilidade, seus sistemas imunológicos se distribuem em apenas cinco grandes grupos.

O casamento entre eles acontece ao redor dos vinte anos de idade, quase sempre entre membros de comunidades diferentes. Ao casar, a mulher muda para a comunidade do marido, e o divórcio é terminantemente proibido. Dessa maneira, os homens residentes numa comunidade descendem de uma mesma linhagem, enquanto as mulheres pertencem a outras. Casamentos entre primos são desencorajados e raros.

Os autores testaram a histocompatibilidade de 411 casais pertencentes a três comunidades residentes em Dakota do Sul. A análise mostrou que a diversidade entre a histocompatibilidade dos esposos foi bem maior do que a esperada se acontecesse ao acaso. Mesmo sem perceber, os huteritas procuram evitar casamentos com pessoas portadoras de MHCs semelhantes, confirmando a hipótese de Westermack de que seres humanos são capazes de discriminar indivíduos com base nos genes presentes nas regiões do genoma que controlam a compatibilidade do sistema imunológico.

Existem evidências de que a histocompatibilidade influencia não apenas a escolha da parceria, mas até a seleção que a mãe faz do embrião depois de concebido:

- Na fertilização *in vitro*, casais que não conseguem sucesso depois de duas ou três tentativas apresentam estatisticamente MHCs mais similares do que os casais em que a fecundação é obtida logo na primeira vez. O achado sugere que homens portadores de MHCs mais próximos levam desvantagem para fecundar e manter suas mulheres grávidas.
- Na população huterita, famílias em que os filhos nasceram depois de intervalos mais longos são freqüentemente constituídas por casais com maior proximidade genética. A observação faz supor que nesses casos seja maior a freqüência de abortamentos espontâneos, ocorridos silenciosamente no início da gravidez.
- Em 1974, R. May publicou na revista *Nature* um estudo sobre a histocompatibilidade de casais em que a mulher apresentava abortamentos espontâneos de repetição. Os exames revelaram que os casais apresentavam MHCs mais similares do que o esperado estatisticamente. Trabalhos posteriores mostraram que bebês recém-nascidos desses casais tinham peso corpóreo mais baixo.
- Em ratos, há evidências de que a fêmea é capaz de abortar o embrião concebido com macho de histocompatibilidade próxima ao sentir o cheiro de outro macho portador de MHC díspar. É como se natureza lhe ordenasse a troca de paternidade.

Esses estudos sugerem que existam mecanismos decisórios associados à fisiologia da concepção para ajudar a fêmea a avaliar se o investimento a ser alocado naquela gravidez inicial compensa o risco de ter um filho com patrimônio genético desfavorável para a sobrevivência. Evidentemente, tais mecanismos são tão inconscientes quanto a decisão de rejeitar um transplante de órgão.

Entre todos os primatas, seres humanos são os que mais possuem glândulas produtoras de odores. Embora nosso olfato seja capaz de discernir talvez 10 mil ou mais cheiros diferentes, é entre dez e vinte vezes menos sensível do que o de um cachorro, e menos ainda do que o de um rato.

As terminações nervosas que captam os odores estão ancoradas na mucosa nasal. Ali, são capazes de reconhecer especificamente o odor de cada tipo de molécula. Quando sentimos o cheiro de uma laranja, por exemplo, diversas terminações foram estimuladas pelas diferentes substâncias liberadas pela casca da fruta e conduzidas para o cérebro, que vai reunir e analisar todos os bits de informação, compará-los com informações prévias armazenadas na memória e identificar o cheiro com tal precisão que saberemos se ele vem da fruta verde ou madura, de uma bala ou de um xampu com essência de laranja.

Esses neurônios receptores de sinais olfativos presentes na mucosa nasal enviam terminações que convergem para uma estrutura situada mais internamente, chamada bulbo olfatório. Os estímulos que chegam ao bulbo são organizados e conduzidos por circuitos específicos de neurônios para diversos centros cerebrais, entre os quais se encontra o sistema límbico, uma das áreas mais importantes no processamento das emoções, sexualidade e desejo. Essa conexão entre o bulbo olfatório e o sistema límbico constitui uma via muito mais rápida de transmissão do estímulo do que a percorrida pelas informações visuais ou auditivas.

As conexões diretas entre esses receptores e os centros que integram impulsos emocionais exercem profunda influência nos relacionamentos humanos, desde que os bebês encontram pela primeira vez o mamilo materno através do cheiro. Como diz Susan

Schiffman, da Universidade Duke: "Um casal pode sobreviver a toda sorte de diferenças, mas quando um deixa de gostar do cheiro do outro, o relacionamento está arruinado".

Machos exibicionistas, fêmeas seletivas

As fêmeas são seletivas, e os machos, exibicionistas, na maioria das espécies animais. Dos insetos aos primatas como nós, o macho passa a vida reprodutiva investindo energia para provar às fêmeas disponíveis que ele é a melhor das opções sexuais. Para ser convincente, lança mão de artifícios variados como a beleza do canto, a habilidade na caça, a força bruta ou a consistência da conta bancária.

As fêmeas são especialmente sensíveis a essas demonstrações, por razões evolutivas: machos mais saudáveis e competentes geram filhos com maior chance de sobrevivência, herdeiros do patrimônio genético paterno. Os incompetentes não deixaram descendência. Nos pássaros, por exemplo, a riqueza da plumagem é tão apreciada pelas fêmeas que em algumas espécies eles são coloridos, exuberantes, e elas, pálidas e raquíticas.

Como as aparências são mestras na arte de enganar, os biólogos sempre encontraram extrema dificuldade para entender os mecanismos fisiológicos pelos quais o exibicionismo masculino obteve tanto êxito na seleção natural. Como as fêmeas podem estar tão certas de que determinado macho as protegerá e lhes dará filhos sadios baseadas apenas em detalhes da aparência física ou em habilidades teoricamente inúteis para a sobrevivência da espécie, como o canto melódico das aves?

Dois grupos de pesquisadores publicaram na revista *Science* o resultado de pesquisas realizadas com o tordo (*Turdus merula*), um tipo de pássaro de penas totalmente pretas, que nos permite compreender melhor esse mistério da alma feminina.

Nas fêmeas dessa espécie o bico é marrom, sem graça; no macho, adquire tonalidades que vão do amarelo-claro ao alaranjado forte, avermelhado, reflexo da alta concentração local de carotenóides (vitaminas presentes na cenoura e no tomate, por exemplo). Estudos anteriores haviam demonstrado que quanto mais alaranjado o bico, maior o assédio feminino.

Cientes dessa preferência sexual, os machos residentes em determinado território são complacentes à aproximação de um invasor de bico amarelo-claro, mas ficam enciumados e reagem agressivamente se ele tiver bico alaranjado. Como resultado, estes têm acesso a fêmeas em melhores condições físicas e geram maior número de filhotes do que os de bico pálido.

Bruno Faivre e colegas da Universidade de Bourgogne, na França, verificaram que ao injetar glóbulos vermelhos de carneiro na circulação de cinqüenta desses pássaros pretos, eles produziam anticorpos para se defender e ao mesmo tempo a cor de seus bicos se tornava mais clara.[26] A agressão provocada pela injeção das células estranhas mobilizava os carotenóides para atender às necessidades do sistema imunológico e reduzia suas concentrações no bico.

Em estudo separado, o grupo de Jonathan Blount,[27] da Universidade de Glasgow, na Escócia, testou a hipótese de que os machos mais saudáveis dessa espécie seriam aqueles em que o sistema imunológico estaria menos ativado por agentes infecciosos ou parasitários e, portanto, requereria menor quantidade de carotenóides, vitaminas essenciais para seu funcionamento. Neles, os carotenóides em excesso seriam depositados em maior quantidade nos bicos, conferindo-lhes a cor alaranjada.

Para tanto, separaram dez machos, que permaneceram divididos em dois grupos durante oito semanas: o primeiro bebia água destilada, o segundo, água com um suplemento de carotenóides. Depois de quatro semanas, os bicos dos que recebiam vitamina já estavam bem mais avermelhados. Colocados na presença das fêmeas, a preferência pelos de bico de colorido mais intenso foi nítida.

Os autores estudaram então a imunidade dos dois grupos, e chegaram à mesma conclusão dos franceses: os pássaros de bico alaranjado eram portadores de sistemas imunológicos mais íntegros, livres do estresse causado por infecções ou parasitas. Selecionando o consorte pela cor do bico, a fêmea evita o acasalamento com machos doentes, reduz o risco de adquirir germes no contato sexual e aumenta a probabilidade de ter filhos que receberão cuidados paternos.

A fêmea sabe disso tudo ao se decidir pelo macho usando como critério a coloração do bico? Lógico que não! Não há evidência de que outros animais, além do homem, conheçam a fisiologia sexual nem a relação entre probabilidade de sobrevivência e integridade do sistema imunológico. A escolha do parceiro é baseada simplesmente na atração sexual. Na evolução da espécie, as fêmeas que se sentiam atraídas por bicos alaranjados deixaram descendência mais numerosa do que as outras. Com o suceder de gerações, suas filhas foram selecionadas geneticamente para achar lindos os machos de bico avermelhado, e desprezíveis os demais.

O que chamamos de atração sexual está longe de ser mera questão de gosto por determinadas particularidades físicas: é uma força da natureza selecionada no decorrer de milhões de anos pela propriedade de produzir descendentes que levaram vantagem na luta pela sobrevivência.

Amor, só de mãe

Para a mãe, o filho é santo. Os outros podem considerá-lo sem-vergonha, de caráter torpe, ladrão contumaz e assassino abominável. Ela, nunca. Ela sempre desculpará os atos do filho, por absurdos que sejam; dirá que ele no fundo é bom rapaz, dono de sentimentos nobres, e que se por acaso errou foi culpa das más companhias.

A dedicação das mulheres aos filhos não encontra paralelo no comportamento masculino. Um pai é capaz de romper relações com os filhos, dizer-lhes que não o procurem mais e não irá arrepender-se. A mãe jamais conseguirá fazê-lo.

As filas que se formam nas portas das cadeias para as visitas dos finais de semana são reveladoras. Para cada dez senhoras que chegam com sacolas de supermercado carregadas de refrigerante tamanho-família e com as comidas de que o filho gosta, aparece um pai para visitá-lo.

Anos atrás, uma dessas senhoras me disse a respeito do filho, que havia matado cinco pessoas numa chacina: "Dizem que o meu menino fez coisas horríveis, mas quando olho nos olhos dele vejo ele pequenininho no meu colo, rindo, e não consigo acreditar que seja verdade".

Talvez seja essa a principal estratégia de sobrevivência da criança pequena: ter olhos encantadores e pele tão macia que desperta ímpetos de apertar. Dependentes dos pais para as mais insignificantes tarefas, os bebês fazem da beleza a arma irresistível para atrair a atenção que exigem dia e noite durante a demorada fase de desenvolvimento.

Longos períodos de cuidados com a prole são característicos de todos os primatas. O cavalinho que acaba de nascer já sai trôpego, um pássaro, aos trinta dias, consegue voar, mas nos primatas a independência só será alcançada depois de muito tempo: uma criança leva um ano para começar a andar, um filhote de orangotango precisa de sete ou oito anos para se aventurar sem a mãe pelos galhos das árvores e desaparecer na floresta. Gorilas e chimpanzés só na adolescência criam coragem para deixar o grupo.

A vulnerabilidade da infância criou forte pressão seletiva no passado da espécie humana. Por prováveis fatores de natureza social e sutis relações bioquímicas que os hormônios sexuais estabelecem com os neurônios cerebrais, desde sempre coube à mulher o peso maior do fardo que é cuidar dos filhos. Aceitamos esse fato com tanta naturalidade que cobramos do amor materno uma coerência jamais exigida dos homens: pai abandonar filho é comportamento aceito socialmente, considerado normal hoje, motivo até de orgulho para os que se gabam de seduzir muitas mulheres. Mãe que abandona bebê na porta da igreja, ao contrário, é execrada. Por quê? Se do pai que abandonou o mesmo filho ninguém fala, por que todos condenam a mãe?

É provável que a resposta esteja nos mecanismos de seleção natural. Nossos antepassados machos adotaram estratégias reprodutivas diferentes das estratégias das fêmeas porque podiam ter um número de filhos genéticos incomparavelmente maior do que elas. A estratégia do homem é baseada na ejaculação de centenas de milhões de espermatozóides; a das mulheres, na produção de um único óvulo por mês. São econômicas; a gravidez lhes consome energia, e os cuidados necessários para criar o filho, muito mais.

Com base nessa fisiologia, os machos primitivos vislumbraram duas estratégias sexuais: fecundar o maior número possível de fêmeas ou passar a vida restritos a uma só. Embora pareça que os primeiros levaram franca vantagem competitiva, não podemos esquecer os riscos de tal opção. Além disso, sem o pai por perto, a probabilidade de sobrevivência de uma criança é certamente menor.

O comportamento monogâmico humano chegou aos nossos dias porque se um casal mantém duas ou três relações por semana, durante um ano, em mais de 70% dos casos a gravidez acontece. Se o casal continuar junto e investir energia dobrada na criação da prole, a possibilidade de sucesso reprodutivo aumentará significativamente. Nesse caso, devagar se vai mais longe.

No lado feminino, levaram vantagem na competição nossas antepassadas que se dedicaram de corpo e alma à criação dos filhos e dos netos, quando viviam tempo suficiente para tê-los. Num mundo inóspito como aquele, as mulheres desapegadas dos filhos não conseguiram transmitir sua herança genética. Somos todos descendentes de mães exemplares na tarefa de cuidar da prole, obedientes à ordem ancestral de amar aos filhos sobre todas as coisas. É por isso que o povo diz: amor, só de mãe!

Causas da homossexualidade

Há quem ache que os homossexuais já nascem assim. Outros, ao contrário, dizem que a conjunção do ambiente social com a figura dominadora do genitor do sexo oposto é que é decisiva na expressão da homossexualidade, masculina ou feminina.

Como separar o patrimônio genético herdado involuntariamente de nossos antepassados da influência do meio foi uma discussão que monopolizou o estudo do comportamento humano durante pelo menos dois terços do século xx.

Os defensores da origem genética da homossexualidade usam como argumento os trabalhos que encontraram concentração mais alta de homossexuais em determinadas famílias e os que demonstraram maior prevalência de homossexualidade em irmãos gêmeos univitelinos criados por famílias diferentes sem nenhum contato pessoal.

Mais tarde, com os avanços dos métodos de neuroimagem, alguns autores procuraram diferenças na morfologia do cérebro que explicassem o comportamento homossexual.

Os que defendem a influência do meio têm ojeriza aos argumentos genéticos. Para eles, o comportamento humano é de tal complexidade que fica ridículo limitá-lo à bioquímica da expressão de meia dúzia de genes. Como negar que a figura excessivamente protetora da mãe, aliada à do pai pusilânime, seja comum a muitos homens homossexuais? Ou que uma ligação forte com o pai tenha influência na definição da sexualidade da filha?

Sinceramente, essa discussão é antiquada.

A propriedade mais importante do sistema nervoso central é sua plasticidade. De nossos pais herdamos o formato da rede de neurônios que trouxemos ao mundo. No decorrer da vida, entretanto, os sucessivos impactos do ambiente provocaram tamanha alteração plástica na arquitetura dessa rede primitiva que ela se tornou absolutamente irreconhecível e original.

Cada indivíduo é um experimento único da natureza porque resulta da interação entre uma arquitetura de circuitos neuronais geneticamente herdada e a experiência de vida. Ainda que existam irmãos geneticamente iguais, jamais poderemos evitar as diferenças dos estímulos que moldarão a estrutura microscópica de seus sistemas nervosos. Da mesma forma, mesmo que o oposto fosse possível — garantirmos estímulos ambientais idênticos para dois recém-nascidos diferentes —, nunca obteríamos duas pessoas iguais por causa das diferenças na constituição de sua circuitaria de neurônios. Por isso, é impossível existirem dois seres humanos com a mesma forma de agir e de pensar.

Em matéria de comportamento, o resultado do impacto da experiência pessoal sobre os eventos genéticos, embora seja mais complexo e imprevisível, é regido por interações semelhantes. No caso da sexualidade, para voltar ao tema, uma mulher com desejo sexual por outras pode muito bem se casar e até ser fiel a um homem, mas jamais deixará de se interessar por mulheres. Quantos homens casados vivem experiências homossexuais fora do casamento? Teoricamente, cada um de nós tem discernimento para escolher a conduta pessoal mais adequada socialmente, mas não há quem consiga esconder de si próprio seus desejos sexuais.

Até onde a memória alcança, sempre existiram maiorias de mulheres e homens heterossexuais, e uma minoria de homossexuais. O espectro da sexualidade humana é amplo e de alta complexidade: vai dos heterossexuais empedernidos aos que não têm o mínimo interesse pelo sexo oposto. Entre os dois extremos, em gradações variadas entre a hetero e a homossexualidade, oscilam os menos ortodoxos.

Como o presente não nos faz crer que essa ordem natural vá se modificar, por que é tão difícil aceitarmos a riqueza da biodiversidade sexual de nossa espécie? Por que insistirmos no preconceito contra um fato biológico inerente à condição humana?

Em contraposição ao comportamento adotado em sociedade, a sexualidade humana não é questão de opção individual, como muitos imaginam; ela simplesmente se impõe a cada um de nós. Simplesmente, é!

5. Violência

Raízes orgânicas e sociais da violência urbana

A violência urbana é uma enfermidade contagiosa. Embora acometa indivíduos vulneráveis em todas as classes sociais, é nos bairros pobres que ela se torna epidêmica. A prevalência varia de cidade para cidade e de um país para outro. Como regra, a epidemia começa nos grandes centros e se dissemina pelo interior. A incidência nem sempre é crescente; a mudança de fatores ambientais pode interferir em sua escalada.

Sabe-se que os genes herdados exercem influência fundamental na estrutura e função dos circuitos de neurônios envolvidos nos mecanismos bioquímicos da agressividade. É bom ressaltar, porém, que os fatores genéticos não condicionam o comportamento futuro: o impacto do meio é decisivo. Os mediadores químicos liberados e a própria arquitetura das conexões nervosas que constituem esses circuitos são dramaticamente modelados pelos acontecimentos sociais da infância e da adolescência.

As estratégias que as sociedades adotam para combater a violência flutuam ao sabor das emoções; o conhecimento científico raramente é levado em consideração. Como reflexo, o tratamento da violência evoluiu muito pouco no decorrer do século xx, ao contrário do que ocorreu com o das infecções, câncer ou aids.

RAÍZES ORGÂNICAS

A explicação para o atraso no desenvolvimento de técnicas eficazes para tratar a violência está nos erros do passado. No século XVIII, um anatomista austríaco chamado Franz Gall desenvolveu uma teoria em torno da seguinte idéia: a maioria das características humanas, inclusive o comportamento anti-social, seria regulada por regiões específicas do cérebro. Cada comportamento estaria sob o comando de um centro cerebral específico. Quanto mais robusto fosse o centro, mais intensa seria a expressão do comportamento controlado por ele. Essa teoria ganhou o nome de frenologia.

Gall imaginava que os centros cerebrais, ao crescer, exerceriam pressão contra os ossos da cabeça, deixando neles saliências que poderiam ser vistas ou palpadas. As pessoas com tendências criminosas seriam então passíveis de reconhecimento pelo exame cuidadoso dessas protuberâncias e depressões ósseas presentes no crânio.

Com o tempo, ess teoria caiu em descrédito, mas a tentação de identificar a aptidão para o crime por meio de características físicas persistiu. Cerca de cem anos depois da frenologia, um italiano especialista em antropologia criminal chamado Cesare Lombroso criou uma nova doutrina que ressuscitou a associação das características físicas com uma suposta índole criminosa. Tais características constituiriam os *stigmata*. De acordo com Lombroso, os tipos humanos com testa achatada e assimetria nos ossos da face, por exemplo, seriam criminosos potenciais. Quem tivesse esses traços era classificado como tipo lombrosiano e visto com extrema desconfiança nos tribunais.

Em 1949, Egas Muniz, neurocirurgião português, ganhou o prêmio Nobel de medicina por haver introduzido a lobotomia na prática médica. Na lobotomia, são seccionados os feixes nervosos que chegam e os que saem do lobo frontal, localizado na parte anterior do cérebro, estrutura responsável pela tomada de decisões a partir da memória e das informações captadas pelos sentidos. Inicialmente indicadas apenas nos casos de pacientes muito agressivos, as lobotomias se popularizaram segundo critérios de indicação duvidosos, e serviram muitas vezes como instrumento de poder ou castigo, especialmente nos Estados totalitários (mas não apenas neles).

Nos últimos cinqüenta anos, essas teorias caíram gradativamente em descrédito, até se tornarem execradas pelos estudiosos. Hoje são consideradas exemplos típicos de ideologias pseudocientíficas que foram utilizadas para justificar arbitrariedades graves.

Paralelamente ao abandono dessas idéias, criou-se em certos setores da sociedade o temor de que os cientistas realizassem pesquisas laboratoriais capazes de conduzir à obtenção de medicamentos apaziguadores dos instintos violentos. Imaginava-se que essas drogas poderiam ser administradas preventivamente às comunidades carentes de recursos para acabar com a violência, sem que as classes dominantes precisassem abrir mão de seus privilégios.

Pensamentos desprovidos de bases científicas como esses trouxeram péssima reputação aos estudos do comportamento anti-social. A politização afastou a comunidade acadêmica da área, e a violência urbana passou a ser entendida como um fenômeno de raízes exclusivamente sociais. Qualquer tentativa de caracterizar um substrato orgânico para a agressividade física gerava debates carregados de emoção e até manifestações políticas.

O panorama começou a melhorar a partir da década de 1970, quando os americanos tomaram consciência de que as dificuldades enfrentadas com as minorias do centro deteriorado das grandes cidades de seu país não desapareceriam espontaneamente. Ao contrário, a violência aumentava apesar do maior rigor em puni-la. Os institutos oficiais começaram então a financiar pesquisas para conhecer melhor o lado biológico da violência.

As informações científicas acumuladas nos últimos trinta anos permitem afirmar que a violência tem um substrato biológico de fato. O comportamento humano, no entanto, não se acha condicionado às características genéticas herdadas; ele é resultado de interações sutis entre genes, fatores ambientais e experiências vividas.

O cérebro dos bebês não nasce com todos os circuitos já conectados, prontos para enfrentar a vida adulta. É importante lembrar que a característica mais importante do sistema nervoso é sua plasticidade, isto é, a capacidade que os neurônios têm de estabelecer conexões moldadas pela experiência. Assim, a negligência e os maus-tratos recebidos numa fase em que o cérebro está sendo esculpido pela experiência induzem uma cascata de eventos moleculares que podem alterar de forma irreversível a estrutura cerebral. Essa moldagem anômala da circuitaria induzida pela violência dirigida contra a criança predispõe à agressividade, à hiperatividade, aos distúrbios de atenção, à delinqüência e ao abuso de drogas.

A revista *Science* publicou em julho de 2000 um número dedicado a discutir a violência com base nas informações científicas disponíveis atualmente.[28] Vamos resumir aqui o que a ciência sabe sobre a bioquímica e os fatores sociais envolvidos na violência, a partir dessa revisão primorosa:

O papel do álcool: O rato coloca o nariz num buraco da gaiola. No buraco há um sensor que detecta a presença do nariz e ativa um circuito elétrico, que faz cair algumas gotas de bebida alcoólica num bebedouro. O rato bebe rapidamente. Cada dose de álcool que cai no bebedouro é calculada, de acordo com o peso corpóreo do rato, para corresponder à de uma cerveja no homem.

Invariavelmente, ao terminar o drinque, o rato volta a colocar o nariz no buraco com sensor, para obter outro. Se o pesquisador deixar, o animal bebe até cair. Por isso, depois de ele tomar o equivalente ao segundo drinque, o fornecimento de álcool é interrompido. Nesse momento, um rato sóbrio é colocado na mesma gaiola do que bebeu.

Os ratos são animais territoriais; numa situação dessas costumam atacar o intruso até que este levante as patas da frente para evitar mordidas e declarar submissão. O rato que tomou os dois drinques não respeita a postura submissa do sóbrio, corre atrás do outro e o morde muitas vezes. Mais de vinte mordidas em cinco minutos, segundo o autor do experimento, Klaus Miczek, da Universidade de Tufts.[29]

Numa sociedade como a ocidental, em que o hábito de tomar dois drinques por dia é considerado abstinência por muitos, não é de se estranhar que de cada três crimes violentos, dois sejam cometidos sob efeito de bebidas alcoólicas. Grande parte das agressões mortais ocorridas na periferia das cidades brasileiras acontece nos bares, e muitos ladrões ingerem álcool antes de sair para o assalto.

Neurotransmissores: A experiência descrita com o álcool mostra que existem mediadores químicos envolvidos nos mecanismos que conduzem à agressividade. O mediador mais estudado tem sido a serotonina, substância que transmite sinais entre os neurônios, ligada às sensações de prazer, mas também às depressões, distúrbios de alimentação e dependência de cocaína.

É possível que a serotonina exerça controle inibitório sobre a agressividade impulsiva. Desarranjos no sistema de produção e metabolismo da serotonina têm sido descritos em pacientes psiquiátricos agressivos, homens impulsivos e violentos e em suicidas.

Numerosos estudos documentaram níveis baixos de serotonina no liquor, isto é, no líquido que banha a medula espinhal e o cérebro, em animais agressivos e também no homem. Como demonstração de causa e efeito, se administrarmos drogas que modificam os níveis de serotonina no liquor, teremos alterações proporcionais nos níveis de agressividade: drogas que diminuem as concentrações de serotonina aumentam a agressividade; as que aumentam a serotonina tornam os animais mais dóceis.

Diversos pesquisadores estão atentos à caracterização dos receptores aos quais a serotonina se liga na superfície dos neurônios para exercer seu efeito. Várias drogas que interferem nesses receptores reduzem a violência em ratos e macacos.

Outro neurotransmissor que parece estar envolvido na modulação da violência é a vasopressina. Em 1998, Emile Coccaro e Craig Ferris, da MCP Hahnemann School of Medicine, dosaram as concentrações de vasopressina no liquor de 26 homens portadores de distúrbios anti-sociais.[30] Verificaram que níveis mais altos de vasopressina estavam associados a comportamento mais agressivo.

Estrutura cerebral: A partir dos anos 1980, pesquisas do grupo de Teicher, na Universidade Harvard, demonstraram que uma das regiões cerebrais mais afetadas pelos maus-tratos era o sistema límbico. O sistema límbico é uma área situada na parte central do cérebro, para onde confluem os neurônios envolvidos com a memória e as emoções. Há duas estruturas cruciais para o funcionamento do sistema límbico: o hipocampo e a amígdala.

O hipocampo é fundamental para a formação e arquivamento das memórias emocionais e verbais. A amígdala é responsável pela criação do conteúdo emocional das memórias, associadas às respostas agressivas e ao medo, por exemplo.

Estudos recentes mostraram que adultos com história de

violência sofrida na infância apresentam hipocampos e amígdalas anatomicamente menores do que os adultos-controle.

Outros trabalhos documentaram uma inversão na relação de dominância entre os hemisférios cerebrais em indivíduos maltratados na infância. Classicamente, as pessoas destras têm a metade esquerda do cérebro mais desenvolvida; nos destros que sofreram abusos quando crianças, no entanto, é o hemisfério direito que exibe desenvolvimento mais acentuado. Como o hemisfério esquerdo integra a percepção e expressão da linguagem, enquanto o direito processa a informação espacial e a expressão de emoções, é possível que crianças maltratadas desenvolvam mais o hemisfério direito por arquivarem e processarem suas experiências negativas nos neurônios que confluem para as áreas localizadas desse lado do cérebro.

Além disso, muitos autores acreditam que o córtex do lobo frontal, camada de massa cinzenta que recobre esse lobo, exerce influência importante no controle da impulsividade e do comportamento violento.

Em 1997, Adrian Raine estudou 41 homens encarcerados, e 41 indivíduos livres para servir de grupo de controle, na Universidade da Califórnia.[31] Todos foram submetidos a um tipo de tomografia (PET-scan) que permite analisar as áreas cerebrais que estão em atividade num dado momento. Os resultados mostraram que o córtex da parte da frente do lobo frontal apresentava alterações fisiológicas nos presos condenados por crime de morte.

O mesmo autor publicou outro estudo, no qual foram determinadas as dimensões do córtex do lobo frontal em diversos portadores da assim chamada personalidade anti-social, que haviam sido responsáveis por atos violentos. Neles, a substância cinzenta ocupava uma área 11% menor. Inquirido sobre o significado desse achado, Raine respondeu à *Science*: "Não tenho a menor idéia".

A genética: Estudos conduzidos entre irmãos gêmeos univitelinos (iguais) criados na mesma família ou crescidos sem contato em lares distantes são altamente sugestivos de que um componente genético esteja envolvido na agressividade.

Na Holanda há um caso clássico, relatado em 1993, de uma família cujos membros do sexo masculino haviam se engajado em crimes de morte, estupros, roubos e incêndios criminosos. A análise genética mostrou que esses homens tinham um defeito muito raro num gene que codifica a produção de uma enzima chamada MAOA, que age quebrando as moléculas de diversos neurotransmissores.

Em 1999, Stephen B. Manuck e colaboradores publicaram um trabalho realizado com 251 voluntários, testados para a presença de mutações num gene responsável por uma enzima que limita a produção de serotonina.[32] Os autores foram capazes de identificar mutações nesse gene associadas a diversas manifestações de agressividade, incluindo a tendência de experimentar sensação de raiva sem motivo aparente.

Em ratos, já foram identificados quinze genes que interferem na agressividade, entre eles o da MAOA. A identificação de alguns desses genes aparece às vezes nas manchetes da imprensa leiga como representando o descobrimento do "gene da agressividade". Conhecimentos elementares de genética, entretanto, demonstram que comportamentos complexos como a violência nunca são regulados por um gene único; estão sob o comando de uma constelação de genes que interagem via mecanismos de extrema complexidade. Muitos biólogos moleculares estão convencidos de que essas interações são tão complexas que dificilmente serão entendidas a ponto de podermos manipulá-las com segurança para modificar um comportamento de forma previsível, por mais elementar que seja ele.

A violência das crianças: Sem menosprezar a influência do meio, é inegável que a tendência a reagir de forma violenta diante de uma situação adversa varia de uma criança para outra, sugerindo raízes pré-natais.

Os pesquisadores atuais procuram entender a violência como expressão final de um conjunto de fatores de risco. Entre eles estaria incluída uma vulnerabilidade biológica, genética ou desenvolvida na fase pré-natal, trazida à superfície ou reforçada pelo ambiente social.

Crianças cronicamente violentas freqüentemente apresentam comportamento hiperativo, dificuldade de concentração na escola, ansiedade, confusão mental, impulsividade, ideação fantasiosa e tendências autodestrutivas. Esses distúrbios emocionais se agravam quando essas crianças se agrupam com outras portadoras de comportamentos semelhantes.

Estima-se que 2% dos meninos e menos de 1% das meninas apresentem tais características. É importante ressaltar que a maioria das crianças violentas deixa de sê-lo na adolescência. No caso dos adultos mais agressivos, porém, as raízes do comportamento anti-social costumam já estar presentes na infância, sugerindo que a agressividade seja um fenômeno bastante estável no decorrer da vida.

O grupo de Richard Tremblay, da Universidade de Montreal, vem acompanhando mil meninos canadenses de seis anos de idade em diante, desde 1984. A maioria dos que eram fisicamente violentos na infância abandonou esse comportamento ao redor dos doze anos, mas em 4% deles a agressividade se tornou crônica. Tremblay identificou dois fatores de risco nesse grupo: as mães dos meninos eram menos instruídas e tiveram seus filhos numa idade mais precoce. Teoricamente, seriam mães menos preparadas para educar crianças problemáticas.[33]

Entre os traços associados ao comportamento violento das

crianças está a falta de empatia, isto é, a dificuldade de colocar-se no papel do outro. Um dos exemplos é a crueldade com os animais, uma das primeiras manifestações dessa incapacidade.

Estudos conduzidos por David Rowe,[34] na Universidade do Arizona, mostram que crianças com QI abaixo da média também apresentam risco mais alto de se tornarem adultos violentos.

O grupo de Adrian Raine, que acompanha cerca de 1 800 crianças das ilhas Maurício, publicou um trabalho demonstrando que as crianças com baixa freqüência cardíaca aos três anos de idade tinham maior probabilidade de serem fisicamente agressivas aos onze.[35] Em outros estudos, os mesmos autores mostraram que meninos com ondas cerebrais mais lentas e condutância cutânea mais baixa (uma medida da sudorese através da pele) tinham maior probabilidade de acabar na prisão, anos depois.

Os autores desconfiam que esses parâmetros sejam simples indicadores de um sistema nervoso central mais desregulado. Nesses casos, quando o estresse é mantido, os circuitos envolvidos no controle da agressividade ficariam sobrecarregados e entrariam em colapso.

Apesar de essas conclusões serem criticáveis por não levar em conta a influência poderosa do meio, a existência da agressividade física na infância é irrefutável. Se não considerarmos as conseqüências da agressão e olharmos apenas para o comportamento agressivo, a idade mais violenta de todas é a de dois anos. Richard Temblay afirma na revista *Science*: "A questão que tentamos responder nos últimos trinta anos é como as crianças aprendem a agredir. A pergunta está mal colocada; o certo seria indagar como elas aprendem a não agredir. Os bebês só não se matam uns aos outros porque lhes impedimos o acesso aos revólveres".[36]

Evidências científicas sugerem que a reatividade emocional de um indivíduo pode predispô-lo à agressividade física. Essa propensão está associada a um baixo limiar de ativação de um conjunto de emoções e estados de espírito negativos: raiva, ansiedade, frustração e agitação, entre outros.

As técnicas modernas de neuroimagem permitiram identificar diversas regiões cerebrais envolvidas nos circuitos de neurônios que amplificam, atenuam ou mantêm as emoções. A ativação experimental ou a lesão desses centros altera a intensidade de expressão dos estados emocionais regulados por eles. Por exemplo, lesões provocadas na amígdala prejudicam a percepção de expressões de medo, e lesões numa pequena área do lobo frontal podem desregular a forma de exprimir raiva. Em camundongos, lesões de determinadas áreas do lobo frontal transformam um animal calmo em impulsivo e violento.

O estado emocional-afetivo de cada indivíduo é estabelecido por uma delicada rede de neurônios que convergem para determinadas áreas do cérebro, e pelos neurotransmissores liberados por eles na condução do estímulo. As reações individuais dependem, então, da sintonia fina dessa circuitaria em ação.

Como a violência não é um fenômeno homogêneo, suas manifestações são graduadas por circuitos específicos de neurônios. Por exemplo, um estudo conduzido entre 41 homens condenados por assassinato mostrou que os autores de crimes premeditados, predatórios, apresentavam um padrão de metabolismo do lobo pré-frontal diferente daqueles que haviam cometido o assassinato como conseqüência de uma explosão impulsiva.

Indivíduos bem adaptados são capazes de controlar voluntariamente suas emoções negativas e aproveitar determinadas indicações do meio, como as expressões faciais ou vocais de medo ou raiva, para definir a melhor estratégia de comportamento a ser adotada. É provável que aqueles predispostos à violência apresentem anormalidades na condução de estímulos através dos circuitos responsáveis por essas estratégias adaptativas.

Há evidências claras de que genes herdados dos pais influenciam a estrutura e função dessas redes de neurônios. O fator genético, no entanto, interage com as influências do ambiente desde as fases mais precoces do desenvolvimento da criança. A própria estrutura das conexões envolvidas nesses circuitos é dramaticamente modelada pelos acontecimentos sociais da infância.

As pesquisas atuais para caracterizar a função das fibras nervosas que entram e saem dos centros cerebrais moduladores das emoções abrirão caminho para intervenções medicamentosas associadas a estratégias psicossociais preventivas dirigidas às populações de alto risco. Para isso, os primeiros passos estão dados: reconhecer que tanto a agressão impulsiva quanto a premeditada, independentemente das causas responsáveis por elas, são doenças contagiosas que refletem anormalidades fisiológicas nos centros cerebrais que controlam as emoções.

RAÍZES SOCIAIS

Em 1962, John Calhoun publicou na revista *Scientific American* um estudo que ganhou os jornais diários e teve repercussão no meio científico. No artigo, "Densidade populacional e patologia social",[37] o autor relatava um experimento sobre as conseqüências do aumento da população de ratos numa gaiola com um comedouro na parte central e outros distribuídos pelos cantos.

O aumento do número de animais na gaiola provocava aglomerações em volta do comedouro central, embora houvesse espaço à vontade ao redor dos comedouros laterais. Como cada animal queria para si a posição mais privilegiada no centro, começavam as disputas. Quanto maior a concentração de ratos, maior a violência das brigas: mordidas, ataques sexuais, mortes e canibalismo.

Naqueles anos 1960, o experimento foi um prato cheio para os comportamentalistas (behavioristas) e o público em geral. Oferecia uma explicação simples para a epidemia de violência que a TV começava a mostrar nas grandes cidades: turbas enfurecidas, polícia, bombas de gás lacrimogêneo, saques e as gangues urbanas. Assim como os ratos se matavam por uma posição no meio da gaiola, os homens se agrediam no centro das cidades, concluíram todos.

Durante décadas, a imagem da "gaiola comportamental" de Calhoun contaminou o entendimento das causas da violência urbana: tornou-se crença geral que quanto maior a concentração humana nos centros urbanos, mais violência. Ninguém lembrou que, no centro de Tóquio, uma senhora pode andar tranqüila à meia-noite, e que São Paulo ou Los Angeles, cidades de grande extensão e densidade populacional muito menor, estão entre as cidades mais violentas do mundo.

É o que dá extrapolar diretamente para o homem dados obtidos com animais. Apesar de mamíferos, os roedores não são primatas.

Os primeiros abalos sofridos pela "gaiola comportamental" vieram da primatologia que começou a nascer nos anos 1970. Em 1971, Bruce Alexander e Emilie Roth, do Oregon Regional Primate Research Center, descreveram brigas ferozes e até mortais entre macacos japoneses quando os animais, previamente mantidos em cativeiro, eram libertados num espaço 73 vezes maior.[38]

Em 1982, os holandeses Kees Nieuwenhuijsen e Frans De Waal publicaram um estudo fundamental com os chimpanzés mantidos na colônia de Arnhem.[39] Nela, os chimpanzés ficavam soltos numa ilha durante o verão e eram recolhidos a uma clausura com calefação nos meses frios. O espaço nesse ambiente fechado ficava reduzido a apenas 5% daquele disponível nos meses quentes na ilha. Depois de analisar os dados colhidos em centenas de horas de observação de campo, os autores concluíram que, fechados, os chimpanzés pareciam mais irritados, às vezes tensos, mas não abertamente agressivos.

Os machos dispostos a desafiar a hierarquia complexa das sociedades de chimpanzés adotavam posturas mais cautelosas no inverno, como curvar-se diante do macho alfa (dominante) e agradar seu pêlo. As diferenças eram acertadas nos meses quentes, na ilha: o número de conflitos agressivos dobrava.

O Pavilhão 5 da Casa de Detenção de São Paulo (Carandiru) albergava, até sua implosão em 2002, cerca de 1600 presos. Iam para lá os que tinham problema de convivência com a massa carcerária: estupradores, justiceiros, delatores, craqueiros endividados e outros que infringiam a ética do crime. Feito sardinha em lata, cinco, seis e até doze homens dividiam celas com pouco mais de oito metros quadrados de área útil. Era a maior concentração de presos da cadeia.

Entre 2000 e 2002, por exemplo, no Pavilhão 5 houve apenas uma morte. Morreu muito mais gente nos pavilhões menos povoados. Quantas mortes teriam ocorrido nesses dois anos caso esses 1600 homens estivessem em liberdade?

Entre os primatas, o aumento da densidade populacional não conduz necessariamente à violência desenfreada. Diante da redução do espaço físico, criamos leis mais fortes para controlar os impulsos individuais e impedir a barbárie. Tal estratégia de sobrevivência tem lógica evolutiva: descendemos de ancestrais que tiveram sucesso na defesa da integridade de seus grupos; os incapazes de fazê-lo não tiveram sucesso reprodutivo. Definitivamente, não somos como os ratos.

A análise que a sociedade tende a fazer da violência urbana é baseada em fatores emocionais, quase sempre gerados por um crime chocante, pela falta de segurança nas ruas do bairro, preconceito social ou discriminação. As conclusões dos estudos científicos não costumam ser levadas em conta na definição de políticas públicas. Nos últimos anos, foram desenvolvidos métodos analíticos mais precisos para avaliar a influência dos fatores econômicos, epidemiológicos e sociológicos associados às raízes sociais da violência urbana: pobreza, impunidade, acesso a armamento, narcotráfico, intolerância social, ruptura de laços familiares, imigração, corrupção de autoridades ou descrédito na justiça.

A maior parte dessas pesquisas é conduzida nos Estados Unidos, talvez porque os europeus estiveram menos preocupados com o problema. No entanto, estudos feitos em vinte países da Europa por Terrie Moffitt,[40] pesquisadora do King's College de Londres, sugerem que a probabilidade de ser assaltado nesses países não é diferente daquela encontrada nos Estados Unidos. A diferença não está no número, mas nas conseqüências dos assaltos: o índice de homicídios é mais alto entre os norte-americanos.

A revista *Science*, já citada muitas vezes, fez uma revisão que resume a produção científica americana no campo da violência nas cidades. Vamos usar alguns desses estudos na discussão das causas sociais mais relevantes da violência urbana.

Desigualdade econômica: Há muito se admite que a má distribuição de renda cria ambiente favorável à disseminação da violência urbana. De fato, a desigualdade parece funcionar como caldo de cultura para a generalização do comportamento agressivo. Sociedades que vivem em estado de pobreza tendem a ser menos violentas do que aquelas em que há pequeno número de ricos e uma grande massa de pobres.

A diferença de poder aquisitivo, no entanto, não é causa única. A violência urbana é uma doença multifatorial. As diferenças sociais existentes em nosso país podem explicar por que ocorrem mais crimes no Brasil do que na Suécia, por exemplo, mas não explicam por que os índices de criminalidade suecos começaram a aumentar na mesma época em que aumentaram nas cidades brasileiras ou americanas. Não explicam, também, as razões pelas quais a criminalidade dos grandes centros americanos vem caindo consistentemente de 1992 para cá, período em que a concentração de renda se agravou naquele país.

Além disso, a desigualdade não explica por que num bairro pobre, e até numa mesma família, somente alguns se desviam para o crime, enquanto os demais respeitam as regras de convivência social.

Uso de armas: A alta concentração de armamento em certas áreas urbanas cria, segundo Jeffrey Fagan, da Universidade Columbia, uma "ecologia do perigo".[41] Depois de entrevistar quatrocentos jovens nos bairros mais perigosos de Nova York, o pesquisador constatou que a violência é realmente contagiosa. No período de 1985 a 1995, o uso de revólveres nessas comunidades se espalhou como doença transmissível. Jovens desarmados sentiam-se inseguros e acreditavam que imporiam mais respeito aos adversários se carregassem uma arma. No mundo do crime, a posse de armas confere poder.

Como os marginais precisam dispor de armas competitivas em relação às da polícia e de quadrilhas rivais, instala-se uma corrida por armamentos sem fim, responsável pelos ferimentos mais letais que os plantonistas de hoje enfrentam nos hospitais da periferia de São Paulo, Nova York ou Paris.

Crack: O crack chegou a Los Angeles em 1984 e se disseminou pelas cidades americanas. Em diversas delas, o número de crimes começou a aumentar já no primeiro ano depois da entrada da droga. Alfred Blumstein, diretor do National Consortium on Violence

Research, atribui esse aumento a um fenômeno aparentemente paradoxal: a guerra às drogas.[42]

Segundo o criminologista, a prisão dos líderes mais velhos do tráfico provocou a ascensão dos mais jovens ao comando, e "os jovens não estão entre os melhores solucionadores de conflito — eles sempre brigam".

Em 1992, tive a oportunidade de presenciar a entrada do crack na Casa de Detenção. Até então, cocaína só era comercializada em pó para injeção intravenosa ou aspiração nasal. O crack, preparação impura obtida a partir da pasta de cocaína, que apresentava a vantagem de ser fumado em cachimbo (o que, em tempos de aids e hepatite, não era pouco) e de custar muito menos, varreu a cocaína injetável do mapa.

Como conseqüência, a cocaína, que era distribuída por um pequeno grupo de traficantes mais velhos com poder aquisitivo suficiente para comprá-la, teve o consumo bastante reduzido, enquanto crescia assustadoramente o número de jovens inexperientes que se engajavam no comércio barato do crack. A democratização do uso aumentou a demanda de traficantes, pulverizou o comando, quebrou a ordem interna da cadeia e resultou em agressões graves e assassinatos.

Para ilustrar a complexidade desse tema, há muitos autores que estão de acordo com esse ponto de vista: a prisão dos traficantes mais velhos, experientes solucionadores de conflitos, não tem impacto significativo na redução da violência, e pode agravá-la. Os jovens levados a ocupar as posições vagas tendem a resolver disputas por meio da guerra.

Quebra dos laços familiares: No mundo todo cresce o número de filhos criados sem apoio paterno. São crianças concebidas por mães solteiras ou mulheres abandonadas por seus companheiros. No Brasil, o problema da gravidez na adolescência é especialmente grave nas áreas mais pobres: nas regiões Norte e Nordeste, em cada três partos uma das mães tem entre dez e dezenove anos. Mesmo no Sul e no Sudeste, o número de parturientes nessa faixa etária é muito alto: cerca de 25%.

Os estudos mostram que os filhos dessas jovens apresentam maior probabilidade de ser abandonados, malcuidados e sofrer espancamento doméstico. O nascimento dessas crianças sobrecarrega a mãe, provoca abandono dos estudos, dificuldade de conseguir emprego e diminuição do poder aquisitivo da família materna, obrigada a manter a criança.

Além disso, é bem provável que aquela minoria de crianças nascidas com maior vulnerabilidade a desenvolver comportamentos agressivos, criadas por mães despreparadas para educá-las com coerência, possa tornar-se emocionalmente reativa e impulsiva, condições de alto risco para a violência.

Ambiente desfavorável: Crianças que apanharam, foram abusadas sexualmente, humilhadas ou desprezadas nos primeiros anos de vida têm maior inclinação ao comportamento violento. O mesmo acontece quando a adolescência é vivida em famílias que não lhes transmitiram valores sociais altruísticos, formação moral nem limites de disciplina.

Encarceramento: Muitos dos programas adotados no mundo todo, e em nossas Febens, para controlar a agressividade juvenil podem ser piores do que simplesmente inúteis. O agrupamento de jovens de periculosidade variável não acalma os mais agressivos: serve de escola para os ingênuos. Todos parecem estar de acordo com o fato de que nossas cadeias funcionam como universidades do crime, mas é importante saber que diversos estudos confirmam essa impressão.

Thomas Dishion, do Oregon Social Learning Center, acompanhou um grupo de duzentos adolescentes por um período de cinco anos.[43] Os meninos que não fumavam cigarro, maconha e não bebiam álcool antes dos catorze anos, mas fizeram amizade com outros que consumiam essas drogas, tornaram-se usuários dois anos mais tarde, de forma estatisticamente previsível. O autor concluiu: "É um erro terrível alojar jovens delinqüentes no mesmo lugar".[44] Uma fruta estragada parece mesmo contaminar o cesto inteiro, como diziam os antigos.

Em 1990, Patricia Chamberlain e seu grupo, do mesmo centro de Oregon, conduziram um estudo com jovens delinqüentes de treze a catorze anos.[45] Ao acaso, os meninos foram distribuídos para cumprir pena em dois locais: albergados em instituições ou colocados individualmente em casas de família que recebiam ajuda financeira para mantê-los. Enquanto 57,8% dos meninos institucionalizados fugiram, apenas 30,5% dos que ficaram com as famílias o fizeram. Um ano depois de serem postos em liberdade, os que ficaram em casas de família tinham passado 60% menos dias na cadeia. O custo de manutenção dos jovens em prisões foi cerca de dez vezes maior.

Índices de encarceramento: No calor da emoção que esse tema provoca, a sociedade chega a defender posições antagônicas: muitos acham que, se todos os delinqüentes fossem para a prisão (ou fuzilados, como preferem alguns), a paz voltaria às ruas. Ao contrário, há quem diga que nossas cadeias são centros de pós-graduação, e que a sociedade ganharia mais construindo escolas do que novos presídios.

A verdade é que os índices de encarceramento guardam relação com o número de crimes. Richard Rosenfeld, da Universidade de Missouri, estudou os índices de homicídios nas áreas mais perigosas de Saint Louis e Chicago. Para cada aumento de 10% na população carcerária, concluiu que havia queda de 15% a 20% nos homicídios.[46]

Outros pesquisadores obtiveram resultados bem mais modestos. O economista Steven Levitt, da Universidade de Chicago, estudou as conseqüências da pressão que um movimento de defesa dos direitos civis exerceu sobre o judiciário americano, nos anos 1980. Por causa desse movimento, em alguns estados americanos os juízes decidiram cortar o número de prisioneiros, enquanto em outros a população de presos continuou a crescer. Levitt concluiu que uma queda relativa a 10% da massa carcerária provocava aumento de 4% na criminalidade.[47]

Para ilustrar novamente a complexidade de temas como esse, o criminologista Rosenfeld recomenda cuidado ao considerar esses dados. O encarceramento não deve ser visto como panacéia para o crime violento, diz ele. E, continua, a curto prazo a prisão tem um "efeito incapacitador", impedindo momentaneamente o prisioneiro de praticar novos crimes nas ruas. A longo prazo, entretanto, índices altos de encarceramento podem aumentar os índices de homicídios.

Apesar da grande dificuldade em encontrar alternativas ao modelo prisional clássico, é preciso ter claro que o encarceramento em massa é um experimento de conseqüências mal conhecidas, com potencialidade para fortalecer o crime: empobrece e desorganiza famílias, desagrega vínculos sociais, expõe o presidiário ao contágio com a violência das cadeias e dificulta sua inclusão posterior no mercado de trabalho.

O caso americano: Comparativamente, as cidades americanas eram seguras nos anos 1950. A partir de 1960, porém, o gráfico da violência urbana entrou em ascendência contínua: em 1960, ocorriam cinco homicídios para cada 100 mil habitantes; em 1990, esse número havia dobrado.

Graças à profunda reorganização que as polícias das grandes cidades americanas sofreram nos últimos anos, com ênfase especial no combate à corrupção e em programas do tipo "tolerância zero", o número de prisões quintuplicou nos últimos trinta anos: em 1960, havia cerca de cem americanos presos para cada 100 mil habitantes; em 1990, quase quinhentos.

Curiosamente, os crimes violentos, que aumentaram sem parar desde a década de 1960, começaram a diminuir em 1992 e 1993 de forma significante no país inteiro, e permanecem em queda até hoje. Muitos interpretam essa queda como resultado da maior eficiência policial, outros atribuem-na às menores taxas de desemprego resultantes do desempenho favorável da economia americana nos últimos anos.

Apesar das especulações, ninguém consegue explicar o acontecido. Se os aprisionamentos justificassem a queda nas taxas de violência criminosa, por que apenas em 1992 elas começaram a cair se os índices de encarceramento aumentaram sem parar desde 1960, enquanto a violência seguiu sua escalada contínua?

Da mesma forma, se a redução do desemprego fosse a justificativa, por que só a partir de 1992 esse efeito seria detectável, se os Estados Unidos viveram diversas fases de prosperidade nos últimos trinta anos, enquanto a criminalidade crescia?

Para ilustrar, pela terceira vez, a complexidade desses temas, vamos citar a conclusão a que chegaram dois pesquisadores da Universidade Stanford, Steve Levitt e John Donohue, depois de análise criteriosa dos dados referentes à progressão da violência americana, a partir de 1970. Segundo eles, a principal explicação para a queda da criminalidade ocorrida de 1992 até o presente não foi a prosperidade econômica ou o trabalho policial: foi conseqüência da liberação do aborto nos anos 1970.[48]

Os dados demográficos mostraram aos pesquisadores que as mulheres que praticam abortos são em sua maioria jovens e pobres, subpopulações cujos filhos enfrentarão condições sociais de alto risco para a violência. Sem a emenda que liberou o aborto em 1973, teria sido maior a probabilidade de mais adolescentes violentos completarem dezoito anos em 1991. Sem eles, teria ocorrido a redução da criminalidade descrita a partir de 1992.

O trabalho de Levitt e Donohue despertou fortes reações emocionais na comunidade acadêmica. O citado diretor do National Consortium on Violence Research, Alfred Blumstein, resumiu essas reações da seguinte maneira: "É preciso grande habilidade para escrever um trabalho que enfureça ao mesmo tempo a direita e a esquerda. Os autores conseguiram fazê-lo de forma brilhante".

Pelo exposto, fica claro que nem todos os fatores que afetam a criminalidade podem ser alterados a curto prazo. Não é fácil construir uma sociedade rica e igual, que eduque de forma adequada mesmo as crianças, mais problemáticas; diga não às drogas de uso compulsivo; encontre alternativas às cadeias; acabe com as armas e aplique justiça com isenção.

Como ainda conviveremos por muito tempo com a violência urbana, é preciso interpretá-la de forma menos emocional. Não há soluções mágicas para anular os fatores biológicos e sociais que aumentam a probabilidade de um indivíduo resolver seus conflitos pessoais por meio de métodos violentos. A violência urbana deve ser entendida como doença de causa multifatorial, contagiosa, com aspectos biológicos e sociais que precisam ser estudados cientificamente para podermos desenvolver estratégias seguras de prevenção e tratamento.

Enquanto não aprendemos a educar e oferecer medidas preventivas para que os pais evitem ter filhos que não serão capazes de criar, cabe a nós a responsabilidade de integrá-los à sociedade por meio da educação formal de bom nível, das práticas esportivas e da oportunidade de desenvolvimento artístico.

Violência na TV
e comportamento agressivo

Nunca se assistiu a tanta violência na televisão como nos dias atuais. Dada a enormidade de tempo que crianças e adolescentes das várias classes sociais passam diante da TV, é lógico o interesse pelas conseqüências dessa exposição. Até que ponto a banalização de atos violentos exibidos nas salas de visita pelo país afora diariamente, dos desenhos animados aos piores programas, contribui para a escalada da violência urbana?

Essa questão é mais antiga do que se imagina. Surgiu no final dos anos 1940, assim que a televisão entrou nas casas de família. Nos Estados Unidos, país com o maior número de aparelhos por habitante, a autoridade máxima de saúde pública do país (*Surgeon General*) já afirmava, em comunicado à nação no ano de 1972: "A violência na televisão realmente tem efeitos adversos em certos membros de nossa sociedade".

Desde então, a literatura médica daquele país já publicou sobre o tema 160 estudos de campo que envolveram 44 292 participantes, e 124 estudos laboratoriais com 7 305 participantes. Absolutamente todos demonstraram a existência de relações claras entre a exposição de crianças à violência exibida pela mídia e o desenvolvimento de comportamento agressivo.

Ao lado deles, em 2001, foi publicado um estudo interessantíssimo, numa das mais importantes revistas de psicologia, que evidenciou efeitos semelhantes em crianças expostas a videogames de conteúdo violento.[49] Em fevereiro de 2002, Jeffrey Johnson e colaboradores da Universidade Columbia publicaram os resultados de uma pesquisa que estende as mesmas conclusões para adolescentes e adultos jovens expostos diariamente às cenas de violência na TV.[50]

A partir de 1975, os pesquisadores passaram a acompanhar um grupo de 707 famílias, com filhos entre um e dez anos de idade. No início do estudo, as crianças tinham em média 5,8 anos, e foram acompanhadas até 2000, quando atingiram a média de trinta anos.

Nesse intervalo de tempo, periodicamente, todos os participantes e seus pais eram entrevistados para saber quanto tempo passavam na frente da televisão. Além disso, respondiam a perguntas para avaliar a renda familiar, a possível existência de desinteresse paterno pela sorte dos filhos, os níveis de violência na comunidade em que viviam, a escolaridade dos pais e a presença de transtornos psiquiátricos nas crianças, fatores de risco sabidamente associados ao comportamento violento.

A prática de atos agressivos pelos jovens foi avaliada por meio de sucessivas aplicações de um questionário especializado e de consulta aos arquivos policiais.

Depois de cuidadoso tratamento estatístico, os autores verificaram que, independentemente dos fatores de risco citados, o número de horas que um adolescente com idade média de catorze anos fica diante da televisão está por si só significativamente associado à prática de assaltos, à participação em brigas com vítimas e em crimes de morte mais tarde, quando atingida a faixa etária dos dezesseis aos 22 anos. Essa conclusão vale para homens ou mulheres, mas não vale para os crimes contra a propriedade, como furtos e vandalismo, que aparentemente parecem não guardar relação com a violência presenciada na TV.

Conclusões idênticas foram tiradas analisando-se o número de horas que um jovem de idade média igual a 22 anos (homem ou mulher) dedica a assistir à televisão: quanto maior o número de horas diárias, mais freqüente a prática de crimes violentos. Entre adolescentes e adultos jovens expostos à TV por mais de três horas por dia, a probabilidade de praticar atos violentos contra terceiros aumentou cinco vezes em relação aos que a assistiam durante menos de uma hora.

O estudo do grupo de Nova York é importante não só pela abrangência (707 famílias acompanhadas de 1975 a 2000), ou pela metodologia criteriosa, mas por ser o primeiro a contradizer de forma veemente que a exposição à violência da mídia afeta apenas crianças pequenas. Demonstra que ela exerce efeito deletério sobre o comportamento de um universo de pessoas muito maior do que aquele suposto anteriormente.

Apesar do consenso entre os especialistas de que há muito está caracterizada a relação de causa e efeito entre a violência exibida pelos meios de comunicação de massa e a futura prática de atos violentos pelos espectadores, o tema costuma ser abordado com superficialidade irresponsável pela mídia, como se essa associação ainda não estivesse claramente estabelecida.

Craig Anderson e Brad Bushman, da Universidade de Iowa, responsabilizam a imprensa por apresentar até hoje como controverso um debate que deveria ter sido encerrado anos atrás.[51] Segundo os especialistas, esse comportamento é comparável ao mantido por décadas diante da discussão sobre as relações entre o cigarro e o câncer de pulmão, quando a comunidade científica estava cansada de saber e de alertar a população para a existência da relação de causa e efeito.

Seis das mais respeitadas associações médicas americanas (entre as quais as de pediatria, psiquiatria, psicologia e a influente American Medical Association) publicaram, em 2001, um relatório com a seguinte conclusão sobre o assunto: "Os dados apontam de forma impressionante para uma conexão causal entre a violência na mídia e o comportamento agressivo de certas crianças".

PARTE II

DIA-A-DIA

1. Cuidados

A alergia do isolamento

Criança pobre pega doença infecciosa; as ricas sofrem de alergia.

Nos países industrializados, as crianças e os adolescentes têm mais asma e doenças alérgicas. O aumento da freqüência é proporcional à renda familiar, à melhora das condições gerais de habitação e de saúde, e à redução do número de pessoas na família.

Crianças criadas com muitos irmãos e as que freqüentam creches adquirem infecções corriqueiras, essenciais para o desenvolvimento harmonioso dos mecanismos de imunidade. Na ausência delas, aumenta a predisposição às doenças alérgicas, porque o sistema imunológico desregulado agride os próprios tecidos do organismo. É o caso dos brônquios na asma e da pele nos eczemas, por exemplo.

Pesquisadores da Universidade do Arizona publicaram na revista *The New England Journal of Medicine* um estudo no qual acompanharam 1035 crianças desde o nascimento e avaliaram o aparecimento de asma no período dos seis aos treze anos de idade. Os resultados mostraram que a convivência com outras crianças durante os seis primeiros meses de vida de fato reduz a incidência de asma no futuro.[52]

A hipótese de que as alergias das crianças mais ricas sejam devidas à falta de exposição aos germes do ambiente também foi testada por investigadores finlandeses. Os autores partiram da premissa de que a variedade da flora comensal presente no intestino das crianças poderia ativar mais adequadamente o sistema imunológico e proteger melhor contra doenças alérgicas do que as infecções esporádicas da infância (geralmente de natureza respiratória).

Num estudo publicado na revista *Lancet*, os autores acompanharam 132 crianças do nascimento aos dois anos de idade.[53] Durante a gravidez, as mães foram divididas em dois grupos: metade recebeu placebo (produto inerte) e a outra foi tratada por via oral, de duas a quatro semanas, com culturas de lactobacilos, germes componentes da flora intestinal não patogênica. Era exigência do estudo que todas as mulheres participantes tivessem pelo menos um parente em primeiro grau que sofresse de alergia. Durante os primeiros seis meses de vida, as crianças receberam o mesmo tratamento das mães (placebo ou lactobacilos). O grupo tratado com os germes apresentou um número de casos de eczema 50% menor.

Se o sistema imunológico humano precisa mesmo ser estimulado por germes transmitidos aos bebês para se desenvolver em plenitude, e como as sociedades afluentes cada vez mais isolam seus filhos entre cortinas e carpetes abarrotados de alérgenos, devemos esperar um número crescente de pessoas de imunidade mais frágil no futuro. Isso nos tornará mais dependentes de desinfetantes e de antibióticos; teremos de viver na limpeza obsessiva: qualquer contaminação poderá causar doença e haverá necessidade de antibióticos para combatê-la.

Acontece que as bactérias não são idiotas. Não é à toa que foram habitantes exclusivas do planeta por mais de 3,5 bilhões de anos. E predominam até hoje.

Tanto sucesso evolutivo deve-se a uma estratégia simples: dividir-se freneticamente. Como a divisão muitas vezes acontece numa fração de minuto, as bactérias aprenderam a fazer cópias do próprio material genético em velocidade vertiginosa: são máquinas de copiar DNA.

No entanto, como a pressa é inimiga da perfeição, as bactérias-filhas podem nascer com diferenças sutis em relação à mãe, produtos de erros pontuais da maquinaria copiadora. Muitas morrem por isso, outras levam vantagem à custa desses erros. Os erros de cópia são fontes de diversidade entre as bactérias.

Para complicar e aumentar mais a versatilidade genética, as bactérias são mestras numa segunda arte: a de transmitir informação genética de uma para outra. Há trinta anos, quase todas as cepas de estafilococo respondiam à penicilina. Hoje é necessário sorte para encontrar uma que o faça; os estafilococos disseminaram os genes da resistência à penicilina entre eles.

A existência de cepas rebeldes exige a criação de novos desinfetantes e de antibióticos mais poderosos. A velocidade com a qual conseguimos gerar informação científica para inventá-los, entretanto, é bem menor do que a delas em gerar diversidade genética para resistir. Enquanto a humilde penicilina reinou durante décadas, o antibiótico de hoje custa uma fortuna e fica obsoleto em pouco tempo.

Perderemos essa guerra?

Acho que não. Já sabemos muito e aprenderemos mais sobre as bactérias, os fungos e os vírus. Passaremos a usar desinfetantes e agentes antimicrobianos com sabedoria, apenas nos casos em que forem absolutamente necessários. E provavelmente seremos capazes de realizar o antigo sonho da medicina: fortalecer as defesas contra as infecções e modular a intensidade da resposta imunológica para que esta não se volte contra nós mesmos.

Os micróbios da boca[54]

A primeira descrição de que na boca humana havia seres estranhos foi feita no final do século XVII, na Holanda, por Antony van Leeuwenhoek — um dono de armarinho, hoje considerado o pai da bacteriologia, cuja distração principal era explorar os recursos de uma engenhoca recém-descoberta: o microscópio.

Enquanto os microscopistas da época procuravam magnificar com o novo aparelho asas de insetos, grãos de pólen e outros objetos minúsculos, Leeuwenhoek decidiu pesquisar o invisível. Colocou no aparelho uma gota de água da chuva e revelou o achado: "Encontrei pequenos animais, a meu ver, mais de dez mil vezes menores do que a pulga-d'água, que se pode ver a olho nu".

Em 1683, ele descreveu o exame microscópico da placa aderida a seus dentes da frente. Nela encontrou milhares desses "pequenos animais", que desapareciam quando o exame era feito depois de tomar café bem quente. Perguntou intrigado: "Será que o calor do café matou os animaizinhos?".

Na década de 1960, pesquisadores americanos verificaram que nas placas dentárias havia populações distintas de bactérias, e que a mucosa da boca e a superfície dos dentes eram revestidas por microrganismos dispostos em camadas finas, denominadas biofilmes.

Os bacteriologistas procuraram, então, cultivar as bactérias da cavidade oral em laboratório. Os resultados foram decepcionantes: apenas metade crescia nos meios de cultura, impossibilitando a caracterização da biodiversidade existente.

No início dos anos 1990, Sigmund Socransky e colaboradores da Universidade Harvard desenvolveram técnicas para identificação das bactérias sem a obrigatoriedade de cultivá-las em caldo de cultura. A metodologia se baseia em provocar reações bioquímicas capazes de diferenciar o DNA de cada microrganismo presente numa comunidade, e permite examinar milhares de amostras de cada vez. As novas técnicas identificaram mais de setecentas espécies diferentes de germes vivendo em estilo comunitário na cavidade oral humana.

Esses germes colonizadores da boca mostram predileção clara por determinadas regiões: alguns preferem a superfície da língua, outros a das gengivas ou a dos dentes. Por exemplo, a bactéria *Streptococcus mutans*, que se alimenta de açúcar, a partir do qual libera ácido láctico que destrói o esmalte e provoca as cáries, vive exclusivamente na superfície dentária.

Apenas na língua, foram encontradas 92 espécies de microrganismos, alguns dos quais responsáveis pelo mau hálito. Quando estes são eliminados por raspagem ou gargarejos com soluções bactericidas, a halitose diminui de intensidade ou desaparece.

Como em outras comunidades biológicas, existe cooperação entre as bactérias contidas nos biofilmes que revestem as diversas regiões da boca: substâncias liberadas por uma bactéria podem atrair outras. Por exemplo, a bactéria *Streptococcus gordonii*, que vive no biofilme que cobre os dentes, possui proteínas em sua superfície que atraem outra bactéria, *Porphiromonas gingivalis*, envolvida em infecções gengivais.

Para dar idéia da complexidade biológica do ambiente criado por tantos seres comunitários, basta lembrar que apenas esta última bactéria produz cerca de 220 proteínas.

Em 2004, o Instituto de Pesquisas Dentárias e Craniofaciais de Rockville, Estados Unidos, deu início a um estudo programado para catalogar todos os genes dos germes existentes na cavidade oral. Em três anos de duração, o projeto pretende identificar 40 mil genes característicos das populações de saprófitas, simbiontes e parasitas que se instalam e convivem na cavidade oral.

O estudo permitirá identificar as fragilidades dos germes patogênicos e identificar aqueles que oferecem proteção à mucosa oral e aos dentes.

Compreender melhor as relações ecológicas que se estabelecem entre as diversas comunidades microbiológicas distribuídas pela cavidade oral permitirá usar bactérias inofensivas, geneticamente modificadas, para competir e eliminar as patogênicas responsáveis pelas cáries e outras doenças que agridem a porta de entrada do aparelho digestivo.

Mercurocromo, mertiolate e outras crenças

O que arde cura, dizia minha avó. Com o dito, justificava o ardor causado pelo álcool que ela derramava na carne viva dos meus machucados. Depois assoprava, espalhava mercurocromo e eu voltava para o futebol da rua com a canela pintada de vermelho.

Nessa época, a popularidade do mercurocromo era enorme. Dos esfolamentos superficiais aos cortes profundos, a recomendação era unânime: corre para passar mercurocromo.

Mais tarde surgiu o mertiolate, e abalou a hegemonia do concorrente. Era um pouco menos vermelho, é verdade, mas em compensação vinha com uma pazinha de plástico grudada na parte interna da tampa, pronta para aplicar o líquido diretamente na ferida.

Além disso, o mertiolate ardia feito fogo. Tivesse minha avó vivido um pouco mais, sem dúvida teria abandonado o mercurocromo e aderido ao mertiolate.

Embora essas duas preparações dominassem o mercado dos

"desinfetantes de ferimentos" por muitos anos, é bom lembrar que concorrência não lhes faltava: água oxigenada, álcool canforado, água boricada, arnica, pó de café e uma infinidade de pomadas como a "Maravilha Curativa do dr. Humphrey", Minâncora, e muitas outras, povoavam os armários dos banheiros para atender à demanda dos acidentes domésticos.

Quando o Ministério da Saúde resolveu proibir produtos que contêm mercúrio em sua formulação, o leitor reclamou no jornal: "Que mal pode haver neles, se minha avó já os usava?".

Sem querer menosprezar a sabedoria da avó de ninguém — muito menos a da minha —, é preciso dizer que, apesar de serem mulheres prendadas, prestimosas, que nos encheram de carinho, a formação de nossas vovós no campo da bacteriologia deixava a desejar. Não sabiam que as bactérias mais agressivas são capazes de crescer no vidro de mercurocromo, que a pazinha de mertiolate que pincelou o machucado traz para dentro do recipiente bactérias que sobreviverão até serem semeadas na ferida seguinte, e que assoprar feridas abertas joga para a superfície delas os germes que habitam a garganta.

A conduta atual diante de esfolamentos, arranhões, cortes superficiais ou profundos pode ser resumida em duas palavras: água e sabão! E mais nada.

Se o ferimento for superficial, basta lavá-lo com água corrente por alguns minutos para retirar completamente os resíduos aderidos a ele, e esfregar delicadamente com sabão. Do mais caro sabonete ao sabão do tanque, todos servem; não faz a menor diferença. O importante é esfregar até fazer bastante espuma, sem pressa.

Se o ferimento for mais profundo, com perda de sangue, o procedimento deve ser exatamente o mesmo, porém precedido por compressão do local com um pano limpo até estancar o sangramento. Nunca se deve aplicar torniquete, colocar pó ou pomada no local, mas apenas comprimir o tempo necessário para estancar o fluxo sanguíneo. Depois, água farta e sabão à vontade para matar as bactérias.

No caso das queimaduras, também não devemos passar nada: basta colocar a área queimada numa bacia com água na temperatura ambiente ou diretamente embaixo da torneira por cinco minutos ou mais. Só isso! Nunca passar pomada, manteiga, esfregar no cabelo e muito menos aplicar gelo. As pomadas para queimadura podem provocar reações alérgicas ou aderir firmemente ao local causando mais sofrimento, e o contato direto do tecido queimado com o gelo só serve para agravar o dano às células. Se surgirem bolhas no local queimado, não as fure! Deixe que o líquido nelas contido seja absorvido naturalmente.

Existe apenas uma situação em que os especialistas recomendam fazer curativo em queimadura: quando a área lesada é mais extensa e dolorosa. Nesses casos, cobrir a região queimada com um pano limpo pode aliviar a dor. Para evitar que o pano fique aderido aos tecidos queimados, o local pode ser previamente coberto com uma fina camada de vaselina.

Essas medidas simples evitam complicações infecciosas, alergias; podem ser adotadas imediatamente no próprio local em que o acidente ocorreu e custam muito barato. Por isso vá até o armarinho do banheiro e jogue no lixo todos os desinfetantes para ferimentos e pomadas para queimadura.

Olha esse vento nas costas, menino!

"Cuidado com a friagem, meu filho!" Todas as mães falam assim. A sua, provavelmente, também.

Acostumados a considerar sábios os conselhos que chegaram até nós pela tradição familiar, também insistimos com nossos descendentes para que se protejam da friagem e dos golpes de vento, sem nos darmos conta de que fica estranho repetirmos tal recomendação ingênua em pleno século XXI.

Se friagem fizesse mal, a seleção natural certamente nos teria privado da companhia de suecos, noruegueses, canadenses, esquimós e de outros povos que enfrentam a tristeza diária de viver em lugares gelados.

A crendice de que o frio e o vento provocam doenças do aparelho respiratório talvez seja fácil de explicar. Sem idéia de que existiam vírus, fungos ou bactérias, nossos antepassados achavam lógico atribuir as gripes e resfriados, que incidiam com maior freqüência no inverno, à exposição do corpo às temperaturas mais baixas.

É possível que a conclusão tenha sido reforçada pela observação de que algumas pessoas espirram e têm coriza quando expostas repentinamente a baixas temperaturas, sintomas de hipersensibilidade (alergia) ao frio, que nossos bisavós provavelmente confundiam com os do resfriado comum.

Confiantes na perspicácia de suas observações, as gerações que nos precederam transmitiram a crença de que friagem e golpes de ar provocam doenças respiratórias, restringindo a liberdade e infernizando a vida de crianças, adolescentes e até dos adultos.

"Não beba gelado, filhinho! Não apanhe sereno!"
"Não saia nesse frio, minha querida, vai pegar um resfriado!"

"Agasalhe essa criança; ela pode ficar gripada."
"Feche a janela, olhe esse vento nas costas!"
"Descalço no chão frio? Vá já calçar o chinelo!"

Crescemos obedientes a essas ordens. Quanto calor devemos ter sofrido no colo de nossas mães enrolados em xales de lã em pleno verão? Quantos guaranás mornos fomos obrigados a tomar nos aniversários infantis? Para sair nas noites frias, quantas camadas de roupa tivemos de suportar? Quantas vezes interromperam nossas brincadeiras porque começava a cair sereno?

A partir dos anos 1950, foram realizadas diversas pesquisas para avaliar a influência da temperatura na incidência de gripes, resfriados e outras infecções das vias aéreas. Nesses estudos, geralmente realizados nos meses de inverno rigoroso, os voluntários foram divididos em dois grupos: no primeiro, os participantes passavam o tempo resguardados em ambientes com calefação, sem se exporem à neve ou à chuva. No segundo grupo, os participantes eram expostos à chuva, à neve e aos ventos cortantes.

Nenhum desses trabalhos jamais demonstrou que a exposição às intempéries aumentasse a incidência de infecções respiratórias. Ao contrário, diversos pesquisadores encontraram maior freqüência de gripes e resfriados entre os que eram mantidos em ambientes fechados.

Mais de trezentos anos depois da descoberta dos micróbios, ainda continuamos a atribuir à pobre friagem a causa de nossas desventuras respiratórias. Convenhamos, não fica bem! Esquecemos que resfriados e gripes são doenças causadas por vírus e que sem eles é impossível adquiri-las. Aceitamos passivamente que o sereno faz mal quando cai em nossas cabeças e que o vento em nossas costas nos deixa doentes, sem pensarmos um minuto na lógica de tais afirmações. Qual o problema se algumas gotas de sereno se condensarem em nosso cabelo? E o vento? Por que só quando bate nas costas faz mal? Na frente, não?

Gripes, resfriados e outras infecções respiratórias são doenças infecciosas provocadas por agentes microbianos que têm predileção pelo epitélio do aparelho respiratório. Quando eles se multiplicam em nossas mucosas, o nariz escorre, tossimos, sentimos falta de ar e chiado no peito. A presença do agente etiológico é essencial; sem ele podemos sair ao relento na noite mais fria, chupar gelo o dia inteiro ou apanhar um ciclone nas costas sem camisa, que não acontecerá nada, além de sentirmos frio.

A maior incidência de infecções respiratórias nos meses de inverno é explicada simplesmente pela tendência à aglomeração em lugares com janelas e portas fechadas para proteger do frio. Nesses ambientes mal ventilados, a proximidade das pessoas facilita a transmissão de vírus e bactérias de uma para outra.

A influência do ar condicionado na incidência de doenças respiratórias, entretanto, não segue a lógica anterior. A exposição a ele realmente favorece o aparecimento de infecções respiratórias agudas, mas não pelo fato de baixar a temperatura do ambiente (o ar quente exerce o mesmo efeito deletério), e sim porque o ar condicionado desidrata o ar do ambiente e resseca o muco protetor que reveste as mucosas das vias aéreas. O ressecamento da superfície do epitélio respiratório destrói anticorpos e enzimas que atacam germes invasores, predispondo-nos às infecções.

Privação do sono

Controlar o ritmo das horas é uma das maravilhas da função cerebral. Sinais que partem do tecido cerebral controlam o ritmo diário das reações metabólicas essenciais para o funcionamento harmonioso do organismo. Os neurônios responsáveis pelo controle do ritmo das reações fisiológicas fundamentais estão concentrados numa região do cérebro conhecida como núcleo supraquiasmático.

Estudos conduzidos em ratos mostram que o ritmo básico gerado nessa área do sistema nervoso é mantido silenciosamente, em ciclos de 24 horas, pela alternância de luz e escuro que o animal experimenta durante o dia e a noite. Do ponto de vista evolutivo, esse mecanismo é arcaico e pode ser encontrado mesmo nas bactérias. No entanto, as vicissitudes da vida moderna podem subverter essa ordenação de funcionamento que a evolução preservou durante bilhões de anos.

Dormir oito horas por noite é um luxo acessível a poucos nas grandes cidades. O telefone que toca sem cerimônia até altas horas, o filme na TV, as crianças acordadas até tarde, os programas noturnos, o serviço que levamos para terminar em casa e os compromissos logo cedo colaboram para que o intervalo de tempo reservado para o sono seja cada vez mais curto.

Trabalhos experimentais demonstram que o sono nos mamíferos é essencial para o combate eficaz às infecções, para que o cérebro processe informações, armazene memórias e elabore estratégias essenciais à sobrevivência da espécie.

As pessoas que não dormem o suficiente sentem falta de energia para as tarefas diárias, ficam deprimidas ou irritadiças, queixam-se de dificuldade de concentração, apresentam maior freqüência de doenças infecciosas, sofrem mais acidentes automobilísticos e envelhecem mais rapidamente.

Há evidências consistentes de que a privação de sono também aumente o risco de diabetes, hipertensão arterial, doenças cardiovasculares e obesidade. Por outro lado, dormir muito não é a solução: adultos que dormem mais do que sete a oito horas por dia enfrentam problemas semelhantes aos que dormem menos do que o necessário.

O número de horas de sono ideal para reparar as energias gastas em vigília costuma ser em média de seis a oito horas por dia. Enquanto para alguns cinco horas por noite são suficientes para enfrentar as tarefas diárias, outros passam o dia cansados se não dormirem nove ou dez horas. Como regra, os mais velhos necessitam de menos horas de sono do que as crianças e os adolescentes.

A verdade é que os especialistas não conseguem entrar em acordo sobre quantas horas cada organismo precisa para repousar adequadamente. A maioria, entretanto, concorda com as três regras a seguir:

- Dormir o suficiente para passar o dia inteiro sem sentir sono.
- Dormir até acordar sem necessidade de despertador.
- Dormir o número médio de horas que costumamos dormir depois de alguns dias de férias (levar em conta que nos primeiros dias sem compromissos podemos dormir mais do que o necessário).

A seguir, as sugestões clássicas para uma noite bem dormida:

- Evitar cafeína, nicotina e álcool nas últimas horas do dia.
- Não fazer refeições exageradas antes de deitar.
- Procurar deitar no mesmo horário, mesmo nos finais de semana.

- Procurar fazer exercícios físicos durante o dia, mas evitar fazê-los à noite.
- Manter o quarto arejado e numa temperatura agradável.
- Usar a cama apenas para dormir e fazer sexo.
- Fazer exercícios de relaxamento ou tomar banho quente antes de deitar.
- Só usar pílulas para dormir em caso de absoluta necessidade e sob orientação médica.
- Evitar dormir durante o dia. Se for mesmo necessário, fazê-lo por períodos de no máximo uma hora, antes das três da tarde.
- Se, passados trinta minutos na cama, o sono ainda não tiver chegado, levantar e ler um livro sob a luz de um abajur em outro cômodo.
- Não assistir à TV no quarto de dormir.

Se essas sugestões forem inúteis, é preciso procurar um especialista em sono. Há distúrbios que exigem orientação médica, tratamento clínico, aparelhos para auxiliar a respiração e até cirurgia.

Nos últimos 25 anos ficou claro que a apnéia do sono, uma condição que desorganiza os movimentos respiratórios, é um dos principais distúrbios do sono. Essa síndrome é caracterizada pela obstrução parcial ou total das vias aéreas durante o sono, causando apnéia ou hipopnéia (entende-se por apnéia a interrupção completa do fluxo de ar pelo nariz ou pela boca por um período de pelo menos dez segundos, e por hipopnéia, uma redução de 30% a 50% desse fluxo).

O número de episódios de apnéia-hipopnéia por hora de sono é chamado de índice de distúrbio respiratório. Pessoas com índices maiores do que cinco episódios por hora já são consideradas portadoras de apnéia do sono, embora pacientes com índices de até vinte por hora sejam raramente sintomáticos.

Mais de 10% da população acima de 65 anos apresenta apnéia obstrutiva do sono. Num estudo publicado em 1993, entre americanos de trinta a sessenta anos, 9% das mulheres e 24% dos homens apresentavam índices de distúrbio iguais ou maiores do que cinco por hora. Cerca de 2% das mulheres e 4% dos homens queixavam-se também de sonolência durante o dia.

Até as crianças podem apresentar apnéia do sono em 1% a 3% dos casos.

Os sintomas mais comuns são ronco, episódios visíveis de interrupção da respiração e sono excessivo durante o dia. O ronco pode ser muito alto e interferir no sono dos outros. Portadores de sintomas mais graves costumam acordar com sensação de sufocamento, refluxo esofágico, boca seca, espasmo da laringe e premência para urinar.

A fragmentação da arquitetura do sono provoca cansaço, dificuldade de permanecer acordado durante atividades sedentárias (como falar ao telefone ou dirigir automóvel), irritabilidade, depressão, redução da libido, impotência sexual e cefaléia pela manhã (uma das manifestações mais freqüentes da síndrome).

Qualquer fenômeno que provoque estreitamento ou oclusão da passagem de ar pelas vias aéreas superiores pode causar apnéia-hipopnéia do sono: obesidade, crescimento das amígdalas, más-formações da mandíbula ou da faringe, hipertrofia da língua (como ocorre na síndrome de Down), tumores, hipotonia dos músculos da faringe ou falta de coordenação dos músculos respiratórios.

O diagnóstico de certeza só pode ser estabelecido pela polissonografia, exame que permite testar durante o sono os potenciais elétricos da atividade cerebral, batimentos cardíacos, movimentos dos olhos, atividade muscular, esforço respiratório, saturação de oxigênio no sangue, movimento das pernas e outros parâmetros.

As conseqüências da apnéia do sono vão além das noites mal dormidas e inconveniências para os parceiros de quarto. A mortalidade entre os portadores da síndrome é significativamente mais alta entre os que não recebem tratamento adequado do que entre aqueles que apenas roncam sem experimentar momentos de apnéia. Diversos estudos mostraram que a síndrome está associada a aumento na incidência de infartos do miocárdio, derrames cerebrais e arritmias cardíacas.

Hipertensão arterial é encontrada em 70% a 90% dos que sofrem de apnéia do sono. Já nos portadores de hipertensão essencial, os índices dos que sofrem de apnéia do sono cai para 30% a 35%.

O objetivo do tratamento é manter as vias aéreas permeáveis ao fluxo de ar durante o sono. O tratamento de escolha é o uso de máscara (CPAP) conectada a um compressor de ar que provoca pressão positiva para forçar sua passagem através das vias aéreas superiores, durante a noite. Os níveis de pressão da máscara devem ser ajustados individualmente, depois de um estudo polissonográfico cuidadoso; pressões inadequadas podem aliviar os sintomas sem diminuir os riscos cardíacos.

O tratamento cirúrgico é sempre indicado para a remoção de obstáculos e correção de distúrbios anatômicos que dificultem a passagem de ar. Perder peso, no caso de pacientes obesos, e evitar dormir na posição supina (de barriga para cima) são outras medidas úteis.

Um grupo de pesquisadores franceses publicou um estudo demonstrando que pacientes portadores da síndrome que usam marca-passo cardíaco, se tiverem seus marca-passos ajustados para obrigar o coração a dar quinze batidas a mais do que o ritmo medido à noite sem o uso de marca-passo, apresentarão redução significativa dos episódios noturnos de apnéia.

O sonho

Os seres humanos são animais que hibernam. No final de cada dia, um relógio impiedoso fecha nossos olhos e nos desliga do mundo.

No início do sono somos invadidos por pensamentos formados por imagens fragmentadas ou minidramas. À medida que o sono se aprofunda, surgem fases caracterizadas por ondas cerebrais irregulares semelhantes às que viajam pelo cérebro nos momentos de vigília: são as fases REM (do inglês "rapid eye movement").

O primeiro período REM do ciclo do sono dura noventa minutos; o segundo e o terceiro são mais longos; o quarto, mais curto, termina em vinte ou trinta minutos, com o despertar. Caracteristicamente, os sonhos ocorrem durante esses períodos REM.

Desde os tempos mais remotos, os homens procuraram decifrar o significado dos sonhos. Muitas civilizações antigas atribuíam-lhes valor premonitório: seriam mensagens divinas capazes de prever acontecimentos futuros. Freud, pai da psicanálise, via neles a estrada que leva ao inconsciente, imaginava que revelariam disfarçadamente os segredos da vida interior.

A partir da segunda metade do século XX, muitos pesquisadores passaram a considerar os sonhos como desprovidos de qualquer sentido, mero resultado de descargas da atividade elétrica cerebral. Seriam uma forma de nos livrarmos do excesso de informação arquivada.

Estudos mais recentes, no entanto, mostraram que praticamente todos os mamíferos sonham. Como, na evolução, uma atividade só se mantém conservada em tantas espécies se conferir alguma vantagem importante, os sonhos começaram a ser interpretados como estratégias individuais de sobrevivência.

O sonho refletiria um mecanismo de processamento da memória herdado das espécies que nos antecederam na evolução. Nele, as informações essenciais para a sobrevivência seriam recombinadas e arquivadas.

Como herdamos a capacidade de sonhar de nossos ancestrais, e como os animais não possuem linguagem, as informações processadas durante nossos sonhos são obrigatoriamente sensoriais.

Por isso, eles são repletos de imagens e nunca adquirem a forma de narrativa verbal. Como diz Jonathan Wilson, pesquisador da Universidade da Califórnia: "Os enredos dos sonhos humanos são complexos, envolvem largo espectro de sensações, auto-imagem, medo, insegurança, idéias grandiosas, orientação sexual, desejo, ciúmes e amor".

Planejamento familiar

No Brasil, planejamento familiar é privilégio exclusivo dos bem-aventurados. Sem mencionar números, vou resumir o atoleiro ideológico em que estamos metidos nessa área.

Até a metade do século xx, poucas famílias brasileiras deixavam de ter cinco ou seis filhos. Havia uma lógica razoável por trás de taxas de natalidade tão altas:

- A maioria da população vivia no campo, numa época de agricultura primitiva em que as crianças pegavam no cabo da enxada já aos sete anos. Quanto mais braços disponíveis houvesse na família, maior a probabilidade de sobrevivência.
- Convivíamos com taxas de mortalidade infantil inaceitáveis

para os padrões atuais. Ter perdido dois ou três filhos era rotina na vida das mulheres com mais de trinta anos.
- Além da cirurgia e dos preservativos de barreira, não existiam recursos médicos para evitar a concepção.

Na década de 1960, quando as pílulas anticoncepcionais surgiram no mercado e a migração do campo para a cidade tomou vulto, uma esdrúxula associação de forças se opôs terminantemente ao planejamento familiar no país: os militares, os comunistas e a Igreja católica.

Os militares no poder eram contrários por julgarem defender a soberania nacional: num país de dimensões continentais, quanto mais crianças nascessem, mais rapidamente seriam ocupados os espaços disponíveis no Centro-Oeste e na floresta amazônica. Os comunistas e a esquerda simpatizante, por defenderem que o aumento populacional acelerado aprofundaria as contradições do capitalismo e encurtaria o caminho para a instalação da ditadura do proletariado. A Igreja, por considerar antinatural — portanto, contra a vontade de Deus — o emprego de métodos contraceptivos.

O resultado dessas ideologias não poderia ter sido mais desastroso. Em 1970 éramos 90 milhões; hoje temos o dobro da população, boa parte aglomerada em favelas e na periferia das cidades. Japão, Noruega ou Finlândia conseguiriam oferecer os mesmos níveis de atendimento médico, de educação e de salários para os aposentados, caso tivessem duplicado seus habitantes nos últimos trinta anos?

O que mais assusta, entretanto, não é havermos chegado à situação dramática em que nos encontramos; é não adotarmos medidas para remediá-la. Pior é ver não apenas os religiosos, mas setores da intelectualidade considerarem politicamente incorreta qualquer tentativa de estender às classes mais desfavorecidas o acesso aos métodos de contracepção fartamente disponíveis a quem pode pagar por eles.

É preciso dizer que as taxas médias de natalidade brasileiras têm caído gradativamente nos últimos cinqüenta anos, mas não há necessidade de consultar os números do IBGE para constatarmos que a queda foi muito mais acentuada nas classes média e alta: basta ver a fila de adolescentes grávidas à espera de atendimento nos hospitais públicos ou o número de crianças pequenas nos bairros mais pobres.

Outra justificativa para a falta de políticas públicas destinadas a universalizar o direito ao planejamento familiar no país é a da má distribuição de renda: o problema não estaria no número de filhos, mas na falta de dinheiro para criá-los, argumentam.

De fato, se nossa renda *per capita* fosse a dos canadenses, a situação seria outra; aliás, talvez tivéssemos que organizar campanhas para estimular a natalidade. O problema existe justamente porque somos um país cheio de gente pobre, e educar filhos custa caro. Como dar escola, merenda, postos de saúde, remédios, cesta básica, habitação, para esse exército de crianças desamparadas que nasce todos os dias? Quantas cadeias serão necessárias para enjaular os malcomportados?

A verdade é que, embora a sociedade possa ajudar, nessa área dependemos de políticas públicas, dos políticos, portanto, e estes morrem de medo de contrariar a Igreja. Agem como se o planejamento familiar fosse uma forma de eugenia para nos livrarmos dos indesejáveis, quando se trata de uma aspiração legítima de todo cidadão. As meninas mais pobres, iletradas, não engravidam aos catorze anos para viver os mistérios da maternidade; a mãe de quatro filhos, que mal consegue alimentá-los, não concebe o quinto só para vê-lo sofrer.

É justo oferecer vasectomia, DIU, laqueadura e vários tipos de pílulas aos que estão bem de vida, enquanto os mais necessitados são condenados aos caprichos da natureza na hora de planejar o tamanho de suas famílias?

Embora, no papel, o programa brasileiro de planejamento familiar seja considerado dos mais avançados, na prática ele chega capenga à população de baixa renda. Quando não estão em falta, as pílulas distribuídas nos postos de saúde são as mais baratas do mercado (e que mais efeitos colaterais provocam); os anticoncepcionais em adesivos que devem ser trocados apenas uma vez por semana — ideais para vencer a indisciplina das adolescentes, como os estudos demonstram —, não estão disponíveis; os dispositivos intra-uterinos (DIUs) são virtualmente ausentes; e camisinha à vontade, só no carnaval.

Conseguir vasectomia ou laqueadura de trompas pelo SUS, então, é o verdadeiro parto da montanha. Há que marcar consulta com os médicos, com a assistente social e com a psicóloga. São meses de peregrinação pelos corredores dos hospitais públicos que mães ou pais de cinco filhos são obrigados a fazer para ouvir perguntas como: "E se você se separar de sua mulher e se casar com outra mais jovem?"; "E se seus filhos morrerem e você quiser outros?".

Na cartilha que o Ministério da Saúde distribui às gestantes está garantido acesso gratuito à laqueadura pelo SUS a toda mulher com mais de 25 anos ou que tenha pelo menos dois filhos. Você sabia, leitora?

A irresponsabilidade brasileira diante das mulheres pobres que engravidam por acidente é caso de polícia, literalmente.

Uma ocasião, numa entrevista ao jornal *O Globo*, afirmei que a falta de planejamento familiar era uma das causas da explosão de violência urbana ocorrida nos últimos vinte anos em nosso país. A afirmação era baseada em minha experiência na Casa de Detenção de São Paulo: é difícil achar na cadeia um preso criado por pai e mãe. A maioria é fruto de lares desfeitos ou que nunca chegaram a existir. O número daqueles que têm muitos irmãos, dos que não conheceram o pai e dos que foram concebidos por mães solteiras e ainda adolescentes é impressionante.

Procurados pelos jornalistas, um cardeal e o ministro da Saúde responderam incisivamente que não concordavam com essa afirmação. O religioso, porque considerava "muito triste ser filho único", e que "o ideal seria cada família brasileira ter cinco filhos". O outro discordava baseado nos dados que mostravam queda progressiva dos índices de natalidade nos últimos vinte anos, enquanto a violência em nossas cidades explodia.

Cito essa discussão porque encerra o nó de nossa paralisia diante do crescimento populacional insensato que fez o número de brasileiros saltar dos célebres 90 milhões em ação do ano de 1970, como dizia música-símbolo da Copa do México, para os 180 milhões atuais. De um lado, a cúpula da Igreja católica, que não aceita nem sequer o uso da camisinha em plena epidemia de uma doença sexualmente transmissível como a aids; de outro, os responsáveis pelas políticas públicas, que para fugir da discussão sobre as taxas inaceitáveis de natalidade da população mais pobre recorrem ao velho jargão da queda progressiva dos valores médios dos índices ocorrida nas últimas décadas, afirmando que em 1950 cada brasileira tinha seis filhos, enquanto hoje esse número não chega à metade. É provável que o argumento ajude a aplacar-lhes a consciência pública, especialmente quando se esquecem de dizer que, enquanto as mulheres de nível universitário hoje têm em média 1,4 filho, as analfabetas têm 4,4.

Informações contidas no banco de dados de São Paulo, colhidas no período de 2000 a 2004 pela Fundação SEADE, ajudam a avaliar o potencial explosivo que a falta de acesso aos métodos de contracepção gera na periferia e nas favelas das cidades brasileiras.

Se tomarmos os cinco bairros mais carentes, situados nos limites extremos de São Paulo — Parelheiros, Itaim Paulista, Cidade

Tiradentes, Guaianazes e Perus —, a proporção de habitantes com menos de quinze anos varia de 30,4% a 33,4% da população. Esses números estão bem acima da média da cidade: 24,4%. Representam mais do que o dobro da porcentagem de crianças encontrada nos cinco bairros com melhor qualidade de vida.

O grande número de jovens, associado à falta de oferta de trabalho na periferia, fez o nível de desemprego no extremo leste da cidade atingir 23,5% — contra 12,4% no centro de São Paulo em 2004. Ele também explica por que a probabilidade de um jovem morrer assassinado na área do M'Boi Mirim, na zona sul, é dezenove vezes maior do que em Pinheiros, bairro de classe média.

Nem haveria necessidade de números tão contundentes para tomarmos consciência da associação de pobreza com falta de planejamento familiar e violência urbana: o número de crianças pequenas nas ruas dos bairros mais violentos fala por si. O de meninas em idade de brincar com boneca aguardando atendimento nas filas das maternidades públicas também.

Basta passarmos na frente de qualquer cadeia brasileira em dia de visita para nos darmos conta do número de adolescentes com bebês de colo na fila de entrada.

Todos nós sabemos quanto custa criar um filho. Cada criança concebida involuntariamente por casais que não têm condições financeiras para criá-las empobrece ainda mais a família e o país.

O que o pensamento religioso medieval e as autoridades públicas que se acovardam diante dele fingem não perceber é que ao negar o acesso dos casais mais pobres aos métodos modernos de contracepção, comprometemos o futuro do Brasil, porque aprofundamos perversamente a desigualdade social e criamos um caldo de cultura que contém os três fatores de risco indispensáveis à explosão da violência urbana: crianças maltratadas na primeira infância e descuidadas na adolescência, que vão conviver com pares violentos quando crescerem.

Estilo de vida

É inacreditável a resistência do ser humano ao sofrimento físico. Em mais de trinta anos de medicina, vi doentes enfrentar cirurgias mutiladoras seguidas de períodos pós-operatórios que exigem semanas de internação; submeter-se a tratamentos agressivos com medicamentos que abrem feridas na boca e provocam vômitos incoercíveis; resistir a dores lancinantes durante meses e, ainda assim, lutar para preservar a vida até sentir exaurido o último resquício de suas forças.

O heroísmo com o qual defendemos nossa existência quando ameaçada, no entanto, contrasta com a incapacidade de mudarmos estilos de vida que conduzirão a doenças gravíssimas no futuro. Não me refiro apenas a mudanças radicais como largar de beber, deixar de fumar ou de ter relações sexuais desprotegidas, mas especialmente aos comportamentos rotineiros: comer um pouco mais do que o suficiente, passar o dia sentado, esquecer de tomar medicamentos necessários e de fazer exames médicos.

Nas grandes cidades, não faltam explicações para nossa irresponsabilidade na prevenção das enfermidades que afligem o homem moderno — doenças cardiovasculares, câncer, diabetes, hipertensão, reumatismo, osteoporose e outras patologias degenerativas. "Saio cedo, perco horas no trânsito e volto tarde, morto de fome, como vou fazer para levar uma vida saudável?" — é a desculpa que damos a nós mesmos para justificar o descaso com um bem que a natureza nos ofertou sem termos feito qualquer esforço pessoal para merecê-lo: o corpo humano.

O corpo humano é uma máquina construída para o movimento. Não fosse assim, para que tantos ossos, músculos e articulações? Só que, ao contrário de outras máquinas desenhadas com a mesma finalidade — como o avião, por exemplo —, que se desgastam enquanto se movimentam, o organismo humano se aprimora com o andar.

A falta de movimentação contraria as forças seletivas que forjaram as características de nossa espécie. Pessoas sedentárias como somos hoje teriam dificuldade de sobrevivência num mundo sem automóvel, telefone e supermercado na esquina. Antes do advento da agricultura — criada há meros 10 mil anos — nossos antepassados eram forçados a consumir quantidade substancial de energia para conseguir água e alimentos hoje disponíveis ao alcance da mão. Quando tinham a felicidade de encontrá-los, precisavam retirar deles o máximo de calorias disponíveis para sobreviver às épocas de vacas magras que viriam em seguida.

Durante 5 a 6 milhões de anos, a sobrevivência de nossa espécie num mundo desprovido de tecnologia para estocar provisões exigiu um planejamento preciso da relação entre a energia investida na procura de comida e a recompensa calórica obtida ao encontrá-la. Forjado nesses tempos de penúria, nosso cérebro herdou o desprezo pelos alimentos pouco calóricos e a predileção obstinada pelos de alto conteúdo energético, como as carnes gordurosas e os açúcares que atormentam a vida do homem atual em conflito permanente com a balança.

Somos descendentes de mulheres e homens que sobreviveram até a idade reprodutiva graças à capacidade de evitar perigos imediatos, proteger a prole, ingerir calorias em excesso para manter a integridade física em caso de jejum prolongado, e descansar no intervalo das refeições para economizar energia. Na seleção natural, levaram vantagem os que souberam planejar a rotina diária de modo a chegar à vida adulta em condições físicas propícias ao acasalamento. O planejamento do futuro distante não exerceu pressão seletiva em nossa espécie. Para quem vivia no desconforto das cavernas, que vantagem reprodutiva haveria na preocupação em prevenir ataques cardíacos, derrames cerebrais ou câncer de próstata?

Como conseqüência desse passado, somos excelentes organizadores do dia-a-dia e tão incompetentes para planejar a longo prazo. Sabemos exatamente o que fazer para não passar fome naquela semana, como reservar algumas horas para dormir, trabalhar ou fazer sexo, mas somos incapazes de modificar o mais elementar de nossos hábitos, mesmo sabendo que as conseqüências poderão ser fatais.

Por isso, é mais fácil convencer um doente com infarto a aceitar uma ponte de safena do que conseguir que as pessoas andem míseros trinta minutos diários; retirar um pulmão inteiro por causa de um tumor maligno do que fazer um fumante largar do cigarro; indicar transplante de rim num hipertenso do que obter regularidade na tomada do remédio para abaixar a pressão; amputar a perna de um diabético com obstrução vascular do que convencê-lo a controlar a glicemia.

2. Dieta

Come, meu filho!

Felicidade de mãe é ver o filho limpar o prato. A do pai também, mas nem tanto. Sentir a prole bem alimentada tem o dom de levar as mulheres ao paraíso.

A preocupação materna com a nutrição da criança começa bem antes do parto. A mulher grávida pensa mais na qualidade dos nutrientes que cruzarão a placenta do que nela própria. Basta ingerir uma quantidade irrisória de algo que lhe pareça potencialmente nocivo ao feto para ficar morrendo de remorso.

Durante a amamentação, é ela que fica à disposição do bebê dia e noite. Ao menor chorinho, corre solícita com o peito farto: a criança mama por meia hora; a mãe, paciente, não pode fazer mais nada. Depois ajeita o bebê ereto no colo e lhe dá palmadinhas nas costas até eliminar os gases do estômago. Então ele dorme, e ela experimenta a sensação do dever cumprido — até a próxima mamada.

No breve intervalo entre as refeições, se o bebê choraminga, a mãe é imediatamente assaltada pela preocupação com a qualidade do leite. Muitos pediatras juram que está para nascer mãe que não considere ralo o leite que jorra do seio. O medo não vem de hoje. Nossas avós comiam canjica e tomavam cerveja preta para engrossá-lo.

Em matéria de neurose, entretanto, nada se compara ao comportamento feminino em relação à alimentação quando os filhos começam a impor os primeiros desejos pessoais. À menor manifestação de enfado da criança diante do pratinho, a mãe enlouquece — e a avó também, se estiver perto. A partir de então, procura descobrir as nuances mais insignificantes do paladar infantil para cativá-lo definitivamente. Inventa misturas exóticas, troca receitas com as amigas, e, quando necessário, faz aviãozinho com a colher ou planta bananeira diante da criança enfastiada.

No entanto, por mais que façam, as mulheres não conseguem se livrar da dúvida eterna, impregnada no espírito feminino desde os tempos em que vivíamos nos galhos das árvores: será que minhas crianças estão bem alimentadas?

As mães de crianças magras sofrem mais. As que têm filhos com apetite desregrado, então, vivem o inferno na terra. Chegam desesperadas ao médico: "Doutor, esse menino não come nada. Mas é nada mesmo!".

O médico olha, está lá a criança, forte, roliça e feliz com as guloseimas ingeridas fora de hora. E vai ele cometer a insensatez de dizer para a mãe que a subnutrição é incompatível com o formato de certos corpos infantis! Corre risco de vida!

Muitas mulheres só vão se dar conta de que o corpo humano é uma máquina que consome quantidades muito precisas de energia na adolescência dos filhos. Então percebem que no decorrer da evolução essa máquina aprendeu a consumir as calorias necessárias para seu funcionamento e a não desperdiçar seu excesso, armazenando-as sob a forma de gordura.

Nessa fase, em que os adolescentes só pensam em sexo, o acúmulo excessivo de tecido adiposo confere desvantagem. Principalmente para as garotas, hoje submetidas a um padrão cultural de beleza que privilegia exclusivamente o esqueleto humano. Aí começa a pressão familiar para que reneguem a fartura alimentar anteriormente estimulada: devem sair da mesa ainda com fome; em vez da feijoada, peito de frango com legumes cozidos na água.

Apesar de conscientes dos erros alimentares de que foram vítimas, mais tarde as futuras mamães cercarão seus filhos com os mesmos cuidados nutricionais que receberam. Acharão ralo o próprio leite, passarão horas no fogão, farão aviõezinhos e contarão as mesmas historinhas para distrair criança enjoada na hora do almoço.

Bem mais tarde, quando a vida se encaminha para o destino final, no momento em que pais e mães caem fatalmente enfermos, a ordem se subverte: é a vez de os filhos se desesperarem com a falta de apetite dos pais. Negam-se a aceitar que certas doenças provocam anorexia, às vezes intensa e rebelde, e que não está ao alcance do doente combatê-la à custa da força de vontade.

Digo isso por causa de uma senhora de idade com um tumor no intestino em fase final de evolução que examinei há algum tempo. A filha se queixava: "Doutor, ela não come nada! Absolutamente nada!".

"Até que ontem comi bem", respondeu a senhora.

Para quê! A filha virou fera, perguntou se uma xícara de mingau, um iogurte e meia fatia de mamão eram suficientes para manter uma pessoa em pé. Depois, desfiou a lista dos pratos que havia feito para a mãe inutilmente. Falou do esforço dela e da irmã, atrás da mãe pela casa o tempo todo, com a bandeja intocada. Não tivesse eu interferido para explicar que está errado forçar doentes graves a comer além do que conseguem, provavelmente a moça teria concluído que a mãe era ingrata por não suportar o cheiro de comida.

Vi muitos casos como esse. Na ânsia de conter a progressão da enfermidade dos pais, filhas e filhos tentam obrigá-los a alimentar-se a qualquer preço. Nesse intuito, vale tudo: do prato predileto à chantagem barata ou à briga feroz. Parece vingança da roda do tempo que insiste em dar voltas completas e inverter papéis.

Raízes biológicas da obesidade

Tentar emagrecer é um inferno. Segunda-feira você começa o regime: duas torradas no café, meia maçã às dez horas, bifinho de cem gramas com três folhas de alface no almoço, iogurte desnatado às quatro da tarde e sopinha de cenoura no jantar.

Imbuído das melhores intenções, você resiste quatro semanas ao suplício da fome permanente, sobe na balança e confere a recompensa: três quilos a menos. Sua mulher fica feliz, e o pessoal do escritório elogia com a sutil delicadeza masculina: "Dando um fim naquela barriga ridícula, meu?".

Depois de um mês de dieta rigorosa, no entanto, você começa a fraquejar, mas apenas em dia de festa: um canapé, dois copos de cerveja, um brigadeiro. No dia seguinte, consumido pelo remorso, você retorna à dieta rigorosa. No fim do segundo mês, porém, a balança é menos generosa: dois quilos a menos. Não é o ideal, mas está bom, pensa você. Afinal, já foram cinco quilos! Nesse ritmo...

No terceiro mês, sua disposição para jejuar começa a dar sinais de cansaço. Não só em dia de festa acontecem as recaídas, nem há necessidade de comidas especiais; você começa a se sujar por pouco: empadinha de padaria, salgadinho roubado do pacote do filho, pedaço de pudim esquecido na geladeira. Impiedosa, a balança trava e você se queixa: "Passo fome e não adianta nada".

Algumas semanas depois, você observa consternado que a menor extravagância alimentar é punida imediatamente com ganho de peso; o sacrifício de dias consecutivos é malbaratado por um deslize mínimo no fim de semana. Com a auto-estima em baixa, você desanima: "Não agüento mais fazer regime". Num piscar de olhos, engorda tudo o que perdeu e ainda ganha mais alguns quilos, de castigo!

Por que razão é tão difícil manter o peso ideal se todos almejam ficar esguios e sabem que a obesidade aumenta o risco de hipertensão, diabetes, osteoartrite, ataques cardíacos e derrames cerebrais?

No cérebro existem centros neurais responsáveis pelo controle da fome e da saciedade. Milhões de anos de seleção natural forjaram a fisiologia desses centros, para assegurar a ingestão de um número de calorias compatível com as necessidades energéticas do organismo. Nessas áreas cerebrais são integradas as informações transmitidas pelos neurônios que conduzem sinais recolhidos no meio externo, nas vísceras, na circulação e no ambiente bioquímico que serve de substrato para os fenômenos psicológicos.

Estímulos auditivos, visuais e olfativos são permanentemente monitorizados pelos centros da saciedade e explicam a fome que subitamente sentimos diante do cheiro ou da visão de certos alimentos. No frio, os neurônios responsáveis pela condução dos estímulos térmicos enviam informações para o centro e a fome aumenta. Esse mecanismo evoluiu em resposta às maiores necessidades energéticas dos animais para manter constante a temperatura corpórea no inverno.

Na evolução de nossa espécie, foram selecionados indivíduos cujos cérebros eram capazes de engendrar mecanismos biológicos altamente eficazes para evitar a perda de peso. Por seu intermédio, assim que o cérebro detecta diminuição dos depósitos de gordura, a energia que o corpo gasta para funcionar em repouso com a finalidade de exercer suas funções básicas (metabolismo basal) cai dramaticamente, ao mesmo tempo em que são enviados sinais irresistíveis para procurar e consumir alimentos.

Infelizmente, quando ocorre aumento de peso, os sinais opostos são quase imperceptíveis: não há grande aumento da energia gasta em repouso, a fome não diminui significativamente, nem surge estímulo para aumentar a atividade física; pelo contrário, tendemos a nos tornar mais sedentários.

Além disso, por razões mal compreendidas, o corpo tende a defender o peso mais alto que já atingiu. Para tristeza da mulher e do homem moderno, o organismo protege suas reservas de gordura mesmo quando estocadas em níveis muito elevados. A mais insignificante tentativa de reduzi-las é interpretada pelo cérebro como ameaça à integridade física.

Quando as paredes do estômago são distendidas, a taxa de glicose na circulação aumenta, certos neurotransmissores são liberados no aparelho digestivo; e quando determinadas enzimas digestivas atingem os limites de sua produção, os centros da saciedade bloqueia a fome e interrompe a refeição.

Para controlar o peso a longo prazo, o organismo produz dois hormônios que permitem avaliar os níveis dos depósitos de gordura e ajustar o apetite e a energia que deve ser gasta em função deles: a insulina e a leptina.

O papel da ação cerebral da insulina no controle do peso foi descrito há quase trinta anos. Esse hormônio produzido pelo pâncreas age numa área do cérebro rica em receptores dotados da propriedade de reconhecê-lo. Em ratos, quando esses receptores são desativados, os animais se tornam imediatamente obesos. Em seres humanos, enquanto esses receptores estão ativos o cérebro mantém sua sensibilidade aos efeitos da insulina, e o apetite diminui; quando os receptores se tornam resistentes à ação da insulina, o peso aumenta.

Em 1994, trabalhando com ratos mutantes extremamente obesos, a equipe de Jeffrey Friedman, da Universidade Rockefeller, descobriu a leptina, o hormônio que abriu campo para o estudo dos mecanismos moleculares do controle de peso. Friedman descobriu que a leptina era uma proteína anti-obesidade produzida pelo tecido gorduroso, que ao ser administrada a ratos com excesso de peso provocava emagrecimento graças a dois mecanismos: redução do apetite e aumento da energia gasta em repouso.

Apesar de terem sido descritos casos de obesidade humana por defeitos na produção de leptina — portanto passíveis de tratamento com esse hormônio —, por razões ainda pouco claras a maioria das pessoas obesas apresenta níveis até mais altos de leptina, mas é resistente às suas ações. Hoje admite-se que a queda dos níveis de leptina provocada pela redução dos depósitos de gordura provoca aumento do apetite e retardo do metabolismo basal, ao ser detectada pelo cérebro; mas quando os depósitos de gordura aumentam, levando à maior produção de leptina, o mecanismo com ação oposta não é significativo: a partir de certos níveis de leptina na circulação, o cérebro se torna resistente a ela.

Ao lado desses hormônios que controlam o apetite e o metabolismo a longo prazo, o organismo produz outros hormônios para controlar o apetite no dia-a-dia.

O primeiro descrito foi a colecistoquinina, proteína que o intestino libera na corrente sanguínea para estimular os centros da saciedade existentes no cérebro e impedir a ingestão exagerada de calorias.

Em 1999, pesquisadores japoneses descobriram a grelina, um potente estimulador do apetite na rotina diária. Ela é o hormônio responsável pela fome que ataca quando chega a hora do almoço. Pesquisas mostram que os níveis de grelina na circulação aumentam de uma a duas horas antes das principais refeições do dia, e que voluntários, ao receber injeções desse hormônio, experimentam aumento significativo do apetite.

Para contrabalançar as ações promotoras de apetite desencadeadas pela grelina produzida quando o estômago fica vazio, a chegada de alimentos ao intestino provoca a liberação de um hormônio chamado PYY. Injeções desse hormônio em camundongos e voluntários humanos causam diminuição do apetite.

Esses hormônios controladores da fome e do metabolismo a curto ou longo prazo agem predominantemente numa região do hipotálamo conhecida como núcleo arqueado, o centro no qual reside o controle-mestre dos sistemas regulatórios. Para o núcleo arqueado convergem dois tipos de neurônios que exercem ações opostas: estimulação e inibição do apetite.

Fenômenos psicológicos também interferem permanentemente no mecanismo de fome e saciedade, porque os centros cerebrais são especialmente sensíveis aos neurotransmissores envolvidos nas sensações de prazer, raiva, amor ou medo. Por isso comemos mais quando estamos entre amigos, e menos em ambientes hostis ou sob estresse psicológico.

Imaginemos nossos ancestrais que viveram há 20 mil anos, por exemplo, apenas um segundo atrás no relógio da evolução. Como se alimentavam eles naqueles tempos de escassez? Faziam regime de bifinho com salada para manter a elegância?

A história de nossa espécie é marcada pela fome crônica e epidêmica. Nossos ancestrais procuravam desesperadamente alimentos altamente calóricos para sobreviver. Comiam frutas ricas em carboidratos e a carne dos animais que conseguiam abater ou das carcaças que disputavam com hienas e urubus. A possibilidade de armazenar provisões surgiu com a agricultura, há meros 10 mil anos. Durante milhões de anos, alternamos refeições fartas com longos períodos de jejum forçado.

Não podemos esquecer que o cérebro humano foi forjado em época de penúria. Caso os centros da saciedade tivessem sido programados para desligar a fome no instante exato em que ingeríssemos a última caloria necessária para o funcionamento do organismo naquele dia, seríamos todos esbeltos. A pobreza obrigou-os a ser complacentes, no entanto. Nas raras oportunidades em que encontrávamos comida farta, era preciso ingeri-la na maior quantidade possível, e estocar as calorias em excesso sob a forma de gordura para servir de reserva.

Os portadores de centros de saciedade de atuação restrita apenas às necessidades imediatas do organismo não atingiram a maturidade sexual porque não sobreviveram ao jejum que se seguia, e não deixaram filhos. Somos descendentes de indivíduos nos quais os centros da fome só eram desligados depois da ingestão de centenas de calorias em excesso. Por isso tantas vezes levantamos da mesa com a sensação de que deveríamos tê-lo feito dez minutos antes.

A natureza é sábia, todos dizem, mas não foi capaz de prever que chegaríamos ao estado de fartura atual, acessível a milhões de seres humanos. Animais com cérebros forjados em tempos de miséria não podem ter geladeira cheia, churrascaria rodízio e disque-pizza à disposição.

Carne vermelha: verdade ancestral

A espécie humana sempre comeu carne. Nas cavernas, nossos antepassados davam preferência a ela, como concluíram os estudos de suas arcadas dentárias. É provável que o homem só se conformasse com outros alimentos quando a caça rareava. Guiado pelo instinto do paladar, corria atrás da carne por seu alto valor calórico: um grama de gordura produz cerca de nove calorias, enquanto um grama de açúcar ou de proteína, quatro calorias.

Por milhões de anos, mesmo quando o homem buscou na agricultura as calorias necessárias para manter a família, a preferência pela carne resistiu. E assim permanece. Não é fácil subverter ordens estabelecidas em milhões de anos; a genética é mãe castradora.

A desnutrição sempre foi endêmica. Em todas as civilizações conhecidas, comida abundante e variada era privilégio. Há apenas um século e meio, a batata da Irlanda foi dizimada por uma praga, e 1 milhão de pessoas morreram de fome, número de mortos que dá idéia da monotonia da dieta irlandesa da época. Na Europa, a fome resistiu à passagem da Segunda Guerra; era preciso ser milionário para comer carne todo dia. Mesmo hoje, fartura de alimentos é privilégio de um ou outro país.

O passado de fome crônica moldou o consumo de energia da espécie humana. A pressão seletiva favoreceu a sobrevivência dos que comiam o máximo que agüentavam, toda vez que encontravam alimentos. Entre eles, levaram vantagem reprodutiva os que tinham capacidade de armazenar, sob a forma de gordura, as calorias ingeridas em excesso. Ser dono de uma reserva adiposa ao redor do corpo era decisivo quando chegava a fome. Os magrinhos ficavam inferiorizados na hora de enfrentar jejuns prolongados, e num mundo de predadores, o caçador enfraquecido vira caça no dia seguinte.

A seleção natural só tem olhos para o indivíduo, a ela não interessa o futuro de qualquer espécie. Haja vista quantos milhões delas acompanharam os dinossauros nas extinções em massa. Não existe grandiosidade nos desígnios da evolução, ela segue curso inexorável, mero resultado da soma aritmética de pequenas conquistas individuais que conferem microvantagens na hora da reprodução.

A evolução não moveu um dedo para impedir que o homem moderno, filho de caçadores e coletores que se matavam por comida, inventasse a poltrona e a geladeira. Como resultado dessa ruptura, com a tradição de escassez permanente vieram a obesidade, o diabetes, a hipertensão e os infartos do miocárdio.

Depois da Segunda Guerra, nos países industrializados, foi descrita uma epidemia de ataques cardíacos em homens de cinqüenta anos e em mulheres na menopausa. Essas mortes criaram um clamor público: o que estaríamos fazendo de errado com nossas vidas para merecer tal punição?

Habituados a interpretar fenômenos biológicos com lógica religiosa, os homens associaram o prazer ao pecado. Sexo e paladar, os maiores prazeres conhecidos, são os eternos suspeitos de qualquer doença. Como no caso dos infartos não parecia razoável culpar o sexo, praticado à larga pelo homem desde tempos ancestrais, a suspeita caiu sobre a alimentação.

Estávamos nos anos 1960, época da contracultura, da valorização da vida campestre em oposição à sociedade industrial. Era moda acreditar na alimentação vegetariana produzida sem fertilizantes químicos como condição ideal de saúde. A suspeita, então, caiu em cheio sobre a carne vermelha, o alimento preferido pela maioria das pessoas. Afinal, gostamos de peixe, mas precisa ser bem-feito; e de frango, dependendo do tempero; mas carne vermelha, de qualquer jeito é bom. Não é preciso ciência no preparo, basta pôr na brasa e jogar sal grosso. O cheiro de peixe na panela faz perder o apetite, o de frango é neutro, mas o de carne junta saliva na boca. É reflexo ancestral.

Em 1904, o biólogo Felix Marchand usou o termo aterosclerose para definir a natureza das placas obstrutivas presente nas artérias coronárias de cardiopatas. Em 1910, o bioquímico Adolph Windaus demonstrou que essas placas continham seis vezes mais colesterol livre do que a parede das artérias normais, e vinte vezes mais colesterol esterificado.

Em 1912, um médico da armada russa — Nikolai Anichkov — induziu, pela primeira vez, aterosclerose em coelhos, alimentando-os com gema de ovo e colesterol puro. Depois de algumas semanas de dieta, a aorta de 90% dos animais estudados começou a exibir as mesmas placas acinzentadas das coronárias das vítimas de infarto. Como 10% dos coelhos nessa dieta nunca desenvolviam placas, Anichkov concluiu acertadamente que o colesterol não era o único responsável pelo aparecimento delas. Em cachorros e ratos, ele não obteve resultados semelhantes: esses animais não desenvolviam placas nas artérias, por mais colesterol que ingerissem.

Não seria sensato pensar que o coelho, animal vegetariano, desenvolvesse aterosclerose por não estar evolutivamente habituado a lidar com colesterol na dieta? E que ratos e cachorros, animais que comem de tudo, têm longa convivência com o colesterol e, portanto, mais resistência à formação de placas? Detalhe tão relevante passou despercebido para Anichkov e para a maioria dos cientistas que vieram depois dele.

Os trabalhos de Anichkov, publicados em russo, ficaram esquecidos até os anos 1950, quando foi descoberta a ultracentrífuga, aparelho que gira em velocidades vertiginosas, a ponto de precipitar em camadas, por ordem de densidade, as gorduras e proteínas colocadas nos frascos em seu interior. Com a ultracentrífuga, o bioquímico americano John Gofman realizou um estudo mostrando que a gordura do sangue dos coelhos alimentados com colesterol era composta por duas frações principais: uma que ia para o fundo do tubo de ensaio centrifugado, e outra, de menor densidade, que ficava na superfície. Estavam descobertos o HDL e o LDL, respectivamente.[55]

Gofman percebeu, ainda, que essa fração LDL encontrava-se elevada nos coelhos que desenvolviam placa, mas nos 10% de animais que não a formavam, apesar da dieta rica em colesterol, a maior parte da gordura era transportada sob a forma de HDL. Havia, então, um colesterol "bom" (o HDL) e outro "ruim" (o LDL).

Anos depois, o mesmo grupo usou a centrífuga mais potente da época para separar as frações de colesterol contidas em dois grupos de homens. No primeiro foram estudados indivíduos que haviam sofrido e se recuperado de ataques cardíacos. No segundo, indivíduos saudáveis. Os autores verificaram que os níveis de LDL eram bem mais altos nos homens "cardíacos", e os de HDL, nos normais. Exatamente como nos coelhos, concluíram.

A descoberta do LDL como agente da aterosclerose aparentemente explicava por que algumas pessoas têm ataque cardíaco apesar de apresentar níveis normais de colesterol total. Entretanto, como o custo das ultracentrífugas para separar frações de colesterol era proibitivo, pouca atenção foi dada ao HDL e ao LDL no sangue humano, por mais de uma década. Nos anos 1960, quando surgiram métodos químicos para dosar frações de colesterol sem necessidade de ultracentrifugação, a determinação dos níveis de HDL e LDL virou rotina.

Para completar o cenário no qual eclodiria a guerra ao colesterol, prestes a ser decretada no mundo industrializado, é fundamental citar outros dois trabalhos realizados nos Estados Unidos.

Em 1952, foi demonstrado que dietas compostas de vegetais e baixos teores de gordura animal reduziam o colesterol na maioria dos seres humanos. Em seguida, um grupo chefiado por Edward Ahrens, da Universidade Rockefeller, foi mais longe: as gorduras vegetais reduziam o colesterol graças à insaturação de suas moléculas; as animais aumentavam seus valores por terem moléculas saturadas (com mais átomos de hidrogênio).[56]

Estavam reunidos os ingredientes básicos para começar uma das maiores confusões intelectuais sobre a saúde do homem do século XX. Se existia um colesterol "bom" e outro "mau", as gorduras deveriam ser divididas em "boas" (insaturadas, derivadas principalmente dos vegetais e dos peixes) ou "más" (saturadas, como as da carne vermelha e dos derivados de leite).

Esses trabalhos causaram enorme impacto. Como a liderança mundial da ciência americana já era inconteste nessa época, a crença ao pé da letra nas conclusões citadas se disseminou: a carne vermelha, os laticínios e a gema de ovo eram os assassinos do homem moderno! A indústria dos alimentos de baixos teores de gordura animal floresceu.

Quando analisamos as informações científicas que serviram de base para aconselhar mudanças tão drásticas no estilo de alimentação, no entanto, ficamos absolutamente surpresos: elas não permitem tirar as conclusões que foram apregoadas!

Embora 50% dos infartos do miocárdio ocorrem em pessoas com colesterol normal, não há dúvida de que pessoas com níveis mais altos de LDL no sangue correm risco maior de doença coronariana. Está demonstrado, também, que a redução do consumo de gordura animal faz cair os níveis de LDL. O que não está comprovado é que ingerir menos gordura animal diminua a probabilidade de ter ataque cardíaco ou de viver mais tempo.

Em outras palavras: até hoje, nenhum estudo epidemiológico para avaliar as conseqüências de uma dieta rica ou escassa em gordura animal na longevidade humana ou na prevalência de infarto do miocárdio conseguiu demonstrar relação de causa e efeito.

Por exemplo, o célebre *Nurses' Health Study* [Estudo sobre Saúde de Enfermeiras] acompanhou, por vinte anos, mais de 50 mil enfermeiras que respondiam questionários periódicos sobre hábitos alimentares e problemas de saúde. O estudo, conduzido pela Escola de Saúde Pública da Universidade Harvard, envolveu o maior número de participantes acompanhados até hoje em qualquer trabalho sobre o tema, por tão longo período de tempo e com tanto rigor.

A quantidade de gordura presente nas refeições diárias das 50 mil escolhidas foi tabulada com as enfermidades apresentadas por elas no período. Os resultados não demonstraram relação entre o número de calorias ingerido sob a forma de gordura animal e a incidência de doença cardíaca. Esses dados obtidos pelo grupo de Harvard foram confirmados em dois outros estudos: o *Health Professionals Follow-up Study* [Estudo de Acompanhamento de Profissionais da Saúde] e o *Nurses' Health Study II*. Juntos, os três estudos envolveram 300 mil pessoas, acompanhadas por mais de dez anos. As conclusões são as mesmas:

- Dietas ricas em gorduras monoinsaturadas (como o óleo de oliva) reduzem o risco de doença cardíaca.
- Dietas ricas em gorduras saturadas (como a carne vermelha) aumentam muito pouco o risco de doença coronariana, quando comparadas com dietas ricas em carboidratos, como pão, macarrão e doces. Outra surpresa foi a constatação de que as gorduras presentes na margarina são bem menos saudáveis do que as contidas na manteiga.

Os três estudos citados custaram aos National Institutes of Health (NIH), que os financiou, 100 milhões de dólares. Apesar do gasto, nenhuma agência de saúde do governo deu publicidade aos resultados finais, muito menos sugeriu que a orientação geral de cortar a gordura animal devesse ser revista.

Walter Willet, da Universidade Harvard, um dos epidemiologistas mais respeitados, considerou "escandalosa" essa atitude oficial. E questionou a política das agências de saúde americanas: "Agora, eles dizem que há necessidade de provas de alto valor científico para derrubar as recomendações vigentes de cortar gordura na dieta, o que é irônico, porque nunca houve provas de valor para estabelecê-las".

Num dos artigos mais completos sobre o tema, na *Science* de 30 de março de 2001, o autor, Gary Taubes, um dos editores da revista, afirma: "A convicção de que gordura na dieta mata, e sua evolução de hipótese a dogma, é um exemplo no qual políticos, burocratas, a mídia e o público desempenharam o mesmo papel que os cientistas e a ciência".[57]

Taubes analisou a incidência de doença cardíaca nos Estados Unidos nos últimos trinta anos. Verificou que desde o início da década de 1970, quando foram divulgadas as recomendações oficiais para reduzir a ingestão de gordura animal no país, a mortalidade por ataques cardíacos caiu. Como as calorias derivadas da gordura animal representavam 40% do total de calorias ingeridas nos anos 1980 e hoje correspondem a 34%, as autoridades da área de saúde insistem em que a redução das mortes deva ser atribuída aos novos hábitos alimentares americanos.

Uma análise mais detalhada desses números, no entanto, foi publicada na revista de maior circulação mundial entre os clínicos, *The New England Journal of Medicine*, em 1988. Nela, os autores atribuem a queda dos índices de mortalidade por doenças cardíacas à melhora dos cuidados médicos no tratamento, não à redução do número de casos da doença.

As estatísticas da American Heart Association [Associação Americana do Coração] dão suporte à observação anterior: entre 1979 e 1996, o número de procedimentos empregados no tratamento de doenças cardíacas aumentou de 1,2 para 5,4 milhões de intervenções por ano. Difícil atribuir à diminuição de gordura animal a responsabilidade pela queda dos índices de mortalidade, quando pontes de safena e colocação de *stents* nas coronárias se tornaram rotineiras.

Uma das idéias a consolar as autoridades americanas que estabeleceram as normas dietéticas atuais foi a de que 1 grama de gordura produz 9 kcal, enquanto a mesma quantidade de carboidrato ou proteína produz 4 kcal. Então, mesmo que a recomendação de reduzir gordura animal falhasse na diminuição da incidência de doença cardíaca, ela ainda estaria fazendo um bem, pensaram: menos carne vermelha, menos calorias ingeridas, menor o número de casos de obesidade, hipertensão e diabetes.

As autoridades foram ingênuas; não levaram em conta a natureza humana. A retirada de um alimento altamente calórico da dieta não assegura redução do número total de calorias ingeridas, porque ele pode ser substituído por outros de menor conteúdo calórico, mas ingeridos em quantidades maiores (carboidratos, principalmente). A quantidade de energia diária que o corpo exige para funcionar é decidida por mecanismos inconscientes, e cobrada prosaicamente de cada um de nós na forma de fome. Dominar o apetite é tarefa inglória.

No já citado estudo, das 50 mil enfermeiras, metade foi exaustivamente orientada a consumir uma dieta na qual as calorias derivadas de gordura não ultrapassassem 20% do total ingerido diariamente. Depois de três anos nesse regime espartano, as mulheres de fato haviam perdido peso: um quilo, em média.

Nos últimos vinte anos, enquanto o consumo de gordura animal caiu de 40% para 34% na população americana, a prevalência de obesidade aumentou de 14% para mais de 22%. Ao lado dela, cresceram os casos de diabetes e hipertensão arterial. Esses dados conduzem às seguintes suspeitas:

- Dietas mais pobres em gordura não levariam à obesidade?
- A diminuição da atividade física provocada pelo aumento da massa corpórea não aumentaria mais ainda o risco de doença cardíaca?
- O aumento do número de casos de diabetes e hipertensão ligados à obesidade não seria uma das razões da alta incidência dos ataques cardíacos do homem moderno?

A questão está longe de ser resolvida. Dizer que uma dieta pobre em gordura deve ser adotada porque, caso não prolongue a vida, mal não fará, não tem fundamento científico. E pode nem ser verdade.

Como tantos médicos, passei anos aconselhando meus pacientes a reduzir os níveis de colesterol pela dieta alimentar. A experiência foi frustrante. Descontados os casos esporádicos, só com grande esforço pessoas muito disciplinadas conseguem baixar as taxas de 10% a 20%, no máximo. Enquanto isso, outros se esbaldam e o colesterol não sobe. Vi um senhor que comia uma dúzia de ovos por dia havia mais de trinta anos e tinha colesterol total de 160 (pelos padrões atuais, recomenda-se que sejam mantidos valores abaixo de 200). Encontrei uma mulher de quarenta anos com colesterol de 280, que era vegetariana havia doze anos.

Isso quer dizer que o metabolismo do colesterol pouco respeita as virtudes da pessoa. Nossa capacidade de interferir na concentração de gordura no sangue é limitada pelos fatores genéticos.

Gary Taubes relaciona seis estudos, publicados na década de 1980, que ilustram as observações anteriores. Quatro deles, realizados nas cidades de Honolulu, Chicago, Framingham e Porto Rico, compararam o tipo de dieta com a incidência de doença coronariana. Nenhum demonstrou que dietas de baixo conteúdo de gordura animal reduzissem o número de ataques cardíacos ou aumentassem a longevidade.

Um quinto estudo, *Multiple Risk Factor Intervention Trial* [Teste de Intervenção em Fator de Múltiplo Risco] (MRFIT), custou 115 milhões de dólares. Os participantes foram aconselhados a adotar simultaneamente várias medidas para reduzir o risco de doença cardíaca: deixar de fumar, controlar hipertensão com medicamentos e cortar gordura da dieta. A análise dos dados finais mostrou que a redução de gordura não fez qualquer diferença na incidência de doença coronariana, mesmo entre hipertensos e fumantes. Ao contrário: entre os que adotaram dieta com menos gordura, a mortalidade geral (todas as causas reunidas) foi mais elevada.

O sexto estudo começou em 1984 e foi conduzido na Universidade da Califórnia a um custo de 140 milhões de dólares — o *LRC Coronary Primary Prevention Trial* [Teste LRC de Prevenção Coronária Primária]. Nele foram selecionados apenas homens de meia-idade com colesterol elevado (valores mais altos do que os encontrados em 95% da população geral). Os participantes foram divididos em dois grupos: o primeiro recebeu um medicamento para diminuir o colesterol, a colestiramina; o segundo, comprimido de talco (placebo). Os resultados foram os seguintes:

- A colestiramina causou redução significante dos níveis de colesterol.
- O medicamento reduziu o número de ataques cardíacos de 8,6% no grupo-placebo para 7,0% nos tratados.
- A administração da droga fez cair a mortalidade por infarto do miocárdio: de 2,0% no grupo-placebo para 1,6% no grupo tratado.

Por incrível que pareça, a demonstração de que era possível reduzir os níveis de colesterol por uma intervenção química como essa (que provocou 0,4% de diminuição na mortalidade) foi extrapolada para o teor de gordura na dieta. Se abaixar o colesterol à custa de colestiramina fez cair a incidência de doença coronariana, reduzir seus níveis com dietas pobres em gordura terá o mesmo efeito, disse o coordenador administrativo do estudo.

A repercussão nos Estados Unidos foi imediata. Veio na forma de campanhas públicas e numa matéria de capa da revista *Time* intitulada: "Lamentamos, mas o colesterol mata". A conclusão, resultante de meias-verdades científicas, ganhou a imprensa.

Com o advento das estatinas, drogas capazes de reduzir dramaticamente os níveis de colesterol, estudos confirmaram que o uso desses medicamentos diminui discretamente a incidência de doença coronariana e prolonga a vida daqueles que têm risco alto de infarto do miocárdio.

Qualquer pessoa com um mínimo de discernimento científico, entretanto, sabe que a eficácia de uma abordagem medicamentosa sobre qualquer parâmetro bioquímico do sangue jamais pode ser extrapolada para intervenções dietéticas sem a realização de estudos comparativos que envolvam milhares de participantes acompanhados criteriosamente durante muitos anos, para que o número de eventos finais adquira significância estatística.

O NIH calcula que um estudo com tais características custaria pelo menos 1 bilhão de dólares, quantia que nenhum país está disposto a investir.

Muitas das idéias que deram origem às normas para cortar gordura animal na dieta nasceram da epidemiologia comparada. Desde os anos 1950, sabemos que finlandeses e escoceses, por exemplo, que ingerem dietas ricas em leite e carne vermelha, são vítimas de altos índices de ataques cardíacos. A dieta tradicional japonesa, rica em peixe, teria efeito protetor e explicaria a baixa incidência de ataques cardíacos no Japão.

Tal lógica, no entanto, sempre encontrou sérias contradições:

- Os franceses, por exemplo, consomem muita manteiga, creme de leite, queijos e carne, mas apresentam baixos índices de doença coronariana. Esse fenômeno, o "paradoxo francês", tem sido atribuído ao consumo de vinho tinto, óleo de oliva, fatores genéticos, tamanho das porções da cozinha francesa etc.

- Mais contundente ainda do que o paradoxo francês é o caso dos povos do sul da Europa que vivem no Mediterrâneo. Com a melhora das condições econômicas após a Segunda Guerra, essas populações fizeram como outras na mesma situação: aumentaram o consumo de carne, leite e queijos. O que aconteceu com a mortalidade por doença cardíaca? Diminuiu! Caiu proporcionalmente ao crescimento do consumo de gordura. O mesmo está acontecendo com a ocidentalização atual da dieta no Japão, ao contrário do que se supôs.

- Num trabalho realizado na cidade francesa de Lyon, 605 pessoas que sobreviveram a ataque cardíaco prévio foram tratadas com medicamentos para reduzir os níveis de colesterol e divididas em dois grupos de acordo com a dieta adotada. O primeiro foi aconselhado a manter uma dieta semelhante à recomendada aos americanos, com redução drástica da quantidade de gordura animal. O segundo adotou uma dieta do tipo mediterrâneo: mais cereais, pão, legumes e frutas, peixe, sem exagero de carne vermelha. Nas duas dietas, o conteúdo de gordura animal ingerido diariamente variou de forma significativa: os que seguiram o padrão mediterrâneo consumiram em média quantidades maiores. Apesar disso, os níveis de colesterol total, HDL e LDL, permaneceram idênticos. Quatro anos mais tarde, os resultados indicavam a ocorrência de 44 ataques cardíacos na dieta americanizada, contra catorze na dieta mediterrânea.

Classicamente, no caso dos povos do Mediterrâneo, o benefício tem sido atribuído ao uso do óleo de oliva. Essa conclusão foi aceita sem questionamento pelos médicos e divulgada para o grande público como verdade científica. Tanto que a maioria das dietas para reduzir colesterol prescreve uma ou duas colheres de azeite de oliva diárias. A influência do óleo de oliva na prevenção de infarto, porém, está longe de ser esclarecida. Dimitrios Trichopoulos, epidemiologista de Harvard, sugere que o paradoxo dos povos mediterrâneos talvez esteja além do óleo de oliva, e pergunta: "Para que esses povos usam o azeite? Para temperar saladas e cozinhar legumes. Como essas populações ingerem cerca de meio quilo de vegetais por dia, em média, quem garante que não sejam eles os responsáveis pela proteção?".

Pelo mesmo raciocínio poderíamos perguntar se finlandeses e escoceses, povos que vivem em lugares gelados, inóspitos para a produção de vegetais, não teriam tantos infartos pela falta destes na dieta, e não pelo excesso de gordura.

Gary Taubes, no site do Departamento de Agricultura americano, na seção *Nutrient Database for Standard Reference* [Banco de Dados Nutricionais Para Referência Padrão], encontrou a composição de uma chuleta (*T-bone*) rodeada por uma camada generosa de meio centímetro de gordura. De acordo com os dados, depois de grelhada a chuleta é composta por porções iguais de gordura e proteína: metade de cada. O autor caracteriza assim a composição da parte gordurosa da chuleta: "51% dela é gordura monoinsaturada, da qual virtualmente tudo é o saudável ácido oléico — o mesmo do óleo de oliva; 45% é gordura saturada, pouco saudável, mas um terço dela é ácido esteárico, componente no mínimo inofensivo. Os restantes 4% do total são gordura poliinsaturada, que também melhora os níveis de colesterol".

A análise da composição deixa claro que uma chuleta não chega a ser uma arma tão mortal quanto nos fizeram crer. Taubes faz as contas: "Bem mais do que metade — e talvez até 70% — do conteúdo gorduroso contribuirá para melhorar os níveis de colesterol. Os 30% restantes provocarão aumento do LDL (colesterol 'mau'), mas também aumentarão o 'bom' colesterol (HDL).

"Se em lugar da chuleta a pessoa ingerisse pão, macarrão ou batata", continua Taubes, "seus níveis de colesterol ficariam piores, embora nenhuma autoridade de nutrição tenha coragem de dizer isso publicamente."

Neste momento, a relação gordura *versus* carboidrato ocupa posição central no debate entre pesquisadores. A célebre pirâmide nutricional que as autoridades de vários países — entre eles o Brasil — adotaram, com a base larga para indicar os vegetais que devem ser ingeridos em abundância, a parte intermediária referente aos carboidratos que podem ser ingeridos com liberalidade, e o topo da pirâmide que corresponde à gordura animal a ser consumida de forma muito restrita, tem sido questionada. Alguma coisa precisamos comer. Se não for carne, o que será?

A lógica é cristalina: dificilmente substituímos o bife do jantar por tomates ou cenouras. A carne costuma ser trocada por carboidratos. Dietas com baixo teor de gordura animal quase sempre são fartas em pão, macarrão, tortas e doces.

Por razões mal conhecidas, temos mais dificuldade para limitar a ingestão de carboidratos do que a de gordura. Se dificilmente poderíamos comer duas picanhas no almoço, pão, macarrão e doce nós ingerimos em quantidades muito maiores. Pior, digerimos esses alimentos bem mais rapidamente.

Na digestão dos carboidratos, o pâncreas é solicitado a produzir insulina, para quebrá-los em açúcares mais simples que vão ser estocados nos depósitos naturais do organismo. Enquanto os açúcares complexos contidos em frutas e vegetais aparecem na circulação sanguínea em concentrações que aumentam lentamente à medida que vão sendo absorvidos pelo tubo digestivo, alimentos como pão, arroz e doces dão origem a picos na circulação imediatamente depois de ingeridos.

Tais picos súbitos de carboidratos obrigam o pâncreas a produzir quantidades excessivas de insulina para quebrá-los e estocá-los rapidamente. Uma vez armazenados, a energia associada a eles não está mais disponível, e o corpo sente fome outra vez.

Além de aumentar o risco de diabetes pela estimulação exagerada do pâncreas, dietas com alto conteúdo de carboidratos provocam aumento de triglicérides e de LDL (o "mau" colesterol), e redução dos níveis de HDL. Essa tríade de eventos bioquímicos é conhecida como resistência à insulina (ou síndrome plurimetabólica), e está intimamente ligada ao aumento do risco de doença coronariana.

Assim, fica claro que as recomendações atuais para evitar gordura animal nas refeições são no mínimo desprovidas de fundamento científico. Mais grave, podem induzir a parcela da população com acesso ilimitado aos alimentos a ingerir quantidades maiores de carboidratos, que podem ser responsáveis pelo aparecimento de diabetes nos geneticamente predispostos, aumento de triglicérides e de LDL, redução do HDL e, agora sim, aumento do risco de morrer de ataque cardíaco.

O infarto do miocárdio é exemplo clássico de patologia multifatorial. Sua incidência depende principalmente da herança genética e de vários fatores de risco: sexo, idade, tabagismo, hipertensão, obesidade, diabetes, vida sedentária, níveis de colesterol e triglicérides, além do estresse da vida urbana. É ingenuidade imaginar que a simples eliminação ou redução de um único componente da dieta interferiria no risco de sofrer de uma enfermidade assim complexa.

São tantos os mal-entendidos nessa área que mesmo a existência atual dessa epidemia de infartos pode ser questionada. Quem garante que tal fenômeno é recente, se nos séculos que nos precederam as pessoas morriam de doenças infecciosas muito antes de atingir cinqüenta anos? E as poucas que viviam mais, que tipo de assistência médica recebiam? Existe algum estudo que permita comparação da mortalidade por doença cardiovascular entre o século passado e o atual?

A questão do colesterol divide os cientistas e envolve interesses econômicos. Basta pensar na quantidade de alimentos com baixos teores de gordura que o mercado oferece. Ou no custo do atendimento médico relacionado ao controle policialesco do colesterol. Ou, ainda, no interesse econômico gerado pelas estatinas, drogas utilizadas na clínica para reduzir os níveis de colesterol, que rendem 4 bilhões de dólares por ano em vendas apenas no mercado americano.

As mais rígidas intervenções dietéticas não costumam provocar queda superior a 10% nos níveis de LDL, enquanto as estatinas o reduzem em até 30%, mesmo com dietas permissivas. Sendo assim, por que não considerarmos desprezível o impacto da dieta em pessoas com níveis de LDL normais ou pouco acima da normalidade?

Para os que apresentam LDL mais elevado, não seria sensato medicá-los, permitir uma dieta mais humana e recomendar que larguem de fumar, percam peso, controlem a pressão, aumentem a atividade física e reduzam o estresse diário?

A redução de gordura na dieta, além de estimular o consumo de carboidratos — com provável piora do perfil lipídico —, pode interferir em mecanismos bioquímicos muito importantes e mal conhecidos. Por exemplo, pessoas com colesterol total muito reduzido (abaixo de 160) apresentam risco maior de hemorragia cerebral. E, mais grave, quanto mais abaixo desse nível estiver o colesterol, maior a chance de morrer por outras causas.

O citado Edward Ahrens, autor de trabalhos fundamentais a respeito do metabolismo do colesterol, diz que comer menos gordura pode provocar alterações profundas no corpo, muitas das quais nocivas. O cérebro, por exemplo, é 70% gordura, que serve basicamente para abrigar os neurônios.

O próprio colesterol e outras gorduras são componentes essenciais das membranas das células. Mudanças bruscas na proporção de gorduras saturadas e insaturadas na dieta podem modificar a composição dessas membranas. Essas alterações interferem nos mecanismos de transporte de todas as substâncias que entram ou saem das células: fatores de crescimento, hormônios, bactérias, vírus e agentes cancerígenos. Como conseqüência, da composição gordurosa da membrana celular dependem processos como nutrição, resposta imunológica, produção de hormônios, condução de estímulos através dos neurônios, envelhecimento e apoptose, a morte celular programada.

Como lidar com informações tão contraditórias? À luz dos conhecimentos atuais, é mais sensato pensar o seguinte:

- Aqueles com LDL-colesterol muito elevado provavelmente se beneficiariam do corte no consumo de gordura animal. As recomendações oficiais para eles são de que o consumo de calorias derivadas da gordura não ultrapasse 10% do total de calorias ingeridas. Não esquecer, no entanto, que uma interferência dietética dessa radicalidade costuma reduzir em apenas 10% os níveis de LDL, o que pode não ser suficiente para colocar a pessoa fora de risco. Se alguém com 250 de LDL faz uma dieta vegetariana, e esse número cai para 225, o risco persiste apesar da queda. Nesse tipo de situação parece mais razoável usar medicamentos que reduzem as taxas de LDL em 30% e permitir certa liberalidade dietética.
- Para a grande maioria das pessoas portadoras de níveis normais ou pouco aumentados de LDL, é fundamental deixar claro que para elas o impacto dos níveis de colesterol no risco de doença cardíaca é pequeno. O efeito da dieta nos níveis de colesterol também. Não há demonstração científica

de que se essas pessoas cortarem ou acrescentarem gordura animal na dieta terão maior ou menor risco de infarto, ou de morrer mais cedo.
- Embora não haja respostas definitivas, vale a pena apostar numa dieta rica em vegetais, que talvez ajudem a prevenir ataques cardíacos. Se não o fizerem, pelo menos são alimentos ricos em micronutrientes essenciais, que ajudam o funcionamento do aparelho digestivo e têm conteúdo calórico mais baixo.

É importante lembrar que reduzir o total de calorias ingeridas parece ser, em toda a escala animal, a única estratégia capaz de retardar o envelhecimento e aumentar a longevidade. O corpo exige um número mínimo de calorias diárias, não interessa se retiradas da cenoura ou do bacon.

Uma dieta sem excesso de calorias ajuda a prevenir diabetes, hipertensão, obesidade, resistência à insulina, reumatismo, impotência sexual, ataque cardíaco, derrame cerebral, câncer e outras doenças degenerativas. Não está bom?

Inimigo traiçoeiro

Em São Paulo, estamos cada vez mais obesos; no Brasil, também.

Pesquisa conduzida pela Secretaria Estadual da Saúde mostra que, em catorze anos, o número de homens obesos na cidade duplicou, e que entre as mulheres o aumento foi pouco menos alarmante: 61,3%.[58]

Os dados foram colhidos com base em dois levantamentos

realizados entre mulheres e homens com idade entre quinze e 59 anos: o primeiro em 1987, e o outro no período 2001 a 2002. Os participantes tiveram a circunferência de suas cinturas medidas à altura do umbigo, e o peso corpóreo anotado para o cálculo do Índice de Massa Corporal (IMC).

O IMC é um índice que se calcula dividindo-se o peso pela altura elevada ao quadrado (IMC = peso / altura × altura). Genericamente, consideramos obesas as pessoas com IMC superior a 30, e como portadoras de sobrepeso aquelas com IMC na faixa entre 25 e 29,9.

Em 1987, no primeiro inquérito, 6,1% dos homens paulistanos eram classificados como obesos; em 2001-2002, a porcentagem subiu para 12,4%. Já para as mulheres, os índices foram de 9,3% para 15%, respectivamente.

Nesses catorze anos, o número de homens com IMC na faixa do sobrepeso aumentou de 28,3% para 35,5%. Entre as mulheres, diminuiu de 27,8% para 22,9%.

Tomados em conjunto, os índices mostram que 48% dos homens e 38% das mulheres paulistanas estão acima da faixa de peso saudável.

Engordar não é privilégio dos paulistanos, entretanto. De 1989 a 1997, a proporção de chineses com sobrepeso duplicou nas mulheres e triplicou nos homens. Segundo a Organização Mundial da Saúde (OMS), há no mundo mais de 1 bilhão de adultos com sobrepeso, e 300 milhões com obesidade.

Por aumentar o risco de diabetes, hipertensão arterial, doenças cardiovasculares, doenças articulares, distúrbios psiquiátricos e de certos tipos de câncer, a OMS considera a obesidade uma das dez maiores ameaças à integridade da saúde no mundo, e uma das cinco principais nos países industrializados. Estudo recente[59] conduzido pelo Rand Institute concluiu que a obesidade está mais intimamente ligada ao aparecimento de doenças crônicas do que viver na pobreza, fumar ou beber. Os autores desse estudo calculam que o fato de ser obeso implica envelhecimento precoce equivalente a vinte anos.

Sendo os seres humanos primatas racionais e a vida o bem supremo, o lógico seria esperar que — convencidos dos malefícios da obesidade e da vida sedentária — adotássemos a frugalidade à mesa e puséssemos os músculos para trabalhar diariamente.

De fato, as evidências científicas parecem incontestáveis: bastam trinta minutos por dia em passo acelerado para cortar a chance de ataque cardíaco pela metade. Trinta míseros minutos, num dia de 24 horas!

Quanto à dieta, o corte de trezentas calorias diárias durante dez anos, rigorosamente, pode representar a perda de dez a doze quilos de gordura corpórea no decorrer desse período. Trezentas calorias são o terceiro bife, a barrinha de chocolate, a latinha de cerveja a mais. Coisa irrisória de cortar; mas tarefa sobre-humana no cotidiano da imensa maioria.

Vistos no passado como indivíduos preguiçosos e glutões, os obesos são considerados pela medicina moderna como portadores de genes que favorecem a obesidade num ambiente de fartura alimentar. Na verdade, a herança da tendência à obesidade não é diferente daquela que explica por que existem pessoas altas e outras de baixa estatura.

Os genes envolvidos na obesidade controlam a produção de moléculas que, por meio de mecanismos neuroendócrinos, regulam o balanço energético do organismo.

Para dar idéia da complexidade desse equilíbrio, basta lembrar que uma pessoa ingere em média 10 milhões de calorias durante uma década. Se pretender manter o peso constante nesse período, ela será obrigada a ingerir no máximo 0,17% de calorias a mais ou a menos desse total. Isto é, não deve ficar aquém nem ultrapassar 17 mil calorias nesses dez anos (cerca de cinco calorias por dia).

Não há qualquer evidência de que sejamos capazes de atingir essa precisão extraordinária por meio de mecanismos conscientes.

Comer é um comportamento motivacional complexo que obedece à ação de vários hormônios (leptina, insulina, grelina, PYY etc.), a desejos conscientes, a fatores sensoriais como cheiro, gosto e estímulo visual, ao estado emocional e outros. O estímulo da fome é provavelmente tão intenso quanto o da sede.

Graças à eficácia dessas ações bioquímicas, a espécie humana sobreviveu a mais de 5 milhões de anos de escassez alimentar. No decorrer deles, nosso organismo aprendeu a disparar mensagens moleculares irresistíveis toda vez que emagrecemos: o metabolismo basal cai dramaticamente, e surgem estímulos potentes para consumirmos mais alimentos.

Ao contrário, quando engordamos não há aumento significativo do metabolismo basal, nem estímulo para aumentar a atividade física, nem perda de apetite. Indiferente aos padrões da moda, o corpo protege seus depósitos de gordura com unhas e dentes, com o objetivo de manter ou retornar ao maior peso já atingido.

Tal sabedoria adquirida em tempos de penúria ficou traiçoeira em época de fartura. Embora existam redes de neurônios que integram os sinais responsáveis pela necessidade bioquímica de comer com centros cerebrais superiores, pelos quais podemos expressar a vontade consciente de ingerir menos alimentos, a balança pende descaradamente a favor do controle involuntário do apetite.

A biologia, no entanto, não consegue explicar a epidemia mundial de obesidade que se instalou nos últimos trinta anos: o ambiente exerceu papel decisivo. A atual possibilidade de viver sentado e a farta disponibilidade de alimentos densamente calóricos são fatos novos, sem paralelo na história da humanidade.

Num mundo sedentário, com alimentos deliciosos ao alcance da mão, considerarmos a obesidade um problema de caráter é ignorância. Perder peso é empenhar-se numa batalha contra a biologia que rege a espécie humana. Só os obstinados são capazes de vencê-la.

Existirá salvação ou estaremos fadados à obesidade, à pressão alta, ao diabetes, ao reumatismo, ao derrame cerebral ou a um ataque fulminante diante da TV, com a família?

Apesar de tantos anos de fracasso nessa área, há evidências de que o homem moderno, um dia, praticará exercícios rotineiramente e comerá com moderação. Fará isso porque é um primata racional, e foi graças à razão que nossa espécie conheceu tanto sucesso evolutivo.

Crianças obesas e sedentárias

A obesidade infantil é uma doença de conseqüências graves que se instala em múltiplos órgãos. Excesso de gordura corpórea na infância é causa de diabetes, hipertensão, elevação dos níveis de colesterol e triglicérides, tendência à coagulação acelerada do sangue, alterações na parede interna dos vasos e maior produção de insulina. A predisposição genética para a obesidade é um fenômeno biológico complexo, que envolve interações de mais de 250 genes diferentes. Além da genética, fatores pré-natais, como a obesidade materna e o excesso de alimentos consumidos durante a gravidez, aumentam o risco de obesidade do filho. Do mesmo modo, fatores ambientais predispõem ao ganho de peso exagerado depois do nascimento.

Dois estudos demonstraram que bebês amamentados com mamadeira correm mais risco de desenvolver obesidade no futuro. A explicação pode estar relacionada à existência de algum componente protetor presente apenas no leite materno, à preferência pelo paladar ou à interferência de mecanismos psicológicos nos centros de saciedade do bebê.

O índice de massa corpórea (peso dividido pela altura ao quadrado) diminui do nascimento até os cinco ou seis anos de idade, para depois aumentar gradualmente até a adolescência. Quando fatores ambientais, como falta de atividade física e dietas de alto conteúdo calórico, provocam aumento de peso que subverte essa regra geral, surge predisposição à obesidade na vida adulta.

A falta de atividade física da criança urbana é considerada pelos especialistas uma das principais causas da epidemia de obesidade infantil que se dissemina em diversos países, inclusive no nosso. Um trabalho realizado na Cidade do México mostrou que o risco de obesidade cai 10% para cada hora de atividade física de intensidade moderada ou intensa praticada diariamente pela criança. Estudo semelhante conduzido na Carolina do Sul chegou à mesma conclusão: crianças mais ativas são mais magras do que aquelas que se movimentam pouco.

O número de horas que a criança passa diante da TV, entretida com programas infantis ou videogames, está diretamente ligado ao aumento de peso. O trabalho realizado na Cidade do México identificou um aumento de 12% no risco de desenvolver obesidade para cada hora por dia na frente da TV. Os autores concluíram que a TV aumenta o risco de obesidade não só por desviar a criança das atividades físicas, mas por induzir à ingestão de alimentos mais calóricos.

Pesquisadores americanos e ingleses contaram o número de

comerciais na televisão que anunciam doces, balas, chocolates, refrigerantes, biscoitos e outros alimentos de conteúdo energético elevado e chegaram à conclusão de que nos seus países cada criança fica exposta a dez desses comerciais por hora. Outro trabalho comprovou que crianças de três a cinco anos submetidas a esse bombardeio diário dos anunciantes costumam escolher as guloseimas apregoadas por eles quando são oferecidas como opção frutas e outros alimentos mais saudáveis.

Há grande discussão na literatura médica a respeito da composição ideal da dieta pediátrica. Nos últimos trinta anos, o consumo de gordura animal tem sido diretamente responsabilizado não só pelo aumento de peso entre os adultos como pela epidemia de crianças obesas. A idéia parece ter lógica porque as gorduras são alimentos de alta densidade energética (1 grama de gordura produz 9 kcal, enquanto 1 grama de açúcar ou proteína produz 4 kcal).

Os dados epidemiológicos, no entanto, falharam sistematicamente na comprovação dessas teorias em crianças e adolescentes — e também nos adultos. Ao contrário, a epidemia de obesidade pediátrica se disseminou nos Estados Unidos apesar da redução do conteúdo de gordura na dieta das crianças americanas ocorrida nos últimos vinte anos.

A diminuição do número de calorias derivadas de gordura animal costuma ser compensada por um aumento significante do consumo de carboidratos pelas crianças: pães, doces, chocolates, refrigerantes, salgadinhos e balas passaram a ser ingeridos em quantidades sem precedentes na história da humanidade.

Esses alimentos de alto índice glicêmico provocam súbitos aumentos pós-prandiais da concentração de moléculas de glicose na corrente sanguínea. Em resposta, o pâncreas secreta quantidades elevadas de insulina para quebrá-las e armazená-las sob a forma de glicogênio. Armazenadas, as moléculas de açúcar desaparecem da circulação e os centros da fome são ativados novamente.

A prevenção à obesidade é de extrema importância para o desenvolvimento da criança. Chegar à vida adulta com excesso de gordura no corpo, além de aumentar o risco de várias doenças, dá início a uma batalha sem fim contra a balança. Uma afirmação de consenso dos National Institutes of Health [Institutos Nacionais de Saúde], dos Estados Unidos, ilustra como pode ser inglória essa luta: "Adultos que participam de programas de emagrecimento podem esperar uma perda de apenas 10% do peso corpóreo, no máximo. Cerca de 50% dessa perda são repostos em um ano, e virtualmente todo o resto é recuperado em cinco anos".

Uvas, vinhos e longevidade

"Para viver mais, é preciso comer menos". Comecei com essa frase uma conferência sobre o papel da restrição calórica na longevidade dos seres vivos, fenômeno demonstrado em ratos de laboratório pela primeira vez na década de 1930.

De fato, nessas pesquisas iniciais verificou-se que ratos submetidos a dietas de baixo conteúdo calórico viviam até 40% mais do que ratos alimentados *ad libitum* (liberados para comer quanto desejassem). Essa relação inversa entre a quantidade de calorias ingeridas e o número de dias vividos foi mais tarde confirmada em fungos, moscas, mosquitos, vermes, aranhas, sapos e peixes. Experimentos mais recentes sugerem a validade dessa associação até em macacos, que são primatas, como nós.

Partindo do princípio de que a natureza não demonstra interesse em favorecer a sobrevivência de qualquer espécie, e de que a evolução não criou nenhum mecanismo exclusivo para beneficiar ou prejudicar a espécie humana, na palestra acrescentei ser altamente provável que uma dieta pobre em calorias também retardasse o envelhecimento e prolongasse a vida humana.

Nesse momento, numa das cadeiras da frente, um rapaz de rosto redondo e corpo avantajado reclamou: "Se for para viver sofrendo, prefiro morrer mais cedo!"

Para consolo dos que concordam com essa filosofia, as bases moleculares que explicam o mecanismo pelo qual a restrição calórica retarda o envelhecimento têm sido esmiuçadas nos últimos anos, e levaram a conclusões surpreendentes, segundo revisão publicada por Stephen Hall, autor do livro *Mercadores da imortalidade*.[60]

Nessa linha de trabalho, pesquisadores da Universidade Harvard demonstraram que algumas pequenas moléculas presentes nos vegetais conseguem mimetizar os efeitos da restrição calórica, prolongando o tempo de vida de certos fungos em até 70%, e protegendo células humanas dos efeitos letais das radiações ionizantes. Tais moléculas pertencem à família dos polifenóis, substâncias encontradas em uvas, vinho tinto, óleo de oliva e outros alimentos.

Estudos realizados no Massachusetts Institute of Technology (MIT), em Boston, permitiram demonstrar que essas moléculas agem nos fungos por meio da ativação de um gene chamado SIR2. A ativação desse gene resulta em aumento da longevidade do fungo. E mais: se retirarmos o gene SIR2 do fungo e o submetermos a restrição calórica, não acontece o esperado aumento de longevidade, demonstrando ser esse gene essencial ao controle de duração da vida.

Mecanismo semelhante parece ocorrer igualmente em vermes e nas drosófilas. Em células humanas também, graças à ação dos polifenóis sobre um gene análogo àquele existente nos fungos, batizado como SIRT1.

Procurando novas moléculas com propriedades semelhantes às dos polifenóis, o grupo do MIT identificou mais quinze compostos. O mais potente deles é o resveratrol, encontrado na uva e no vinho tinto, substância capaz de potencializar a atividade do gene SIRT1 humano.

Essa propriedade do resveratrol em ativar o gene SIRT1, ligado à longevidade, tem sido invocada para explicar o paradoxo francês: a constatação de que, apesar da dieta rica em gordura, os franceses apresentam 40% menos ataques cardíacos do que os americanos, diferença classicamente atribuída pelos epidemiologistas ao consumo generalizado de vinho tinto na França.

Qual seria a lógica para a natureza conservar, na evolução de espécies tão diversas quanto fungos e homens, genes cuja ativação aumenta a longevidade das células? Por que razão compostos como o resveratrol produzidos em plantas ativariam esses genes em animais?

A resposta foi dada por Theodosius Dobzhansky, um dos mais influentes geneticistas do século, décadas antes de essas experiências terem sido realizadas: "Nada na biologia faz sentido, exceto à luz da evolução".

Genes capazes de retardar o processo de envelhecimento, e, conseqüentemente, de aumentar a longevidade, entrariam em ação nos momentos de estresse, como aquele representado pela falta de alimentos, por exemplo. Na seleção natural, indivíduos portadores desses genes provavelmente levaram vantagem reprodutiva sobre os que envelheciam mais rapidamente quando as condições do meio se tornavam desfavoráveis.

Da mesma forma, as plantas capazes de sintetizar compostos dotados da propriedade de ativar esses mesmos genes nas fases de estresse ocasionado pela falta de água ou nutrientes no solo também levaram vantagem seletiva. Como todos os seres vivos descendem de ancestrais comuns, não é de estranhar que os animais se beneficiem da ação desses compostos ao ingeri-los sob a forma de cacho de uvas, azeite de oliva ou copo de vinho. Sorte nossa!

PARTE III

A SAÚDE NO COTIDIANO

Azia: sintoma de mal crônico

Cerca de 10% dos adultos sofrem de azia quase todos os dias, e de 35% a 40% apresentam ocasionalmente esse sintoma. A azia é o sintoma mais característico de refluxo do suco gástrico para o esôfago (refluxo gastroesofagiano). A sensação de azia ou queimação costuma surgir nas duas primeiras horas depois da refeição — especialmente quando a pessoa se deita —, e melhora com antiácidos.

Os sintomas incluem os casos clássicos de queimação no trajeto do esôfago e gosto ácido na boca, até crises de asma noturna, tosse e dores no peito que simulam ataques cardíacos. Além desses, podem surgir outros conseqüentes a complicações do refluxo: ulcerações no esôfago, diminuição do diâmetro esofágico causada por cicatrização de úlceras, e o chamado esôfago de Barrett, caracterizado por alterações específicas da mucosa do órgão e aumento do risco de câncer.

O diagnóstico de refluxo é geralmente estabelecido por meio da endoscopia, seguida ou não de biópsia da mucosa do esôfago para documentar sinais de inflamação. Cerca de 50% das pessoas com queixa de azia, no entanto, não apresentam alterações inflamatórias sugestivas de esofagite.

Por isso, o teste de monitorização do pH esofágico durante 24 horas é considerado o exame definitivo para o diagnóstico de refluxo. Se o aparelho acusa uma queda no pH no instante em que surgem sintomas, o refluxo está caracterizado mesmo que a endoscopia esteja normal.

A tendência moderna é considerar o refluxo como doença crônica. Seus sintomas podem desaparecer com o tratamento, mas costumam retornar rapidamente com sua interrupção.

Mudanças do estilo de vida podem aliviar significativamente a sintomatologia. Elevar a cabeceira da cama a uma altura de quinze a vinte centímetros (muitos usam listas telefônicas como calços) pode dificultar a subida de suco gástrico pelo esôfago. Da mesma forma, dormir deitado sobre o lado esquerdo pode reduzir o refluxo (enquanto deitar sobre o lado direito, de bruços ou de costas aumenta).

Como o refluxo surge quase sempre depois das refeições, é importante não comer exageradamente nem tomar muito líquido, para evitar distensão do estômago. Dietas gordurosas não são recomendadas, porque a gordura retarda o esvaziamento gástrico.

Quem sofre de refluxo só deve deitar-se três horas depois de uma refeição. É importante também não ingerir bebidas alcoólicas antes de ir para a cama, e não fumar, porque a nicotina estimula o refluxo.

Medicamentos como os chamados antagonistas do receptor-H2 (cimetidina, ranitidina e outros) reduzem a produção de ácido no estômago e podem ser muito úteis. Por razões desconhecidas, algumas pessoas respondem melhor a um desses agentes do que a outros, mas, em geral, quando não há resposta a um deles, dificilmente haverá a outro medicamento dessa classe.

Supressão mais eficaz da produção de ácido pode ser conseguida com os chamados inibidores de bomba de prótons (omeprazol, lansoprazol, esomeprazol e outros), o que explica a preferência dos médicos por essas drogas.

Uma vez que o controle da produção de ácido tenha sido alcançado, o tratamento deverá ser mantido. Os inibidores de bomba parecem ser drogas que podem ser administradas por muito tempo sem maiores efeitos indesejáveis. A experiência européia de vinte anos com o uso continuado desses medicamentos reforça a confiança neles.

Medicamentos que promovem a motilidade e ajudam o esvaziamento gástrico podem ser úteis também. A descrição de arritmias cardíacas associadas a um deles (cisaprida), entretanto, reduziu muito o emprego desses agentes.

Em certos casos, uma cirurgia pode evitar o inconveniente de tomar medicação pelo resto da vida: a fundoplicação, procedimento realizado por laparoscopia, que consiste na utilização de uma área do estômago para "encapar" a parte terminal do esôfago. Embora alguns cirurgiões experientes relatem índices de sucesso de até 90%, a experiência com esse tipo de operação ainda é limitada porque o procedimento passou a ser utilizado em larga escala apenas nos últimos cinco anos.

Vale lembrar que muitas pessoas com refluxo não apresentam sintomas típicos. Elas se queixam de tosse (principalmente noturna), irritação na garganta e crises de asma disparadas por espasmos dos brônquios provocados pela microaspiração de suco gástrico.

Doença de Alzheimer

Preservar a vida é o mais arraigado dos instintos animais.

Os seres humanos não constituem exceção. Mas pelo fato de sermos animais racionais, aceitamos determinados limites para a duração da existência; mantê-la a qualquer custo não nos parece sensato. A perda irreversível da memória configura uma dessas situações. Incapazes de lembrar quem somos e de entender o que se passa a nossa volta, de que vale a condição humana?

A população de mulheres e homens com mais de 65 anos é a que mais cresce no Brasil e em outros países. Com o aumento da longevidade, é cada vez mais comum o aparecimento de quadros neuropsiquiátricos caracterizados pelas seguintes manifestações:

- Falta de memória para acontecimentos recentes.
- Repetição da mesma pergunta várias vezes.
- Dificuldade para acompanhar conversas ou pensamentos complexos.
- Incapacidade de elaborar estratégias para a resolulação de problemas.
- Dificuldade para dirigir automóvel e encontrar caminhos conhecidos.
- Dificuldade para encontrar palavras que exprimam idéias ou sentimentos pessoais.
- Irritabilidade, suspeição injustificada, agressividade, passividade, interpretações equivocadas de estímulos visuais ou auditivos, tendência ao isolamento.

Pessoas que apresentem manifestações como essas devem ser acompanhadas de perto, porque uma parcela significativa delas evolui para quadros mais graves. A perda progressiva de memória associada ao envelhecimento é característica comum a um conjunto de patologias que a medicina classifica como demências (termo que nada tem a ver com loucura), das quais a doença de Alzheimer é a mais prevalente. A incidência de quadros demenciais aumenta com a idade: aos setenta anos, já acometem entre 10% e 15% da população; aos noventa anos, entre 50% e 60%.

Estima-se que haverá 22 milhões de portadores desse mal em 2025, no mundo.

A doença de Alzheimer instala-se quando o processamento de certas proteínas do sistema nervoso central começa a dar errado. Surgem, então, fragmentos de proteínas mal cortadas, tóxicas, no interior dos neurônios e nos espaços existentes entre eles. Como conseqüência dessa toxicidade, ocorre perda progressiva de neurônios em determinadas regiões do cérebro, como o hipocampo, importante no controle da memória, e o córtex cerebral, essencial para a linguagem e o arrazoamento, memória, reconhecimento de estímulos sensoriais e pensamento abstrato. As primeiras manifestações da doença são insidiosas, caracterizadas por pequenos lapsos de memória que podem passar despercebidos durante anos, até a pessoa esquecer o endereço de casa ou estranhar a fisionomia de um filho.

Estudos publicados na década de 1980 mostraram que a proteína (tau) que se acumula dentro dos neurônios dos pacientes com Alzheimer é diferente da que se acumula nos espaços existentes entre eles (beta-amilóide). A proteína beta-amilóide se deposita em placas que causam destruição de neurônios por criar processo inflamatório crônico nas regiões afetadas, interferir na regulação de cálcio — essencial para a condução dos estímulos nervosos — e aumentar a produção de radicais livres, tóxicos para as células nervosas.

Certas famílias apresentam prevalência mais alta da doença de Alzheimer, mas podem surgir casos esporádicos em famílias que nunca os apresentaram. Cerca de 10% a 60% dos pacientes com histórico familiar da doença referem instalação precoce e evolução rápida dos sintomas. Neles, foram descritas mutações de genes presentes nos cromossomos 1 e 14. Nas formas de Alzheimer que se instalam mais tardiamente parecem estar envolvidos outros genes, ligados à apolipoproteína E, envolvida no transporte de colesterol e na reparação de defeitos celulares.

A doença de Alzheimer costuma evoluir de forma lenta e inexorável. A partir do diagnóstico, a sobrevida média oscila entre oito e dez anos. O quadro clínico pode ser dividido em quatro estágios:

- *Estágio 1* (forma inicial): Alterações na memória, na personalidade e nas habilidades visuais e espaciais.
- *Estágio 2* (forma moderada): Dificuldade para falar, realizar tarefas simples e coordenar movimentos; agitação e insônia.
- *Estágio 3* (forma grave): Resistência à execução de tarefas diárias; incontinência urinária e fecal; dificuldade para comer; deficiência motora progressiva.
- *Estágio 4* (terminal): Restrição ao leito; mutismo; dor à deglutição; infecções intercorrentes.

Os conhecimentos acumulados nos últimos dez anos de pesquisas sobre a doença de Alzheimer permitem esperar para breve o aparecimento de tratamentos mais eficazes. Estão sendo desenvolvidos compostos que bloqueiam as enzimas responsáveis pelo mau processamento da proteína beta-amilóide. Outras linhas de pesquisa procuram minimizar os efeitos tóxicos dessa proteína com a administração de drogas antioxidantes, antiinflamatórios e moléculas que dissolvam os acúmulos patológicos que ela produz. Dale Schenck e colaboradores, da Elan Pharmaceuticals de São Francisco, estão testando uma vacina contra as placas de proteína beta-amilóide. Embora esses tratamentos ainda estejam em fase puramente experimental, começam a surgir as primeiras evidências de que a doença poderá ser controlada.

Além disso, estudos mostram que o estilo de vida pode ser um fator importante para evitar a doença. Ainda na década de 1970 foi aventada a hipótese de que as atividades intelectuais, ao aumentar o número e a versatilidade das conexões (sinapses) entre os neurônios, criariam uma espécie de reserva cognitiva passível de ser utilizada na velhice. Em 1977, um grupo do St. Lukes Medical Center, de Chicago, estudando 642 idosos, demonstrou que cada ano de escolaridade formal reduziria o risco de desenvolver Alzheimer em 17%.

O resultado levou o mesmo centro a acompanhar, a partir de 1995, um grupo de padres e freiras submetidos periodicamente a uma bateria de dezenove testes de avaliação da capacidade intelectual. Em 2003, depois de analisar 130 cérebros dos religiosos falecidos, os autores concluíram que a presença das placas no sistema nervoso — características da enfermidade — não guardava relação com os níveis de escolaridade. Mas a bateria de testes aplicados em vida indicava que as habilidades cognitivas eram preservadas por mais tempo nos religiosos mais instruídos. Neles, a doença só se manifestava quando eram encontradas cinco vezes mais placas do que nos demais.

Com os mesmos objetivos, um grupo da Universidade de Minnesota conduziu o célebre "Estudo das freiras", no qual foram analisados ensaios biográficos em que 678 freiras nascidas antes de 1917 haviam escrito ao ser admitidas no convento, aos vinte anos. As irmãs com menor versatilidade lingüística naquela época desenvolveram Alzheimer mais precocemente e, ao morrerem, seus cérebros exibiam as placas características da enfermidade.

Inquéritos populacionais conduzidos em São Paulo pela Unifesp encontraram maior prevalência de demências entre os analfabetos e os que não haviam concluído o primeiro grau. Da mesma forma, em 109 pares de gêmeos idênticos matriculados no "Registro sueco de gêmeos", nos quais apenas um dos irmãos desenvolveu demência, o gêmeo saudável, estatisticamente, havia estudado mais tempo.

Trabalho realizado pelo grupo de Robert Friedland[61] demonstrou que não apenas a leitura, mas simples passatempos como a montagem de quebra-cabeças ou a prática de palavras cruzadas são atividades capazes de proteger o cérebro. Ao contrário, vários estudos concluíram que assistir televisão está associado ao efeito oposto: aumenta a probabilidade de Alzheimer. Num inquérito conduzido entre 135 portadores da doença, comparados a 331 de seus familiares saudáveis, cada hora diária adicional diante da TV multiplicou o risco de Alzheimer por 1,3.

Várias pesquisas reforçam a idéia de que nem só do intelecto vive o cérebro: o exercício físico também é capaz de torná-lo mais resistente.

Anos atrás, uma avaliação dos resultados obtidos em dezoito pesquisas (meta-análise) envolvendo mulheres e homens de 55 a oitenta anos demonstrou que a vida sedentária aumenta o risco de demência. Desde então, surgiram várias pesquisas sobre o tema.

As mais importantes foram realizadas na Universidade da Califórnia, com cerca de 6 mil mulheres com mais de 65 anos; na Universidade Harvard, com mais de 18 mil mulheres; e na Universidade Johns Hopkins, com mais de 3 mil participantes de ambos os sexos. Os resultados são inequívocos: quanto maior o tempo gasto em atividades físicas, como andar (principalmente), mais lento o declínio da capacidade cognitiva.

Evidências experimentais confirmam essa conclusão: o exercício físico melhora o fluxo sanguíneo cerebral pela formação de novos capilares no córtex — área essencial para a cognição —, e induz a produção de proteínas que estimulam o crescimento e favorecem a formação de novas conexões entre os neurônios (novas sinapses).

Essas pesquisas estão sujeitas a um viés metodológico: será que a menor versatilidade lingüística demonstrada pelas freiras aos vinte anos, a menor dedicação à escolaridade formal e às atividades intelectuais, o maior número de horas passivas diante da TV e a pouca disposição para atividades físicas já não fariam parte de um conjunto de manifestações extremamente precoces das demências que irão se instalar na senectude?

Impossível ter certeza, mas vale a pena acreditar na idéia de que, por meio de estímulos intelectuais e da atividade física será possível preservar, na idade avançada, a experiência e as habilidades cognitivas acumuladas com tanto esforço no decorrer da vida.

Aterosclerose: doença infecciosa

Depois de examinar as partes mais importantes do coração sem encontrar nada que justificasse a morte súbita do paciente ou os sintomas que a precederam, eu estava fazendo um corte transverso próximo da base do coração, quando a faca se deparou com alguma coisa dura, como se fossem pequenas pedras. Lembro que olhei para o velho teto, pensando que algo tivesse caído de lá. Examinando melhor, a verdadeira causa apareceu: as coronárias tinham-se transformado em canais ósseos.
[Primeira descrição científica de uma placa de aterosclerose coronariana, feita em 1985, por Edward Jenner, o descobridor da vacina contra a varíola.]

A formação de placas no interior das coronárias é a causa de morte mais freqüente depois dos 45 anos nas sociedades industriais. Diversos fatores aumentam o risco da doença: idade, sexo, história familiar, diabetes, hipertensão, colesterol elevado, estresse e cigarro (ou charuto). Em 1970, foi demonstrado em pássaros que a infecção por um vírus do grupo herpes provocava o aparecimento de placas típicas de ateroma dentro das artérias.

Desde então, diversos estudos conduzidos no homem e em animais de laboratório levantaram suspeitas de que três microrganismos pudessem estar envolvidos no desenvolvimento da doença: citomegalovírus, *Helicobacter pylori* e *Chlamydia pneumonia*.

A infecção pelo citomegalovírus, com ou sem sintomas, é muito comum em seres humanos. O vírus pode alterar o metabolismo do colesterol e ativar fatores envolvidos na coagulação e na produção de proteínas que atuam no processo inflamatório crônico característico das placas de ateroma. Vários estudos sugerem uma relação entre infecção prévia pelo vírus e o aparecimento de novas placas nas artérias em pacientes submetidos à revascularização coronariana (ponte de safena). Como a maioria dos adultos é portadora de anticorpos contra o vírus, entretanto, a interpretação desses resultados é inconclusiva.

O *Helicobacter pylori* é uma bactéria parasita do trato gastrintestinal causadora de gastrites e úlceras. Provoca uma infecção crônica que libera proteínas capazes de disparar reações no revestimento interno dos vasos e levar à formação da placa. Desde 1994, foram publicados vinte estudos, dos quais pelo menos dez mostraram que a infecção por essa bactéria duplica o risco de doença coronariana. Os demais não encontraram relação significante. A bactéria nunca foi isolada no interior das placas de ateroma.

A *Chlamydia pneumoniae* é uma bactéria responsável por cerca de 10% das pneumonias adquiridas na comunidade. Depois dos trinta anos, 50% das pessoas têm anticorpos contra ela; depois dos setenta anos, esse número sobe para 80%. Desde que um estudo finlandês publicado na metade dos anos 1980 demonstrou que homens com doença coronariana crônica apresentavam concentrações mais altas de anticorpos contra o germe, diversos trabalhos procuraram comprovar a ligação entre os dois eventos. Pelo menos dezoito estudos confirmaram a existência da relação. Além disso, em diversas oportunidades a bactéria foi isolada de placas no interior de artérias obstruídas (o que não comprova definitivamente seu papel na gênese da placa).

Sandeep Gupta e colaboradores publicaram estudo conduzido entre 220 homens recém-infartados dos quais alguns foram medicados com um antibiótico (azitromicina) ativo contra *Chlamydia*.[62] Houve diminuição importante de complicações cardiológicas no grupo tratado. Outro trabalho similar, porém, com uso do antibiótico por período mais prolongado (três meses), não conseguiu obter os mesmos resultados. No momento, há dois estudos de larga escala (WIZARD e ACES) procurando estabelecer a relação entre o uso de azitromicina e o aparecimento de complicações cardiovasculares em 7 500 pessoas portadoras de doença coronariana.

A aterosclerose é uma doença inflamatória crônica que evolui com formação de placas no interior das artérias. Há evidências cada vez mais claras de que um agente infeccioso possa desempenhar papel importante na gênese dessas placas que obstruem as artérias. Embora germes como a *Chlamydia* tenham sido isolados nas placas, isso não prova a relação de causa e efeito. Teoricamente, o microrganismo pode ser um simples parasita da placa formada sob influência de fatores que nada têm a ver com ele. Considerado o grande número de participantes, os resultados dos estudos WIZARD e ACES são aguardados com ansiedade pela comunidade científica. Por meio deles, talvez a relação infecção-inflamação-aterosclerose seja claramente estabelecida. Então, quem sabe preveniremos infartos e derrames cerebrais com antibióticos.

Dengue

A dengue é causada por um arbovírus da família *Flaviridae*, transmitido de uma pessoa à outra via um hospedeiro intermediário, o *Aedes aegypti*, mosquito peridoméstico que vive cerca de trinta dias e se multiplica em depósitos de água parada, acumulada nos quintais e dentro das casas. Apesar da vida curta, ele é voraz: pode atacar uma pessoa a cada vinte ou trinta minutos.

Quando o mosquito pica alguém infectado, o vírus se instala e se multiplica em suas glândulas salivares e no intestino. Daí em diante, o inseto permanece infectado pelo resto da vida.

A transmissão vertical, isto é, do mosquito-mãe para os filhos, também foi documentada.

Existem quatro tipos diferentes de vírus da dengue: sorotipos 1, 2, 3 e 4.

Sua estratégia de sobrevivência nos períodos entre uma epidemia e outra é mal conhecida. Na Malásia e nos países do oeste da África foram encontrados macacos infectados que eram verdadeiros reservatórios naturais da doença. Os ovos do mosquito podem sobreviver um ano em ambiente seco enquanto esperam a estação seguinte de chuvas para formar novas larvas.

A grande maioria das infecções é assintomática. Calcula-se que em cada dez pessoas infectadas apenas uma ou duas fiquem doentes. Portanto, na hipótese de uma epidemia com 10 mil casos de dengue diagnosticados, existirão cerca de 100 mil infectados que poderão transmitir o vírus para os mosquitos que os picarem.

Quando surgem, os sintomas costumam evoluir em obediência a três formas clínicas: *dengue clássica*, forma benigna, similar à gripe; *dengue hemorrágica*, mais grave, caracterizada por alterações da coagulação sanguínea; e a chamada *síndrome do cho-*

que associado à dengue, forma raríssima, mas que pode levar à morte se não houver atendimento especializado.

O período de incubação (da picada ao aparecimento dos sintomas) geralmente dura de dois a sete dias, mas pode chegar a quinze. A intensidade dos sintomas geralmente é mais leve nas crianças do que nos adultos. A doença é de instalação abrupta, indistinguível dos quadros gripais: febre intermitente de intensidade variável (que pode chegar a 39° C e provocar calafrios), cefaléia, dores na região atrás dos olhos, nas costas, pernas e articulações. Muitos pacientes se queixam de dor ao movimentar os olhos, cansaço extremo e fraqueza muscular generalizada. Insônia, náuseas, perda de apetite, perversão do paladar e da sensibilidade da pele são freqüentes. Faringite e inflamação da mucosa nasal ocorrem em 25% dos casos.

Eritema pode surgir no primeiro ou segundo dia: a vermelhidão se instala no tronco e se espalha para os membros, poupando palmas das mãos e planta dos pés. Bradicardia (diminuição da freqüência dos batimentos do coração) é encontrada em 30% a 90% dos casos.

A doença costuma ser bifásica: dois ou três dias depois de surgirem, os sintomas regridem e a febre cai. Outros dois ou três dias se passam e a sintomatologia retorna, geralmente menos intensa. O eritema fica mais nítido e surgemínguas no pescoço, fossa supraclavicular e regiões inguinais. Em poucos dias, o eritema regride e a pele eventualmente chega a descamar.

A apresentação bifásica pode não ser nítida, nem é obrigatória. As duas fases, juntas, duram tipicamente de cinco a sete dias, mas a doença pode deixar um rastro de fadiga e depressão que permanece por diversas semanas.

Na forma hemorrágica, os sintomas são semelhantes, mas a doença é bem mais grave por causa das alterações da coagulação sanguínea. Pequenos vasos podem sangrar na pele e nos órgãos internos, dando origem a hemorragias nasais, gengivais, urinárias, gastrintestinais ou uterinas. Como o leito dos capilares se dilata, a pressão arterial pode baixar e provocar tontura, queda, choque e, em raríssimos casos, levar à morte.

A fisiopatologia da dengue hemorrágica é mal conhecida. Uma das teorias parte do princípio de que ela esteja associada à infecção por cepas (linhagens) mais agressivas do vírus. A segunda pressupõe que já tenha havido uma primeira infecção inaparente pelo vírus, seguida de outra que provocaria reações imunológicas anômalas capazes de interferir com elementos essenciais do mecanismo de coagulação.

O diagnóstico de certeza da dengue é laboratorial. Pode ser obtido por isolamento direto do vírus no sangue nos três a cinco dias iniciais da doença (fase de viremia), ou por exames de sangue para detectar anticorpos contra o vírus (testes sorológicos). Não existem medicamentos antivirais para combater a doença; o tratamento é apenas sintomático. Tomar muito líquido, para evitar desidratação, e utilizar antipiréticos e analgésicos, para aliviar os sintomas, são as medidas de rotina. Por interferir na coagulação, *medicamentos que contenham ácido acetilsalicílico (AAS, Aspirina, Buferin, Melhoral, Doril etc.) estão formalmente contra-indicados*. Medicamentos à base de dipirona constituem boa opção para baixar a temperatura.

A dengue é doença de curso benigno, mas nos casos da forma hemorrágica é fundamental procurar assistência médica.

É muito importante conscientizar as pessoas de que combater o mosquito da dengue — além de responsabilidade dos órgãos governamentais que deveriam se encarregar do saneamento básico, abastecimento de água e de campanhas educativas permanentes — requer empenho de toda a sociedade, uma vez que o *Aedes aegypti* pode encontrar, em cada moradia e arredores, ambiente propício para sua proliferação.

Algumas medidas elementares podem ser tomadas individual e coletivamente para auxiliar na erradicação do *Aedes aegypti*:

- *Vasos de flores ou plantas*: O suporte que fica sob o vaso para recolher a água excedente deve ser mantido seco. Uma boa medida é enchê-lo com areia até a borda. A água dos vasos com flores deve ser trocada a cada dois ou três dias.
- *Pneus velhos*: Devem ser furados para eliminar a água que eventualmente se acumula, ou guardados em lugar coberto.
- *Caixas-d'água*: Devem ser lavadas periodicamente e tampadas durante todo o tempo.
- *Piscinas*: O cloro da água das piscinas deve estar sempre no nível adequado.
- *Garrafas vazias*: Devem ser guardadas de cabeça para baixo, em lugares cobertos, e as tampas jogadas fora em sacos de lixo.
- *Recipientes descartáveis* (copos, pratos, travessas etc.): Devem ser colocados em sacos de lixo para recolhimento pelos lixeiros.
- *Lixo*: Nunca deve ser jogado em terrenos baldios, nas ruas ou calçadas. Além disso, as latas de lixo devem estar sempre tampadas e limpas.
- *Bebedouros de animais*: Precisam ser lavados, e a água trocada sistematicamente.
- *Depósitos de água*: Quaisquer que sejam os tipos e a finalidade a que se destinam, se não for possível prescindir deles, devem ser mantidos limpos e tampados com segurança.
- *Bromélias*: Algumas plantas armazenam água entre suas folhas e podem tornar-se eventuais criadouros dos mosquitos. Entre elas, destacam-se as bromélias, cujo cultivo é comum nos jardins e residências. Eliminá-las não resolveria o problema da dengue e poderia afetar o equilíbrio ecológico. Como

é quase impossível retirar totalmente o grande volume de água que se embrenha pelas folhas, a solução é diluir uma colher de sopa de água sanitária em um litro de água limpa e regá-las duas vezes por semana. Esse mesmo preparado pode servir para inibir a formação de criadouros nos vasos de flores ou plantas com água.

Há quem afirme que a borra de café ou o fumo diluído em água também seriam úteis para controlar o surgimento de criadouros nos pratinhos sob os vasos ou na água retida pelas plantas. Em relação à borra de café, essa eficácia não foi comprovada pelos testes realizados no Laboratório de Pesquisas de *Aedes aegypti* do Serviço Regional de Marília, da Sucen.

O aumento de casos de dengue trouxe algumas alterações nos hábitos das pessoas, que passaram a consumir mais repelentes de insetos e inseticidas. No entanto, seu uso exige cuidado, porque podem causar intoxicações e alergias, especialmente em crianças pequenas. Nunca se deve aplicá-los em bebês ou crianças com menos de quatro anos de idade.

É importante considerar, ainda, que vários tipos de inseticida apenas afugentam os mosquitos de dentro dos domicílios e são ineficazes em relação aos focos que estão nas redondezas. O mesmo acontece com os produtos naturais à base de citronela e andiroba. Portanto, os cuidados com os locais que eventualmente possam transformar-se em criadouros não podem restringir-se aos períodos de chuva e calor, época de maior incidência da dengue, nem à aplicação ocasional de inseticidas e repelentes.

A gripe dos frangos

Minha avó contava que na gripe espanhola de 1918 morria tanta gente em São Paulo que os corpos eram colocados nas portas das casas, ao clarear o dia, para que as carroças-funerárias os recolhessem.

A cepa do vírus da gripe espanhola foi especialmente virulenta. Se é que podemos confiar nas estatísticas daquele tempo, houve de 40 a 50 milhões de mortes. Entre elas, a de uma mulher do Alasca desenterrada recentemente do gelo, de cujo corpo foi possível recuperar o vírus, decifrar-lhe a seqüência genética completa e compará-la com as dos vírus responsáveis pelas epidemias da gripe asiática (1957) e da gripe de Hong Kong (1968), causadoras de cerca de 1 milhão de óbitos cada uma.

O estudo revelou que, nas gripes asiática e de Hong Kong, o vírus se tornou mais agressivo após sofrer mutações nas quais incorporou de dois a três genes "extras", adquiridos de cepas que infectam aves; fenômeno que pode ter ocorrido quando uma cepa de vírus da gripe humana infectou aves gripadas ou vice-versa.

Ao contrário, o vírus da gripe espanhola era de origem inteiramente aviária. No organismo das aves é que sofreu, por conta própria, as mutações necessárias para ludibriar o sistema imunológico humano e provocar a epidemia mundial (pandemia).

A partir dos anos 1990, pelo menos três subtipos de vírus da gripe aviária (H5, H7 e H9) emergiram como agentes responsáveis por grande número de mortes nas criações de frangos. Uma das cepas, H5N1, que emergiu na Coréia do Sul em 2003, foi particularmente devastadora para os criadores, obrigando-os a sacrificar pelo menos 150 milhões de aves no sudeste asiático. Apesar do esforço, no entanto, a doença é hoje endêmica no Vietnã, Camboja, Tailândia, Indonésia, China e Laos.

Ficou evidente que a cepa H5N1 não infecta apenas frangos confinados aos milhares nos criadouros: leopardos, tigres, porcos, patos, aves migratórias e homens podem contraí-la. Dados oficiais estimam que, até agora, poucos seres humanos teriam adquirido o H5N1 por contato direto com aves, sugerindo que o vírus ainda não tenha adquirido as características necessárias para disseminar-se entre seres humanos.

O que assusta, no entanto, não é o número de pessoas infectadas, mas a taxa de letalidade: mais de 50% dos doentes morreram. O espectro da gripe espanhola voltou a pairar sobre o mundo. Como lidar com ele?

A medida de maior eficácia é conter o surto entre as aves domésticas. Enquanto o vírus for endêmico em certos países, haverá risco de surgir mutações que facilitem o contágio entre seres humanos. Uma epidemia aviária do mesmo H5N1, iniciada em 1997 em Hong Kong, foi abortada com o sacrifício de 1,5 milhão de frangos.

Se o vírus adquirir a capacidade de se transmitir de uma pessoa para outra, a melhor forma de enfrentar a epidemia será desenvolver uma vacina específica contra ele. Os técnicos estimam que a partir do momento em que surgirem os primeiros casos serão necessários de quatro a seis meses para a produção dessa vacina em escala industrial — tempo exagerado para uma epidemia de gripe —, mesmo assim, em quantidades insuficientes para vacinar o mundo todo.

A alternativa, então, seria usar drogas antivirais que previnam a infecção ou reduzam a duração dos sintomas e a gravidade do quadro clínico. Existem dois medicamentos com essa propriedade (ozeltamivir e zanamivir), mas nenhum deles foi testado contra o H5N1 na espécie humana — seus custos são altos e há dificuldades de produção.

Nos últimos meses, os preparativos dos governos de diversos países para enfrentar a chegada da epidemia/pandemia têm ocupado espaço nos noticiários. Para alguns epidemiologistas, a probabilidade de surgir uma nova epidemia é de 100%; mera questão de tempo, segundo insistem.

É evidente que ninguém pode ser contrário às providências adotadas para proteger a população de uma eventual epidemia. Todas as medidas preventivas devem ser tomadas com urgência, porque se ela vier será impossível contê-la, e acometerá milhões de pessoas em poucas semanas.

Mas assegurar que teremos uma reedição da gripe espanhola é outra história, e por vários motivos.

- Ainda não foi documentado nenhum surto de transmissão inter-humana do H5N1. Enquanto milhões de aves caíram doentes, raros seres humanos foram infectados. Dado o número de pessoas que lidam com criação e abate de frangos nos países-alvo da epidemia aviária, podemos concluir que a capacidade de transmissão do vírus das aves para o homem é limitada.
- Mais de 50% dos que adquiriram o vírus faleceram. Taxas altas de letalidade dificultam a disseminação de epidemias porque pessoas mortas não viajam.
- Vale a pena lembrar que embora tenha feito milhões de vítimas, a taxa de mortalidade da gripe espanhola foi ao redor de 2,5%, e que a maioria dos óbitos ocorreu por complicações bacterianas facilmente curáveis pelos antibióticos atuais.

Se tiver a pretensão de criar uma pandemia, o H5N1 será obrigado a abrir mão de tanta agressividade e a adquirir uma capacidade nova: transmitir-se de uma pessoa para outra sem intermediários. Não há como prever quando, onde, como, nem mesmo se um dia isso chegará a acontecer, a menos que enxerguemos a mão divina a orientar as mutações do vírus com a intenção de castigar os homens de pouca fé.

A evolução das espécies pela seleção natural, conforme nos ensinaram Alfred Russel Wallace e Charles Darwin, é, antes de tudo, um processo aleatório e imprevisível. Afirmar que a epidemia com certeza virá tem o mesmo rigor científico do que fazer a afirmação oposta.

Prevenção de cálculo renal

A eliminação de cálculos pelas vias urinárias provoca uma das dores mais fortes que o corpo humano pode suportar. Embora em alguns casos elas fiquem limitadas a uma sensação desagradável de pressão que se irradia da região lombar para as partes inferiores do abdome, muitos chegam a vomitar e a rolar no chão de tanta dor.

O quadro ocorre com freqüência: cerca de 10% das pessoas terão uma ou mais crises em suas vidas. Quem já teve e eliminou uma pedra, tem 50% de possibilidade de apresentar novo episódio nos cinco a sete anos seguintes. Os cálculos eliminados pelas vias urinárias podem ser microscópicos ou tão grandes que precisam ser retirados cirurgicamente. Os livros de medicina costumam trazer fotos de pedras com cores e formas variadas, que chegam a atingir o tamanho de um caroço de abacate.

Mais de duzentos componentes foram descritos em cálculos renais, mas a maioria deles é constituída por oxalato de cálcio. A maior parte dos portadores da doença apresenta absorção exagerada de cálcio pelo intestino e, como conseqüência, excreção urinária mais elevada.

Populares no passado, as cirurgias para a retirada de cálculos são hoje pouco indicadas. Aparelhos endoscópicos podem alcançar pedras localizadas mesmo nas partes mais altas do trato urinário, e retirá-las ou destruí-las com laser. A litotripsia, método não invasivo que permite fragmentar cálculos por meio do ultrasom, reduziu ainda mais as indicações cirúrgicas.

A prevenção é crucial no caso dos cálculos renais, porque em sua formação eles precisam de tempo para acumular-se num local propício do trato urinário. Para evitar esse acúmulo, recomendam-se medidas que aumentem o fluxo urinário: tomar muito líquido, evitar infecções e esvaziar a bexiga antes de senti-la cheia.

Uma vez que a formação de cálculos está relacionada com a absorção de cálcio, a modificação de hábitos alimentares é um procedimento importante na prevenção. Uma dieta pobre em cálcio pode parecer lógica, mas como esse elemento é fundamental para a formação do esqueleto, a sua carência está associada à diminuição da densidade óssea e à osteoporose.

Estudos sugerem que dietas com conteúdo normal de cálcio, mas pobres em proteína animal e em sal, podem ser úteis na prevenção de cálculos. Até hoje, no entanto, não havia sido publicado um único ensaio que as comparasse com as dietas pobres em cálcio.

Esse estudo acaba de ser realizado por um grupo da Universidade de Parma, na Itália. Nele foram selecionados 120 homens com história de mais de um episódio de eliminação de cálculos de oxalato de cálcio e que apresentavam aumento da excreção urinária de cálcio (hipercalciúria).

Metade deles foi colocada numa dieta com conteúdo normal ou até mais elevado de cálcio e pobre em proteína animal (carne vermelha, frango, peixe e ovos). A outra metade foi aconselhada a evitar leite, iogurte e queijos para reduzir drasticamente a quantidade de cálcio ingerida.

Ambos os grupos receberam a recomendação de ingerir dois litros de água por dia no inverno e três litros no verão. Foi permitida a ingestão de vinho, cerveja, café e refrigerantes em quantidades moderadas. Os grupos foram acompanhados durante cinco anos.

Dos sessenta homens que receberam dietas pobres em proteína e sal, mas ricas em cálcio, doze apresentaram novos episódios de calculose. Dos outros sessenta, que ingeriram dieta pobre em cálcio (e com conteúdo normal de proteína e sal), 23 tiveram recidiva do quadro — quase o dobro de risco.

Os níveis urinários de cálcio nas duas dietas caíram significativamente, mas a excreção de oxalato de cálcio na urina (o principal componente dos cálculos) aumentou no grupo que ingeriu pouco cálcio e foi reduzida no grupo mantido com dieta de conteúdo normal de cálcio e pobre em proteína e sal.

Essa diferença pode ser explicada pelo aumento da absorção intestinal de oxalato de cálcio provocada pelos baixos níveis de cálcio ingerido. Já nas dietas com conteúdo normal de cálcio, esse elemento está mais disponível para formar complexos com oxalato na luz intestinal, dificultando sua absorção.

Discutindo esse estudo em editorial publicado na revista *The New England Journal of Medicine*, David Bushinsky, da Universidade de Rochester, escreve: "Hoje podemos afirmar que uma dieta contendo quantidades adequadas de cálcio (1200 mg por dia) em conjunto com a diminuição da quantidade de proteína animal e de sal é superior às dietas pobres em cálcio na prevenção da formação de cálculos de oxalato de cálcio".

E enfatiza: "Os médicos não devem mais prescrever dietas pobres em cálcio para prevenir recorrências de calculose".

O segundo cérebro

Reduzido à essência, o aparelho digestivo é um tubo no qual órgãos, como fígado, pâncreas e glândulas salivares, despejam secreções para ajudar a digestão e absorção dos nutrientes necessários para a manutenção das funções vitais.

Como é indispensável que os alimentos engolidos progridam no interior do sistema, a seleção natural elegeu mecanismos de alta complexidade para assegurar movimentos de contração e relaxamento da musculatura das paredes do tubo digestivo, que conduzam o bolo alimentar até o meio externo. A eles damos o nome de ondas peristálticas.

Uma extensa circuitaria de neurônios disposta ao longo do tubo, conectada ao cérebro e à medula espinhal, controla o ritmo das ondas peristálticas. Hormônios e mais de trinta substâncias conhecidas como neurotransmissores ajudam a modular os impulsos nervosos que trafegam de um neurônio para outro, com a finalidade de fazer o ajuste fino dos movimentos de contração e relaxamento, que dão origem — e mantêm — as ondas.

Esses mecanismos são tão eficazes que o aparelho digestivo pode realizar suas tarefas independentemente do sistema nervoso central. Nos traumatismos cranianos que interrompem as conexões nervosas do cérebro com o resto do corpo, todos os movimentos desaparecem, mas o aparelho digestivo continua a funcionar por conta própria, como se fosse dotado de um cérebro próprio.

A CONEXÃO SEROTONINA

A coordenação precisa entre os sinais enviados pelos neurotransmissores e os impulsos nervosos que caminham de um neurônio para outro garantem funcionamento harmonioso, rítmico, do aparelho digestivo.

Quando os alimentos caem no estômago, ocorre liberação de hormônios e neurotransmissores, que provocam o ato reflexo conhecido como reflexo gastrocólico, verdadeira ordem para que as alças intestinais se movimentem.

Um dos neurotransmissores mais atuantes na transmissão de mensagens entre os neurônios do aparelho digestivo é a serotonina. Fatores que alteram a produção de serotonina, ou modificam as características dos receptores aos quais ela se liga, podem desorganizar os movimentos intestinais e causar constipação (prisão de ventre), diarréia, dispepsia e a síndrome do intestino irritável.

CONSTIPAÇÃO

Constipação é o termo científico correspondente à prisão de ventre, condição caracterizada pela diminuição da freqüência e/ou do volume das evacuações, e também por desconforto ao evacuar e por fezes endurecidas.

Estudos mostram que 10% a 20% dos adultos se queixam de constipação. A incidência nas mulheres parece ser duas vezes maior.

Há dois tipos de constipação crônica. O primeiro é caracterizado por lentidão do trânsito intestinal. No segundo, a freqüência das evacuações pode ser normal ou mesmo aumentada, mas o volume está reduzido e há dificuldade na eliminação das fezes. Nos dois casos, há sensação de esvaziamento incompleto do conteúdo intestinal.

Existe uma tendência entre os gastroenterologistas de considerar a constipação crônica como parte da chamada síndrome do intestino irritável.

A SÍNDROME DO INTESTINO IRRITÁVEL (SIR)

Antigamente chamada de "colite nervosa", nessa síndrome não encontramos alterações patológicas no intestino. A SIR é causada por alterações no mecanismo de sinalização mediado pela serotonina (e por outros neurotransmissores) e por seus receptores, que desorganizam as ondas peristálticas, modificando assim os hábitos intestinais.

Classicamente, a SIR costuma ser subdividida em três grupos:

- SIR com predomínio de constipação;
- SIR com predomínio de diarréia;
- forma em que constipação e diarréia se alternam.

Atualmente, a utilidade dessa classificação tem sido questionada, já que a separação entre os grupos não é clara, e são freqüentes os casos que se instalam com prisão de ventre e evoluem com diarréia ou com alternância de diarréia e constipação.

Como não existem achados anatômicos responsáveis pelo aparecimento da SIR, o diagnóstico é feito clinicamente, depois que o médico ouviu as queixas, interpretou os sintomas, pediu exames e excluiu a possibilidade de patologias mais graves.

É importante lembrar que sintomas como diarréia e constipação podem ocorrer no câncer de cólon e em doenças inflamatórias intestinais como a retocolite ulcerativa e a doença de Crohn, patologias que exigem a realização de colonoscopia, exame que permite ao médico visualizar o revestimento interno do intestino grosso.

Vários critérios foram estabelecidos para ajudar os médicos a padronizar o diagnóstico. Para exemplificar, vamos citar os critérios Manning, estabelecidos em 1978, e os Rome II, publicados em 1999. Segundo Manning, os sintomas seriam: dor abdominal aliviada ao evacuar; fezes amolecidas; evacuações mais freqüentes quando as dores se instalam; distensão abdominal; presença de muco nas fezes; e sensação de que a evacuação foi incompleta

De acordo com Rome II, pacientes de SIR sentiriam, eu pelo menos doze semanas — que não precisam ser consecutivas —, nos últimos doze meses, desconforto abdominal ou dores que tenham no mínimo duas das seguintes características: sensação de alívio ao evacuar; instalação associada com mudança na freqüência das evacuações; instalação associada à mudança no formato das fezes.

Vários autores, no entanto, sugerem que os médicos adotem uma definição mais abrangente: "desconforto abdominal associado a alterações dos hábitos intestinais".

Prisão de ventre, flatulência, desconforto abdominal, dor, diarréia, urgência para ir ao banheiro e dificuldade para evacuar, sintomas característicos da enfermidade, podem interferir na qualidade de vida de seus portadores e exigir tratamento. Muitas vezes os pacientes só procuram ajuda depois de tentativas infrutíferas de resolver o problema por meio do uso crônico de laxantes, lavagens e de tratamentos caseiros inadequados.

São aconselháveis, em todos os casos: hidratação adequada, atividade física, alimentação em intervalos regulares e uso do banheiro num mesmo horário, para estabelecer um ritmo diário.

Deve-se evitar comidas picantes, muito salgadas, com excesso de condimentos ou conservantes, doces concentrados e alimentos que provocam gases (feijão, grão-de-bico, repolho etc.). Em certos casos é preciso cuidado com o leite (60% a 70% da população com mais de sessenta anos apresenta algum nível de intolerância à lactose).

As fibras devem ser selecionadas de acordo com a presença de diarréia ou constipação. As fibras solúveis, como as encontradas em polpas de frutas e alguns cereais, ajudam na formação e compactação do bolo fecal. As insolúveis, presentes na casca das frutas, em alguns cereais e em todas as verduras, não têm o poder de compactar do bolo, e funcionam como laxantes.

Embora sempre úteis, essas medidas costumam ser insuficientes para controlar os sintomas: a maioria dos pacientes necessita de medicamentos. Os mais utilizados são:

- Antiespasmódicos: embora úteis para aliviar sintomas, as reações indesejáveis limitam seu uso. Devem ser empregados com cuidado nos casos de constipação.
- Agentes que aumentam o bolo fecal: os estudos mostram que os portadores da SIR nem sempre se beneficiam da adição de fibras a suas dietas. Em alguns casos, elas podem piorar a flatulência. Embora sua utilidade não tenha sido demonstrada na SIR, as fibras estão indicadas no tratamento da constipação.
- Agentes antidiarréicos: os estudos mostram que medicamentos como a loperamida são eficazes contra a diarréia, mas não melhoram os sintomas nem as dores abdominais da SIR. Não devem ser usados se houver constipação.
- Antidepressivos tricíclicos: como os portadores de SIR sentem mais dor do que o normal quando o intestino se distende, e como esse grupo de drogas interfere com a transmissão do estímulo doloroso, alguns trabalhos procuraram avaliar sua eficácia. Os resultados não foram suficientemente significativos para recomendar seu emprego na síndrome, mas há evidências de que possam melhorar as dores. São contra-indicados em quadros de constipação, pois podem agravá-los.
- Antagonistas do receptor 5HT3 da serotonina: usados para

inibir as náuseas provocadas pela quimioterapia do câncer, esses agentes diminuem a sensação de desconforto causada pela distensão do cólon e retardam o trânsito intestinal. São indicados apenas nos casos de diarréia.
- Agonistas do receptor 5HT4 da serotonina: o único medicamento aprovado para uso desse grupo é o tegaserod. Esse agente estimula o reflexo peristáltico, acelera o trânsito intestinal, reduz as descargas elétricas dos neurônios que conduzem estímulos nervosos para o reto e reduz a sensibilidade abdominal. Seu uso durante doze semanas, seguido de reavaliação clínica e administração por períodos mais longos se houver resposta favorável, é considerado tratamento adequado não apenas nos casos de SIR com constipação, mas também na constipação crônica.

Não vai longe o tempo em que a síndrome do intestino irritável era interpretada como simples distúrbio alimentar, provocado em pessoas nervosas pelo estresse. Hoje sabemos que se trata de uma doença crônica, causada por alterações de hormônios e neurotransmissores que modulam os movimentos peristálticos. Seu tratamento exige cuidados dietéticos, orientação médica e medicamentos de uso prolongado para controlar os sintomas e melhorar a qualidade de vida.

Síndrome da fadiga crônica

"Ando muito cansado, doutor. De manhã, para levantar da cama é o maior sacrifício. Mal chego no trabalho, já quero voltar para casa."

Cansaço é uma das cinco queixas mais freqüentes dos que procuram os clínicos gerais. Nessas ocasiões, cabe ao médico encontrar uma causa que justifique a falta de disposição. As mais comuns costumam ser:

- Doenças cardiovasculares (insuficiência cardíaca, arritmias etc.).
- Doenças auto-imunes (lúpus, polimiosite etc.).
- Doenças pulmonares (enfisema, quadros infecciosos etc.).
- Doenças endócrinas (hipotireoidismo, diabetes etc.).
- Doenças musculares e neurológicas.
- Apnéia do sono e narcolepsia.
- Abuso de álcool e outras drogas.
- Obesidade.
- Depressão e outros distúrbios psiquiátricos.
- Infecções.
- Tumores malignos.

A experiência mostra que contingente expressivo de pessoas que se queixam de cansaço não se enquadra em nenhum desses diagnósticos. A tendência dos médicos nesses casos é atribuir a queixa às atribulações da vida moderna: noites mal dormidas, alimentação inadequada, falta de atividade física, problemas psicológicos, estresse ou mera falta de vontade de trabalhar.

Alguns desses pacientes, no entanto, sentem-se muito mal, excessivamente cansados, incapazes de se concentrar no trabalho e de executar as tarefas diárias. Inconformados, fazem via-sacra pelos consultórios em busca de um médico que leve a sério seus problemas, ofereça-lhes uma esperança de melhora ou, pelo menos, uma explicação para o mal que os aflige: são os portadores da síndrome da fadiga crônica.

A condição é diagnosticada mais freqüentemente em mulheres do que em homens. Na maioria das vezes, ela se instala insidiosamente depois de um episódio de resfriado, gripe, sinusite ou outro processo infeccioso. Por razões desconhecidas, entretanto, a infecção vai embora, mas deixa em seu rastro sintomas de indisposição, fadiga e fraqueza muscular que melhoram, mas retornam periodicamente, em ciclos, durante meses ou mesmo anos.

Como diferenciar esse estado de fadiga crônica daqueles associados às solicitações da vida urbana?

Não há exames de laboratório específicos para identificar a fadiga crônica. De acordo com o International Chronic Fatigue Syndrome Study Group [Grupo de Estudos Internacional da Síndrome da Fadiga Crônica], o critério para estabelecer o diagnóstico é o seguinte: considera-se portadora da síndrome toda pessoa com fadiga persistente, inexplicável por outras causas, que apresentar no mínimo quatro dos sintomas citados abaixo por um período de pelo menos seis meses:

- Dor de garganta.
- Gânglios inflamados e dolorosos.
- Dores musculares.
- Dor em múltiplas articulações, sem sinais inflamatórios (vermelhidão e inchaço).
- Cefaléia com características diferentes das crises anteriores.
- Comprometimento substancial da memória recente ou da concentração.

- Sono que não repousa.
- Fraqueza intensa que persiste por mais de 24 horas depois da atividade física.

Alguns estudos sugerem que predisposição genética, doenças infecciosas prévias, faixa etária, estresse e fatores ambientais tenham influência na história natural da síndrome. Condições como hipoglicemia, anemia, pressão arterial baixa ou viroses misteriosas também são lembradas, mas a verdade é que as causas da síndrome da fadiga crônica são desconhecidas.

A evolução da doença é imprevisível. Às vezes desaparece em pouco mais de seis meses, mas pode durar anos ou persistir pelo resto da vida.

A ignorância em relação às causas da síndrome explica a inexistência de tratamentos específicos para seus portadores. Os sintomas são passíveis de tratamentos paliativos. Antiinflamatórios são recomendados para as dores musculares ou articulares; drogas antidepressivas costumam melhorar a qualidade do sono.

Mudanças de estilo de vida podem ser úteis. Os especialistas recomendam uma dieta equilibrada, uso moderado de álcool, exercícios regulares de acordo com a disposição física, e a preservação do equilíbrio emocional para controlar o estresse.

Reabilitação fisioterápica e condicionamento físico são fundamentais para a manutenção da atividade física e profissional.

Como em todas as doenças mal conhecidas, proliferam os assim chamados tratamentos naturalistas, alguns dos quais apregoam resultados milagrosos para a fadiga crônica. Infelizmente, não há qualquer evidência científica de que eles modifiquem a evolução da doença.

GENES PARA A FADIGA CRÔNICA?

Portadores da síndrome da fadiga crônica sofrem de duas doenças: a que provoca cansaço e a resultante do descrédito alheio.

Com a finalidade de encontrar um rótulo para queixas de cansaço crônico sem causa aparente, apresentadas na maior parte das vezes por mulheres de meia idade, há vinte anos os Centers for Disease Control and Prevention (CDC) estabeleceram os seguintes critérios: "Queixas de fadiga intensa sem causa aparente com mais de seis meses de duração, acompanhadas de sintomas como dores musculares e deficiências de memória".

A falta de critérios mais específicos e de exames laboratoriais que pudessem caracterizar com mais precisão queixas tão subjetivas dividiu a classe médica entre os que defendiam a existência de um agente infeccioso causador da síndrome e os que a consideravam mero distúrbio psiquiátrico.

A alta freqüência de queixas de cansaço e falta de energia na vida moderna, e a visão preconceituosa do fato de serem principalmente mulheres de meia-idade as que se enquadravam nos critérios diagnósticos, fizeram com que parte significativa dos médicos nunca tenha levado a sério a existência de uma síndrome como essa.

Acrescente-se a tal descrédito outro fator: todas as tentativas para identificar um vírus, bactéria ou fungo que tivesse sua incidência aumentada nesses casos foram infrutíferas.

Como conseqüência, pacientes que sofrem de cansaço intenso sem justificativa clara, perambulam pelos consultórios médicos e geralmente enfrentam a incompreensão dos familiares.

Em abril deste ano o CDC fez um anúncio inesperado que alimentará ainda mais esse debate: "A síndrome da fadiga crônica tem uma base biológica e genética". A afirmação foi baseada num estudo conduzido pelo grupo de William Reeves do CDC, na cidade americana de Wichita, no estado de Kansas.

Nele, os pesquisadores consultaram por telefone 25% da população da cidade, à procura de portadores de fadiga persistente. Foram encontradas 172 pessoas, na maior parte mulheres de meia-idade, que se enquadravam nos critérios da doença.

Essas 172, e mais 55 outras utilizadas como grupo-controle, foram submetidas durante dois dias a uma bateria de exames clínicos e laboratoriais que incluíram estudos sobre a qualidade do sono, testes cognitivos, análises bioquímicas e de expressão de genes presentes em glóbulos sanguíneos.

Os dados obtidos foram extensivamente analisados com base em características como a presença de obesidade, distúrbios do sono, estresse, depressão, e de mutações em determinados genes.

Foram encontradas 43 mutações concentradas em onze genes envolvidos no chamado eixo hipotalâmico-hipofisário-adrenal, que controla a produção de hormônios como o cortisol, responsável pelas reações do organismo diante do estresse.

Outro achado foi a presença de um padrão inusitado de expressão de mais de vinte genes envolvidos no controle de funções imunológicas e da transmissão de sinais para o interior das células, essenciais para que elas executem adequadamente suas tarefas.

A reação da comunidade científica a esses resultados foi controversa. Para citar opiniões extremas, Anthony Komaroff, da Universidade Harvard, interpretou-os como sendo "sólida evidência do equívoco que é considerar a síndrome da fadiga crônica um conjunto de sintomas apresentados por mulheres histéricas de classe média alta". Ao contrário, a opinião de Jonathan Kerr, do Imperial College de Londres, é de que "os resultados não têm significado maior. Se fossem aplicadas outras técnicas, 30% a 40% dos genes apontados seriam excluídos".

A razão para a disparidade de interpretações é que doenças raras tradicionalmente colocam em dúvida os dados estatísticos obtidos. Mesmo num estudo que envolveu 1/4 da população de uma cidade de porte médio, a casuística se resumiu a 172 pessoas.

Tudo leva a crer que a comprovação da existência de bases biológicas para a síndrome da fadiga crônica, que possibilitará diagnósticos precisos e tratamentos específicos, ainda está para acontecer.

DPOC

A doença pulmonar obstrutiva crônica (DPOC) é na verdade um espectro de doenças que inclui bronquite crônica e enfisema. O cigarro é responsável pela imensa maioria dos casos.

Com o aumento progressivo da longevidade ocorrido na segunda metade do século XX e o enorme contingente de fumantes, a DPOC, rara no passado, passou a afetar grande número de indivíduos. Nos países industrializados e em certas regiões do Brasil, está entre as cinco enfermidades mais prevalentes.

A DPOC é uma doença insidiosa que se instala no decorrer de anos. Geralmente, começa com leve falta de ar associada a esforços como subir escadas, andar depressa ou praticar atividades esportivas. Como os sintomas iniciais são discretos, costumam ser atribuídos ao cansaço ou à falta de preparo físico. Com o passar do tempo, porém, a dispnéia se torna mais intensa e surge depois de esforços cada vez menores. Nas fases mais avançadas, a falta de ar está presente mesmo em repouso e agrava-se muito diante das atividades mais corriqueiras. Tomar banho em pé, por exemplo, fica impossível; andar até a sala, um esforço insuportável.

Diversos estudos demonstraram que o único tratamento médico capaz de aumentar a sobrevida dos portadores da doença é a oxigenioterapia. O doente que respira com dificuldade, por meio de um cateter nas narinas ligado ao tubo de oxigênio, é a imagem clássica da doença.

Nas fases iniciais, o comprometimento da função pulmonar pode ser assintomático. Embora a "tossinha" do fumante e a hipersecreção de muco possam fazer suspeitar da enfermidade, não constituem sintomas obrigatórios nem indicativos de maior extensão do dano respiratório. Por essa razão, para fazer o diagnóstico é fundamental avaliar a função ventilatória pela espirometria, um exame não-invasivo. Para realizá-lo, o paciente sopra o ar dos pulmões num aparelho que mede os parâmetros associados à capacidade pulmonar.

A espirometria é tão necessária para o diagnóstico e a avaliação da gravidade da DPOC quanto medir a pressão arterial é fundamental para os hipertensos. A maioria dos pneumologistas recomenda que todos os fumantes sejam submetidos anualmente a esse teste a partir dos 45 anos de idade. Aqueles que apresentarem declínio da função pulmonar estão em rota de colisão com o aparecimento da dispnéia aos mínimos esforços e da dependência de oxigênio. Muitos especialistas, no entanto, recomendam que toda pessoa que fuma há mais de dez anos já se submeta ao exame, para que o diagnóstico seja feito nas fases iniciais, quando o dano aos tecidos ainda não se tornou irreversível.

Parar de fumar é decisivo para o futuro dos que apresentam declínio progressivo das provas de função respiratória. Quando isso acontece em pacientes com pequeno grau de obstrução das vias aéreas causada pela fumaça do cigarro, a interrupção é associada à melhora imediata da função pulmonar. Ao contrário, nos que continuam a fumar, uma vez alteradas, as provas funcionais sofrem declínio rápido e progressivo.

Chicletes, adesivos de nicotina e drogas antidepressivas como a bupropiona, associados a terapêuticas comportamentais, são de grande utilidade para tratamento da dependência de nicotina nos portadores de DPOC. Pelo fato de não serem inalados, chicletes e adesivos de nicotina colaboram para diminuir o grau de obstrução das vias aéreas, mesmo naqueles que não conseguem parar de fumar mas que reduzem substancialmente o número de cigarros por dia.

Todos os portadores de DPOC devem receber anualmente uma dose de vacina contra a gripe e outra contra o pneumococo, para evitar que a concomitância de processos infecciosos agrave o quadro respiratório.

Drogas broncodilatadoras e os anticolinérgicos estão indicados para aliviar os sintomas associados à produção e eliminação das secreções. O emprego de derivados da cortisona por via inalatória pode reduzir a freqüência de exacerbações dos sintomas respiratórios, mas seu uso prolongado está associado a efeitos indesejáveis.

Técnicas fisioterápicas de reabilitação respiratória aumentam a resistência aos esforços e melhoram a qualidade de vida, mas aparentemente não prolongam a sobrevida.

A dependência do balão de oxigênio e a incapacidade de andar sem ajuda costumam exigir das famílias dos portadores de DPOC sacrifícios pesados, especialmente nas classes em que o orçamento doméstico é limitado. Por uma questão de responsabilidade, todo fumante deve levar em conta que a dependência de nicotina pode torná-lo dependente dos outros para as tarefas mais insignificantes.

Sintomas nasais crônicos

Sintomas nasais crônicos geralmente surgem como conseqüência de processos inflamatórios. O termo rinite foi criado para abranger as doenças inflamatórias da mucosa nasal caracterizadas por descarga líquida acompanhada de congestão nasal, espirros e drenagem de secreções pela parte posterior das cavidades nasais, na direção da faringe (drenagem pós-nasal ou gotejamento pós-nasal).

As rinites são a expressão de mecanismos reativos da mucosa a insultos provocados por processos alérgicos, infecciosos, obstruções anatômicas ou como conseqüência de gravidez, estresse emocional, mudanças bruscas de temperatura, exercícios físicos ou uso de certos medicamentos.

Rinite alérgica costuma provocar corrimento nasal cristalino, acompanhado de espirros em salva, irritação ocular e sensação de prurido no palato e no nariz. Substâncias com cheiro forte, poluentes ambientais e irritantes como a fumaça do cigarro podem provocar respostas não-alérgicas semelhantes à das rinites alérgicas.

Secreção amarela ou esverdeada acompanhada de halitose, na presença ou não de dor de cabeça, é geralmente característica de sinusite aguda ou crônica.

A obstrução crônica de apenas uma das narinas, que não responde aos descongestionantes nasais de uso rotineiro, sugere obstrução anatômica por pólipos, desvio de septo, presença de tumores ou de corpos estranhos.

As rinites alérgicas são as causas mais comuns de sintomas nasais. Afetam cerca de 10% das crianças e de 20% a 30% dos adolescentes. Costumam ocorrer com mais freqüência em certos períodos do ano, mas podem ser perenes.

As rinites infecciosas são divididas em agudas ou crônicas. As agudas são fáceis de distinguir por sua natureza temporária. Os exemplos clássicos são as rinites associadas aos vírus da gripe e do resfriado comum. A rinossinusite crônica afeta mais de 10% da população e é considerada a mais freqüente de todas as doenças crônicas. É caracterizada por secreção nasal mucopurulenta, congestão, perda de olfato, dor de garganta, halitose (é uma das causas mais comuns de mau hálito) e tosse crônica que se acentua à noite, ao deitar, e se torna mais intensa ao levantar.

São chamadas de rinites vasomotoras as que se manifestam por congestão acompanhada de corrimento nasal aquoso, geralmente relacionada com mudanças de temperatura, variações climáticas ou ingestão de alimentos apimentados. Em cerca de um terço das mulheres grávidas ocorre uma forma de rinite vasomotora típica, associada ao aumento dos níveis de estrogênio, que se instala no final do primeiro trimestre e desaparece imediatamente depois do parto.

Vários medicamentos induzem quadros de congestão nasal acompanhados ou não de coriza: diversos anti-hipertensivos, aspirina, antiinflamatórios, contraceptivos orais e as três drogas disponíveis para tratamento da disfunção erétil. O uso de cocaína por via nasal está associado à rinite crônica, e pode levar à perfuração do septo entre as duas narinas.

A rinite atrófica é uma condição freqüentemente encontrada em pessoas de idade, caracterizada pela formação de crostas secas que se fixam com firmeza à mucosa nasal, obstruindo as cavidades, provocando congestão e halitose intensa. A causa é desconhecida.

A presença de pólipos e de tumores benignos ou malignos na mucosa nasal pode levar à obstrução, prejudicar a respiração e interferir com o olfato por reduzir a oxigenação da mucosa. Quando pólipos obstruem as passagens que drenam as secreções produzidas nos seios da face, pode surgir sinusite crônica.

Defeitos estruturais como desvio de septo, adenóides proeminentes e hipertrofia de certas áreas da mucosa nasal podem causar sintomas de rinite. Em crianças, dormir com a boca aberta ocorre em geral devido à hipertrofia das adenóides.

O tratamento das rinites implica afastar os alérgenos, substâncias irritantes, tratar as infecções e remover cirurgicamente os obstáculos à livre drenagem das secreções, quando presentes. Se os sintomas persistirem depois dessas medidas, alguns medicamentos podem ser empregados.

Os descongestionantes tópicos ou usados por via oral reduzem a congestão, mas precisam ser usados com cautela, porque em doses mais altas provocam hipertensão, irritabilidade, insônia e cefaléia.

Os anti-histamínicos de primeira ou de segunda geração são considerados classicamente as drogas de primeira linha. Certos agentes anticolinérgicos, que reduzem o corrimento independentemente da causa, podem ser úteis, mas não têm efeito sobre os demais sintomas nasais. Como os corticosteróides tópicos são mais potentes do que os anti-histamínicos, muitos especialistas consideram esse o tratamento de primeira linha. Os efeitos indesejáveis de sua aplicação são irritação, secura nasal, ardência e sangramento nasal, entre outros.

Dor crônica

Cerca de um terço da população apresentará algum tipo de dor crônica durante a vida. À medida que vivemos mais, cresce o número de pessoas com dores na coluna, nas articulações, doenças reumáticas, câncer, degenerações ou inflamações nos órgãos internos e outros problemas que podem provocar dores crônicas.

Dor é uma sensação que surge quando há ameaça de dano aos tecidos. Senti-la é fundamental para manter a integridade do organismo; doenças que alteram a sensibilidade estão associadas ao aparecimento de traumatismos e ferimentos imperceptíveis. É o caso das ulcerações que costumam surgir nos pés dos diabéticos portadores de neuropatias nos membros inferiores, por exemplo.

Quando um tecido é traumatizado ocorre liberação local de substâncias químicas, imediatamente detectadas pelas terminações nervosas. Estas disparam um impulso elétrico que corre até a parte posterior da medula espinhal. Nessa região, um grupo especial de neurônios se encarrega de transmiti-lo para o córtex cerebral, área responsável pela cognição. Aí o impulso será percebido, localizado e interpretado.

Para se ter uma idéia da velocidade de transmissão do impulso elétrico, é só pensar no tempo decorrido entre encostarmos a mão num objeto quente e nos afastarmos dele.

Esse circuito complexo de fibras nervosas que conduzem o impulso está associado à liberação de mediadores químicos, responsáveis pela sintonia fina do mecanismo da dor. De um lado, o organismo precisa da dor para defender-se, mas o processo não pode ser perpetuado.

Com a finalidade de impedir que a dor persista mais tempo do que o necessário, os sinais que chegam ao cérebro e se tornam conscientes vão estimular a liberação de substâncias chamadas endorfinas (por sua semelhança à morfina) e encefalinas, que inibem a propagação do impulso elétrico.

O mecanismo de inibição da dor é tão importante para a sobrevivência do organismo quanto o circuito responsável pela percepção dela. Se ele não existisse, a dor de um pequeno corte persistiria enquanto durasse o processo de cicatrização.

Dores crônicas podem ser devidas a distúrbios tanto do sistema responsável pela percepção quanto da inibição da dor. A fibromialgia, por exemplo, uma doença debilitante causadora de dores musculares crônicas, é tida hoje como conseqüencia de um desarranjo nos mecanismos de inibição da dor.

É um erro considerar a dor crônica como uma versão prolongada da aguda. Quando os sinais de dor são gerados repetidamente, os circuitos neurológicos sofrem alterações eletroquímicas que os tornam hipersensíveis aos estímulos e mais resistentes aos mecanismos inibitórios da dor. Disso resulta uma espécie de "memória dolorosa" processada no cérebro e guardada na medula espinhal.

Estudos recentes têm demonstrado que essa "memória dolorosa" está ligada a mediadores químicos muito semelhantes aos envolvidos no processo intelectual de memorização.

O conhecimento detalhado desses mediadores levará à descoberta de analgésicos mais potentes e com menos efeitos colaterais.

Os circuitos nervosos responsáveis pela dor crônica são tão diferentes daqueles associados à dor aguda que muitos autores propõem nomes diferentes para caracterizar os dois processos: eudinia para as dores agudas, e maledinia para as crônicas.

Dor crônica é sintoma debilitante com conseqüências nefastas para a condição física, psicológica e o comportamento. Seus portadores desenvolvem depressão, deficiências psicomotoras, lembranças e sensações de perda que muitas vezes guardam pouca relação com o quadro doloroso.

Tais sintomas costumam ser interpretados como característicos de transtornos psiquiátricos, quando na verdade refletem apenas as semelhanças existentes entre dor e memória.

Gota: a doença dos reis

Hipócrates descreveu casos de gota séculos antes de Cristo. O "pai da medicina" fez relatos detalhados dos sintomas articulares da doença, que mais tarde se tornaria conhecida como "a enfermidade dos patrícios" ou "a doença dos reis".

Nos primeiros anos da era cristã, no Império Romano, Sêneca observou que mesmo as mulheres abastadas sofriam da doença, uma vez que "começavam a igualar-se aos homens em todos os aspectos da lascívia".

A intoxicação crônica pelo chumbo presente nos alimentos e no vinho talvez tenha sido a causa da epidemia de gota que se disseminou entre os habitantes da Roma antiga e da Inglaterra vitoriana, porque o excesso de chumbo interfere no mecanismo de excreção do ácido úrico pelos rins. Do século XVII ao século XIX, na Inglaterra, a gota constituiu verdadeira epidemia. A doença era associada à vida dos que cediam ao pecado capital da gula, diante da mesa farta.

Numa época em que não existiam medicamentos para reduzir os níveis de ácido úrico no sangue nem antiinflamatórios disponíveis, padeceram as dores articulares da gota monarcas como Alexandre, o Grande, Henrique VIII e Carlos Magno; artistas como Voltaire e Leonardo da Vinci; cientistas que mudaram radicalmente a forma de entender o universo como Charles Darwin e Isaac Newton.

A gota é causada pelo aumento da concentração sanguínea de ácido úrico, que dá origem a episódios recorrentes de artrite mediada pela deposição de cristais desse ácido nas articulações.

O homem é o único mamífero que desenvolve gota espontaneamente, porque é provável que apenas nós sejamos capazes de apresentar os níveis elevados de ácido úrico na circulação (acima de 7,0 mg/dl) requeridos para desencadear as crises. Os demais mamíferos apresentam níveis muito mais baixos (0,5 a 1 mg/dl), insuficientes para a cristalização nas articulações.

Essa predileção por nossa espécie é explicada pelo fato de os mamíferos possuírem uma enzima chamada uricase, muito eficaz na degradação do ácido úrico. No período Mioceno, entre 23 e 5,3 milhões de anos a.C., para nossa infelicidade, nossos ancestrais sofreram diversas mutações que silenciaram o gene responsável pela integridade da uricase. Como conseqüência, nós e nossos parentes mais próximos, chimpanzés, gorilas, orangotangos e bonobos, descendentes dos mesmos antepassados, passamos a apresentar níveis mais elevados de ácido úrico. Nos grandes primatas citados, entretanto, os níveis são mais baixos do que os nossos (1,5 a 2 mg/dl) e insuficientes para provocar quadros de dor articular.

Em março de 2004, Choi e colaboradores publicaram na *The New England Journal of Medicine*, o mais completo estudo já realizado com a finalidade de avaliar as implicações da dieta no aparecimento da gota. Os pesquisadores avaliaram as características dietéticas de 47 150 homens que fazem parte do *Health Professionals Follow-up Study* [Estudo de Acompanhamento de Profissionais da Saúde], grupo que vem sendo seguido há vários anos para o estudo das implicações do estilo de vida no aparecimento de uma série de doenças. Os participantes foram acompanhados durante doze anos.

Os resultados mostraram que o risco de desenvolver gota estava aumentado no caso das dietas ricas em carne — especialmente carne vermelha — e frutos do mar, mas pobres em leite e seus derivados. A probabilidade de desenvolver a doença aumentava 21% para cada porção adicional de carne ingerida diariamente, e 7% para cada porção semanal de frutos do mar incluída na dieta.

O estudo ajuda a entender algumas características da epidemiologia da gota:

- Populações indígenas com dietas ricas em leite e vegetais e pobre em carnes costumam apresentar níveis mais baixos de ácido úrico na circulação (aproximadamente iguais aos níveis encontrados nos grandes primatas citados anteriormente).
- Doença desconhecida entre os primitivos maoris da Nova Zelândia, a gota se tornou prevalente entre eles a partir de 1900, à medida que adotaram dietas mais ricas em carnes e carboidratos. A incidência de gota nesse povo cresceu paralelamente à de obesidade.
- Como algumas populações indígenas apresentam níveis relativamente altos de ácido úrico, apesar de dietas ricas em leite e vegetais e pobre em carnes, é provável que fatores genéticos exerçam influência na instalação do quadro.
- Gota era doença rara entre os negros africanos que faziam uso de dietas com ênfase nos laticínios e vegetais. A prevalência se manteve baixa nos negros norte-americanos até os anos 1950, quando mudanças alimentares próprias da vida urbana levaram ao crescimento do número de casos, ao mesmo tempo em que houve aumento exponencial do número de portadores de diabetes, obesidade, hipertensão arterial e doenças cardiovasculares.

Com as transformações sociais ocorridas no final do século xx, parte expressiva da população teve acesso a dietas ricas em alimentos gordurosos, porém pobre em vegetais e laticínios. Tais preferências alimentares, associadas à adoção do estilo de vida mais sedentário que a humanidade já experimentou, criaram condições para o surgimento das epidemias de obesidade, diabetes, hipertensão arterial, doenças cardiovasculares e certos tipos de câncer.

A gota deve ser incluída nessa lista de flagelos do homem moderno.

Repouso e dor ciática

A prática de cair de cama por causa de dor nas costas, a chamada dor lombar baixa, foi abalada por uma série de estudos. Parece que ficar deitado não diminui a intensidade nem a duração do quadro doloroso.

Um grupo de pesquisadores holandeses da Universidade de Maastricht estendeu essa conclusão para os casos de dor ciática. Foram estudadas 183 pessoas com dor ciática, divididas em dois grupos: repouso ou atividade. Repouso queria dizer permanecer deitado o dia todo, de lado, com um travesseiro sob a cabeça, e só levantar para o banho e as necessidades fisiológicas, durante duas semanas. A metade que permaneceu ativa foi orientada para sair da cama assim e sempre que possível, mas sem estirar a coluna para evitar dor. Podia voltar ao trabalho, e deitar-se quando fosse necessário.

Nesse estudo, foi considerada como ciática a dor com pelo menos duas das seguintes características:

- Dor que se irradia da coluna lombar para a parte posterior da coxa e perna.
- Aumento da dor na perna com a tosse, espirro ou estiramento da coluna.
- Diminuição da força muscular.
- Perda de sensibilidade ou diminuição dos reflexos na região afetada.
- Aumento da dor com a manobra de elevar o membro inferior esticado com o paciente deitado com a barriga para cima.

Depois de duas semanas, 70% do grupo em repouso e 65% dos que se mantiveram em atividade melhoraram (diferença não significante). Depois de doze semanas, 85% dos pacientes de cada grupo apresentavam melhoras. As avaliações da intensidade da dor, uso de analgésicos, outros sintomas, status funcional do membro acometido, necessidade de cirurgia e absenteísmo no trabalho foram idênticas nos dois grupos.

A conclusão é que em caso de dor ciática, assim que os sintomas permitirem, não faz diferença voltar gradativamente à atividade física ou permanecer de cama até a dor desaparecer completamente.

Depressão

Na depressão, o existir é um fardo insuportável. "A tristeza é tanta que acordo pela manhã e não encontro razão para levantar; só saio da cama porque permanecer deitada pode ser pior", queixou-se uma senhora depois do terceiro episódio da doença. "Na depressão, a vida fica por um triz", observou um professor de literatura.

Depressão é a tristeza quando não tem fim, quadro muito diferente do entristecer passageiro ligado aos fatos da vida. É uma doença potencialmente grave que interfere no sono, na vontade de comer, na vida sexual, no trabalho, e que está associada a altos índices de mortalidade por complicações clínicas ou suicídio.

Depressão é um distúrbio psiquiátrico muito mais freqüente do que se imaginava. Estudos recentes mostram que 10% a 25% das pessoas que procuram os clínicos gerais apresentam sintomas sugestivos da enfermidade. Essas porcentagens são semelhantes ao número de casos de hipertensão e infecções respiratórias que os clínicos atendem em seus serviços. Ao contrário dessas doenças, entretanto, eles geralmente não estão preparados para reconhecer e tratar depressões.

Para caracterizar o diagnóstico de depressão, foi criada a tabela abaixo, na qual cinco ou mais dos sintomas relacionados precisam estar presentes. Dentre eles, um é obrigatório: estado deprimido ou falta de motivação para as tarefas diárias, há pelo menos duas semanas.

CRITÉRIOS PARA DIAGNÓSTICO DE DEPRESSÃO

(Segundo o DSM-IV, *Diagnostic and Statistical Manual of Mental Disorders*, 4ª edição.)

- Estado deprimido: sentir-se deprimido a maior parte do tempo.
- Anedônia: interesse diminuído ou perda de prazer para realizar as atividades de rotina.
- Sensação de inutilidade ou culpa excessiva.

- Dificuldade de concentração: capacidade para pensar e concentrar-se freqüentemente comprometida.
- Fadiga ou perda de energia.
- Distúrbios do sono: insônia ou hipersônia praticamente diárias.
- Problemas psicomotores: agitação ou retardo psicomotor.
- Perda ou ganho significativo de peso, na ausência de regime alimentar.
- Idéias recorrentes de morte ou suicídio.

De acordo com o número de itens respondidos afirmativamente, o estado depressivo pode ser classificado em três grupos:

- *Depressão menor*: dois a quatro dos sintomas por duas ou mais semanas, incluindo estado deprimido ou anedônia.
- *Distimia*: três ou quatro sintomas, incluindo estado deprimido ou anedônia durante duas semanas, no mínimo.
- *Depressão maior*: cinco ou mais sintomas por duas semanas ou mais, incluindo estado deprimido ou anedônia.

Os sintomas da depressão interferem drasticamente na qualidade de vida e estão associados a custos sociais elevados: perda de dias no trabalho, atendimento médico, medicamentos e suicídio. Pelo menos 60% das pessoas que se suicidam apresentam sintomas característicos da doença.

Embora possa instalar-se em qualquer idade, a maioria dos casos tem seu início entre os vinte e os quarenta anos. Tipicamente, os sintomas se desenvolvem no decorrer de dias ou semanas e, se não forem tratados, podem durar de seis meses a dois anos. Passado esse período, a maioria dos pacientes retorna à vida normal. No entanto, em 25% das vezes a doença se torna crônica.

FATORES DE RISCO PARA DEPRESSÃO

- História familiar de depressão.
- Sexo feminino.
- Idade mais avançada.
- Episódios anteriores de depressão.
- Parto recente.
- Acontecimentos estressantes.
- Dependência de droga.

O número de casos entre mulheres é o dobro daqueles entre os homens. Não se sabe se a diferença é devida a pressões sociais, diferenças psicológicas ou ambas. A vulnerabilidade feminina é maior no período pós-parto: cerca de 15% das mulheres relatam sintomas de depressão nos seis meses que se seguem ao nascimento de um filho.

A doença é recorrente. Os que já tiveram um episódio de depressão no passado correm 50% de risco de repeti-lo. Se já ocorreram dois, a probabilidade de recidiva pode chegar a 70% ou 90%; e se tiverem sido três episódios, a probabilidade de acontecer o quarto ultrapassa 90%.

Como é sabido, quadros de depressão podem ser disparados por problemas psicossociais como a perda de uma pessoa querida, do emprego ou o final de uma relação amorosa. No entanto, até um terço dos casos estão associados a condições médicas como câncer, dores crônicas, doença coronariana, diabetes, epilepsia, infecção pelo HIV, doença de Parkinson, derrame cerebral, doenças da tireóide e outras.

Diversos medicamentos de uso continuado podem provocar quadros depressivos. Entre eles estão os anti-hipertensivos, as anfetaminas (incluídas em diversas fórmulas para controlar o apetite), os benzodiazepínicos, as drogas para tratamento de gastrites e úlceras (cimetidina e ranitidina), os contraceptivos orais, cocaína, álcool, antiinflamatórios e derivados da cortisona.

A maioria dos autores concorda que a psicoterapia pode controlar casos leves ou moderados de depressão. O método oferece a vantagem teórica de não empregar medicamentos e diminuir o risco de recidiva do quadro, desde que a pessoa aprenda a reconhecer e lidar com os problemas que a conduziram a ele. A grande desvantagem, no entanto, está na lentidão e imprevisibilidade da resposta. A psicoterapia não deve ser indicada como tratamento exclusivo nos casos graves.

Embora reconheçam os benefícios da psicoterapia, a maioria dos autores admite que a tendência moderna é empregar medicamentos para tratar quadros depressivos. O plano terapêutico deve compreender três fases:

- *Aguda*: Dura seis a doze semanas, e tem o objetivo de fazer regredir os sintomas da doença. Cerca de 70% dos pacientes responde a esta fase. Quando não ocorre resposta, o diagnóstico de depressão precisa ser reavaliado e, se houver confirmação, deve-se modificar o esquema de tratamento.
- *De continuidade*: A medicação deve ser mantida em doses plenas por quatro a nove meses, contados a partir do desaparecimento dos sintomas, com o objetivo de evitar recidivas. A descontinuação prematura aumenta o risco de recidiva em 20% a 40%.
- *De manutenção*: Não tem duração definida (pode ser mantida por muitos anos). Está indicada apenas nos casos de depressão grave, com alto risco de recidiva ou idéias dominantes de suicídio. Deve ser considerada nas pessoas que tiveram três ou mais episódios de depressão, ou dois episódios e ainda história familiar de depressão recidivante, instalação dos sintomas antes dos vinte anos de idade ou em qualquer caso com risco de morte.

Quem inicia um tratamento com antidepressivos deve ser alertado para o fato de que os benefícios podem não ser aparentes nas primeiras duas a quatro semanas. Nessa fase, em que alguns experimentam os efeitos colaterais dos medicamentos sem notar melhora, muitos desistem de tomá-los.

Nos últimos anos voltou a ser indicada em casos especiais a aplicação de eletrochoques sob anestesia geral. O tratamento é indolor e tem a vantagem de não usar medicamentos, mas precisa ser indicado por médicos experientes.

Muitos portadores de depressão não se dispõem a fazer psicoterapia nem a tomar remédio. Esses devem praticar exercício físico com regularidade (melhora o humor e a auto-imagem) e aumentar o número de atividades diárias capazes de lhes dar prazer. Precisam estar cientes, porém, de que depressão é doença potencialmente grave, recidivante, capaz de evoluir independentemente do controle voluntário.

Não podemos esquecer que quadros depressivos ocorrem não apenas em adultos, mas também em crianças e adolescentes. Qualquer criança ou adolescente pode ficar triste, mas o que caracteriza a depressão nessas faixas etárias é o estado persistentemente irritado, tristonho ou atormentado que compromete as relações familiares, as amizades e o desempenho escolar.

Em pelo menos 20% dos pacientes com depressão instalada na infância ou adolescência existe risco de surgirem distúrbios bipolares, em que fases de depressão se alternam com outras de mania, caracterizadas por euforia, agitação psicomotora, diminuição da necessidade de sono, idéias de grandeza e comportamentos de risco.

Antes da puberdade, o risco de apresentar depressão é o mesmo para meninos ou meninas. Mais tarde, ele se torna duas vezes maior no sexo feminino. A prevalência da enfermidade é alta: a depressão está presente em 1% das crianças e em 5% dos adolescentes.

Ter um dos pais com depressão aumenta de duas a quatro vezes o risco da criança. O quadro é mais comum entre portadores de doenças crônicas como diabetes, epilepsia ou depois de acontecimentos estressantes como a perda de um ente querido. Negligência dos pais ou violência sofrida na primeira infância também aumenta o risco.

É muito difícil tratar depressão em adolescentes sem que os pais estejam esclarecidos a respeito da natureza da enfermidade, seus sintomas, causas, provável evolução e as opções medicamentosas.

Uma classe de antidepressivos conhecida como a dos inibidores seletivos da recaptação da serotonina (fluoxetina, paroxetina, citalopran etc.) é considerada como de primeira linha no tratamento da depressão em crianças e adolescentes. Os estudos mostram que 60% dos pacientes respondem ao tratamento. Esses medicamentos apresentam menos efeitos colaterais e risco de complicações por overdose menor do que outras classes de antidepressivos. A recomendação é iniciar o esquema com 50% da dose e depois ajustá-la no decorrer de três semanas de acordo com a resposta e os efeitos colaterais. Obtida a resposta clínica, o tratamento deve ser mantido por no mínimo seis meses, para evitar recaídas.

A terapia comportamental demonstrou eficácia em vários ensaios clínicos, e parece dar resultados melhores do que outras formas de psicoterapia. Por seu intermédio os especialistas procuram ensinar aos pacientes como encontrar prazer em atividades rotineiras, melhorar relações interpessoais, identificar e modificar padrões cognitivos que conduzem à depressão.

Outro tipo de psicoterapia eficaz em estudos clínicos é conhecida como terapia interpessoal. Por meio dela, os pacientes aprendem a lidar com dificuldades pessoais como perda de relacionamentos, decepções e frustrações da vida cotidiana. O tratamento psicoterápico deve ser mantido por seis meses, no mínimo.

Como o abuso de drogas psicoativas e o suicídio são complicações possíveis de quadros depressivos, os familiares devem estar atentos e encaminhar os doentes a serviços especializados assim que surgirem os primeiros indícios de depressão.

Há quarenta anos, a explicação mais aceita para a depressão tem sido a de que no cérebro dos deprimidos haveria diminuição da produção de certos neurotransmissores (substâncias que agem na transmissão de sinais entre os neurônios), entre os quais a serotonina provavelmente exerceria papel preponderante.

A idéia de que baixos níveis de serotonina em certas áreas do cérebro seriam a causa da depressão foi reforçada pela demonstração de que o aparecimento de medicamentos capazes de aumentar as concentrações cerebrais desse neurotransmissor (dos quais os mais populares são a fluoxetina e a sertralina) beneficia grande número de pacientes.

Nos últimos dez anos, no entanto, a hipótese dos níveis inadequados de serotonina passou a ser cada vez mais contestada. O principal argumento contrário a ela foi o de que, embora concentrações diminuídas desse neurotransmissor tenham sido detectadas no sistema nervoso central de vítimas de tentativas violentas de suicídio, nunca foi possível demonstrar deficiência de serotonina no cérebro de pacientes deprimidos.

As idéias mais aceitas atualmente para explicar a depressão estão reunidas na hipótese do estresse. Segundo essa hipótese, em resposta aos estímulos agressivos do ambiente, o hipotálamo produz um hormônio (CRF) para convencer a hipófise a enviar uma mensagem para as supra-renais produzirem cortisol e outros derivados da cortisona.

Diversos trabalhos experimentais mostraram que esses hormônios do estresse (CRF, cortisol e outros) prejudicam a integridade dos neurônios, porque modificam a composição química do meio em que essas células exercem suas funções. A persistência do estresse altera de tal forma a arquitetura dos circuitos neuronais que chega a modificar a própria anatomia cerebral. Por exemplo, provoca redução das dimensões do hipocampo, estrutura envolvida na memória, e área fundamental para a ação das drogas antidepressivas.

Pesquisadores da Universidade de Emery, em Atlanta, demonstraram a existência de períodos críticos na infância em que sofrer violência física, abuso sexual, ausência de cuidados maternos e outros tipos de estresse emocional podem conduzir à hipersecreção de CRF no hipotálamo, com conseqüente liberação de cortisol pelas supra-renais, alterações associadas à depressão na vida adulta. Os pesquisadores concluíram que "muitas das alterações neurobioquímicas encontradas na depressão do adulto podem ser explicadas pelo estresse ocorrido em fases precoces da infância".

De fato, no estudo clínico conduzido em Atlanta, 45% dos adultos com quadros depressivos de pelo menos dois anos de duração haviam sido abusados, negligenciados ou sofrido perda dos pais na infância.

Outro achado importante para definir o papel dos hormônios do estresse foi a demonstração recente de que a injeção de CRF diretamente no cérebro de animais de laboratório induz o aparecimento de quadros típicos de depressão e de distúrbios de ansiedade, sugerindo que depressão e ansiedade tenham mecanismos comuns e possam ser induzidas por fatores semelhantes. Talvez seja essa a justificativa para a maioria das pessoas com depressão na vida adulta referir personalidade hiper-ansiosa na infância e adolescência.

Neurocientistas proeminentes defendem a teoria de que o mecanismo através do qual o estresse induziria depressão estaria ligado ao hipocampo: os hormônios do estresse suprimiriam o nascimento de novos neurônios nessa estrutura crucial para o processamento da memória. Tal suspeita ganhou ímpeto especialmente depois da publicação, em 2003, de uma descoberta inesperada: depois de duas ou três semanas de tratamento com drogas antidepressivas, começam a nascer novos neurônios no hipocampo (neurogênese). Esse achado explicaria também por que, apesar de os antidepressivos elevarem imediatamente os níveis cerebrais de serotonina, sua ação benéfica só se manifesta semanas mais tarde.

O conhecimento adquirido nos últimos dez anos a respeito da arquitetura dos circuitos cerebrais envolvidos na depressão provocou uma explosão de ensaios terapêuticos com drogas dotadas de mecanismos de ação muito diferentes das atuais. Estamos no limiar de descobertas que revolucionarão o tratamento dessa enfermidade.

O combate ao mau hálito

O mau hálito, flagelo antigo das relações pessoais, emerge como assunto de interesse científico capaz de atrair a atenção de bacteriologistas, fisiologistas, químicos e psicólogos. Mel Rosenberg, microbiologista canadense que trabalha na Universidade de Tel-Aviv, publicou em 2002 uma revisão sobre o tema na revista *Scientific American*.[63]

Cerca de 85% a 90% dos casos de halitose se originam na boca, um ecossistema no qual vivem centenas de espécies de bactérias com diferentes necessidades nutricionais. Quando essa flora digere proteínas, podem ser liberadas substâncias que têm odor desagradável. Entre elas: gás sulfídrico, resultante do metabolismo anaeróbico (cheiro de ovo estragado), escatol (substância também encontrada nas fezes), cadaverina (associada à decomposição de organismos), putrescina (à decomposição de carne) e ácido isovalérico, também presente no suor dos pés. A mistura dos odores dessas substâncias não costuma ser percebida pelos portadores de halitose, mas provoca repulsa nos que se relacionam com eles.

Pesquisas recentes de Walter Loesche, na Universidade de Michigan, demonstraram que os microrganismos presentes na língua são diferentes dos que formam a placa dentária. Estudando pessoas saudáveis com halitose, o grupo de Loesche mostrou que a principal região anatômica responsável pela halitose não é a placa dentária, como se pensava, mas a área mais posterior da língua, no fundo da cavidade oral.

A explicação é simples: essa região recebe um fluxo diminuído de saliva e contém grande número de pequenas criptas (invaginações), nas quais as bactérias podem aninhar-se. Nesse local privilegiado, elas digerem as proteínas de restos alimentares aí retidos e as contidas no muco que goteja imperceptível dos seios da face na direção da faringe (gotejamento pós-nasal). Esse gotejamento persistente é encontrado em cerca de 25% da população urbana, como resultado de alergias, poluentes químicos e processos inflamatórios das mucosas nasais e dos seios da face (sinusites).

Outras causas de halitose com origem na boca são a má conservação dos dentes, inflamação das gengivas, presença de restos alimentares entre os dentes e abscessos. De 5% a 10% dos casos são provocados por inflamações das fossas nasais; 3% têm sua origem em processos infecciosos das amígdalas e apenas 1% em outras localizações. Rarissimamente o estômago ou outras partes do aparelho digestivo estão envolvidos na halitose.

Como a saliva contém substâncias bactericidas e seu fluxo contínuo se encarrega de "lavar" mecanicamente a cavidade oral, qualquer evento que provoque ressecamento da boca pode ser causa de mau hálito: jejum prolongado, desidratação, respirar pela boca, falar por muito tempo, ar condicionado, estresse e centenas de medicamentos.

O cigarro pode provocar halitose porque resseca a boca, piora as condições das gengivas, aumenta o gotejamento pós-nasal e deixa um resíduo que perverte o aroma bucal.

MEDIDAS DE CONTROLE

- Com delicadeza, procure escovar a parte de trás da língua. Evite machucá-la, apenas remova a camada de muco. Com a prática, o reflexo de vômito diminui.
- Tome um bom café-da-manhã para "limpar" a cavidade oral e manter um fluxo adequado de saliva.
- Mantenha a boca úmida. Tome quantidades razoáveis de líquido. Mascar chiclete (sem açúcar) por alguns minutos pode ajudar.
- Soluções comerciais para gargarejo são úteis porque reduzem o número de bactérias presentes na parte posterior da língua, mas seu efeito é de curta duração.
- Lave a boca depois de ingerir alimentos com cheiro forte como alho, cebola, café e molhos com *curry*.
- Escove os dentes e passe fio dental para remover restos alimentares, especialmente depois de refeições ricas em proteínas.

Receitas populares para "refrescar" o hálito, como mascar canela, cravo e semente de anis, são úteis, porque as moléculas contidas nessas plantas têm atividade bactericida.

A epidemia de diabetes

Uma epidemia de diabetes se espalha pelo Brasil e por muitos países.

Essa afirmação parece estranha, porque costumamos empregar o termo epidemia apenas quando nos referimos às doenças infectocontagiosas, mas a atual explosão de casos de diabetes obedece a todos os critérios epidemiológicos exigidos para a caracterização de uma epidemia.

A Organização Mundial da Saúde (OMS) chama a atenção para o fato de que a incidência de diabetes aumenta não apenas nos países industrializados, mas também nos que adotaram estilos de vida e hábitos alimentares "ocidentalizados". A OMS estima que cerca de 5,1% da população mundial entre vinte e 79 anos sofra da doença. E faz previsões nada otimistas: o número atual de 194 milhões de casos duplicará até 2025.

Diabetes mellitus é uma condição crônica que surge quando o pâncreas se torna incapaz de produzir insulina (diabetes tipo 1 ou insulinodependente), ou quando o organismo não consegue fazer uso adequado da insulina produzida (tipo 2 ou não insulinodependente). Cerca de 90% dos casos pertencem ao tipo 2, e apenas 10% ao tipo 1. Outros tipos de diabetes, como o gestacional, são bem mais raros.

Sabe-se que filhos de pais e mães diabéticos correm mais risco de desenvolver a doença e que algumas condições da vida intra-uterina também aumentam a probabilidade. Por exemplo, crianças nascidas com baixo peso correrão risco maior na vida adulta.

Embora fatores genéticos estejam claramente envolvidos, as causas de diabetes tipo 1, mais freqüente em crianças e adolescentes, permanecem mal elucidadas; enquanto as do tipo 2, que se instalam preferencialmente na maturidade, estão ligadas ao excesso de peso, à inatividade física e às dietas ricas em gordura e em alimentos de alta densidade energética.

Nos últimos vinte anos, ficou evidente que a obesidade é um fator de risco determinante para o aparecimento de diabetes tipo 2 em todos os grupos raciais ou étnicos. Mas o risco pode variar de acordo com o grupo estudado. As populações indígenas, por exemplo, são particularmente suscetíveis à associação obesidade-diabetes: os índios pima, do Arizona (Estados Unidos), conhecidos pela alta prevalência de obesidade, apresentam a maior incidência de diabetes do mundo: 50% dos adultos são portadores da enfermidade.

No passado, pensávamos que o tecido gorduroso fosse simples depósito de gordura, encarregado de armazenar energia a ser disponibilizada quando o organismo necessitasse. Hoje sabemos que as células adiposas podem ser consideradas parte do sistema endócrino: produzem hormônios que caem na corrente sanguínea e vão afetar outros tecidos.

É o caso da leptina, proteína descrita em 1994, dotada da propriedade de agir sobre os centros cerebrais que controlam a saciedade, com a finalidade de inibir o apetite, evitar a obesidade e, conseqüentemente, condições como o diabetes. Por razões desconhecidas, no entanto, indivíduos obesos, apesar de geralmente produzir grandes quantidades de leptina, são resistentes a seu efeito inibidor do apetite. Essa resistência mantém a obesidade e aumenta a chance de desenvolver diabetes.

Recentemente, foram descritos outros dois hormônios produzidos pelo tecido adiposo envolvidos no aparecimento da doença: resistina e adiponectina. O primeiro, como o nome indica, exerce ação oposta à da insulina, reduzindo sua capacidade de metabolizar glicose adequadamente e favorecendo assim o aumento das concentrações de açúcar no sangue. Já a adiponectina promove efeito oposto: facilita a ação da insulina, reduzindo o risco de diabetes.

Infelizmente, nas pessoas obesas a produção de resistina aumenta e a de adiponectina cai, criando uma composição hormonal favorável ao aparecimento da doença.

Além desses hormônios, os ácidos graxos produzidos generosamente pelas células gordurosas acabam se acumulando nas fibras musculares. O acúmulo dificulta a remoção de glicose da corrente sanguínea durante o processo de contração muscular porque cria uma barreira à ação da insulina.

Por razões como essas, o risco de homens ou mulheres desenvolverem diabetes aumenta progressivamente com a quantidade de gordura armazenada. Curiosamente, pessoas obesas com excesso de tecido adiposo acumulado na região abdominal correm mais risco do que pessoas obesas com gordura distribuída uniformemente pelo corpo.

A atual epidemia de obesidade que atinge a infância e os adolescentes tem provocado aumento assustador de diabetes do tipo 2 mesmo nessas faixas etárias, anteriormente consideradas resistentes a tal forma da doença. É importante lembrar que um adolescente com excesso de peso tem 70% de chance de mantê-lo ou de se tornar obeso na vida adulta. Se um de seus pais sofrer de obesidade, a probabilidade então sobe para 80%.

Várias pesquisas demonstram que perdas de 5% a 10% do peso corpóreo podem prevenir ou pelo menos retardar o aparecimento de diabetes. Mudanças discretas no estilo de vida que incluam dieta e atividade física, também. Por exemplo, andar trinta minutos por dia pode reduzir 40% a 60% o risco de instalação da doença.

Pesquisadores do Grupo Finlandês de Prevenção do Diabetes publicaram recentemente um estudo que constitui a demonstração mais completa de que a instalação do diabetes no adulto pode ser retardada, ou mesmo evitada, às custas de intervenções dietéticas e aumento da atividade física. Os autores estudaram 523 mulheres e homens entre quarenta e 65 anos, com excesso de peso, que apresentavam o que chamamos de tolerância diminuída à glicose. Para caracterizar uma pessoa nessa categoria, ela precisa ter uma taxa de glicose no sangue acima de cem mas abaixo de 140 (miligramas por decilitro), quando aferida pela manhã, em jejum; concentração que deve subir para a faixa de 140 a duzentos, após a administração de 75 gramas de glicose (teste de tolerância à glicose).

Os participantes foram divididos ao acaso em dois grupos: Intervenção e Controle. O grupo Controle recebeu apenas um folheto de duas páginas com informações sobre a necessidade de adotar uma dieta saudável e praticar exercícios físicos. Fora essa orientação rotineira, nenhum programa individualizado.

Aos do grupo Intervenção, ao contrário, foi dada orientação personalizada sobre os objetivos a ser alcançados com as mudanças no estilo de vida: perder 5% ou mais do peso corpóreo, reduzir o consumo de gordura para menos de 30% do total de calorias ingeridas diariamente, consumir mais de 15 g de fibras para cada 1000 kcal ingeridas, e praticar pelo menos trinta minutos de exercícios físicos de intensidade moderada por dia.

Ao contrário do folheto com as orientações impessoais entregue ao grupo Controle, no grupo Intervenção os participantes receberam periodicamente orientações dietéticas dadas por nutricionistas e programas de treinamento físico individualizados.

Os autores usaram os critérios da Organização Mundial da Saúde para caracterizar a instalação de diabetes na população estudada: glicemia de jejum acima de 140, ou aumento para mais de duzentos depois da administração das 75 g de glicose.

No período de novembro de 1993 a junho de 1998, desenvolveram diabetes 86 participantes: 59 pertenciam ao grupo Controle e 27 ao grupo Intervenção. O aconselhamento dietético periódico e a orientação personalizada para a prática de exercícios resultaram em redução de 58% no número de casos da enfermidade. Anualmente, no grupo Controle, 6% dos participantes desenvolveram a doença, contra 3% no grupo Intervenção.

Enquanto no grupo Intervenção a perda média de peso foi de 4,2 quilos, no Controle esse número caiu para 0,8 quilo. Individualmente, quanto maior a perda de peso obtida, mais baixa a probabilidade de instalação da doença.

A ingestão crônica de um número de calorias diárias acima do total que o organismo consegue consumir, que leva à obesidade e facilita a instalação do diabetes, depende da interação de fatores genéticos e ambientais. O estudo finlandês enfatiza que as pessoas com excesso de peso e predisposição genética podem interferir na história natural da instalação do diabetes, à custa da redução do número de calorias ingeridas e do aumento da atividade física.

Andar apenas trinta minutos por dia para evitar uma doença que provoca perda da visão, ataques cardíacos, derrames cerebrais, amputações de membros e insuficiência renal capaz de exigir transplante de rim é muito sacrifício?

A cura do câncer

Se um dia você ouvir que foi encontrada a cura do câncer, não leve a sério.

O que chamamos de câncer é na verdade um conjunto de mais de cem doenças que, em comum, têm apenas a célula maligna. Não só os tumores originados nos diversos órgãos apresentam características próprias, como aqueles oriundos de um mesmo tecido evoluem de forma variável em cada indivíduo. Por exemplo: estima-se que para um câncer de mama atingir um centímetro de diâmetro pode levar de dois a dezessete anos, conforme o caso. Há tumores que se disseminam pelo organismo antes de serem detectáveis pelos exames radiológicos mais sensíveis, enquanto outros de aparência idêntica, operados quando já mediam cinco centímetros, nunca se espalham.

Por causa dessa diversidade biológica, têm sido lentos e desiguais os avanços na cancerologia. Em mais de trinta anos como especialista na área, tive o privilégio de assistir a verdadeiras revoluções no tratamento de alguns tumores, e o pesar de conviver ainda hoje com a frustração de fracassar em outros casos, como no início da profissão.

Apesar de avanços importantes no tratamento de certos tipos de câncer, como o de mama ou de testículo, existem outros que curamos tão pouco quanto nos anos 1970: câncer de pâncreas e de pulmão, por exemplo. Em 1970, curávamos apenas 10% dos casos de câncer de pulmão; hoje conseguimos curar 13% ou 14% nos melhores centros.

É evidente que a escolha do tratamento precisa levar em conta todas essas peculiaridades. Para tanto, é fundamental identificarmos fatores prognósticos: conjunto das características que dão idéia da gravidade do quadro e da probabilidade de resposta à terapêutica.

Na década de 1970, sugiram os primeiros estudos cooperativos internacionais. Neles, pesquisadores de vários centros reúnem em pouco tempo centenas, milhares de pacientes com o mesmo tipo de câncer, divididos de acordo com determinados fatores prognósticos, para distribuí-los ao acaso com a finalidade de receber esquemas de tratamento que serão comparados estatisticamente no final. Esses estudos provocaram uma revolução na cancerologia. Decidir a melhor forma de tratar alguém deixou de depender exclusivamente da impressão subjetiva do médico.

Hoje, por mais promissora que seja uma droga, só será aprovada para uso clínico caso demonstre eficácia nesses estudos internacionais com milhares de pacientes. Como conseqüência, dispomos de medicamentos bem avaliados, com índices de resposta previsíveis e toxicidade conhecida. Esse processo, no entanto, é caro e demorado. A indústria farmacêutica calcula que são necessários no mínimo dez anos de pesquisa para lançar um novo produto no mercado, a um custo médio de 1 bilhão de dólares.

Para complicar, a experiência mostra que cada medicamento descoberto ajuda a curar apenas certos subgrupos de pacientes e a prolongar por mais alguns meses a sobrevida dos incuráveis.

Todos os tumores avançados que curamos nos dias atuais exigem combinações de várias drogas, freqüentemente associadas a modalidades como cirurgia e radioterapia.

Nossos fracassos e sucessos terapêuticos, no entanto, estão muito aquém do enorme contingente de informações científicas recolhidas nos laboratórios de pesquisa espalhados pelo mundo, mas especialmente concentrados nos Estados Unidos nas últimas décadas de revolução do conhecimento biológico. Os genes e os caminhos percorridos pelos sinais bioquímicos que chegam até eles no interior das células malignas estão sendo esmiuçados com a finalidade de servir de alvo para medicamentos capazes de desmontar a maquinaria responsável pela multiplicação celular desenfreada que diferencia os tecidos malignos dos normais.

Nos últimos vinte anos, identificou-se um número incrível de moléculas fundamentais para que a transformação maligna aconteça e para que as células transformadas sobrevivam, cresçam e migrem para órgãos distantes daquele que lhes deu origem. Outras foram identificadas como responsáveis pela proliferação dos vasos sanguíneos necessários para a irrigação do tumor e de suas ramificações.

Por meio de métodos analíticos complexos é possível desenhar a configuração espacial dos átomos que formam essas moléculas e descobrir que porções delas são essenciais para o exercício de sua função. Essas áreas-alvo podem ser atacadas por compostos desenhados especificamente para neutralizá-las e, assim, inativar-lhes a função.

Diferentemente da quimioterapia tradicional, que destrói tumores malignos mas ataca também as células normais que se encontrarem em processo de divisão (como os glóbulos vermelhos, os brancos e as células da raiz do cabelo), as drogas desenvolvidas por esse tipo de tecnologia têm a vantagem da especificidade, isto é, de reagir contra moléculas-alvo situadas nas células malignas.

Porém, este é o cenário atual: a sociedade exige remédios eficazes e seguros, mas eles consomem tempo e dinheiro para provar sua utilidade. Num congresso internacional realizado em julho de 2004 na cidade americana de Nova Orleans, um pesquisador fez o cálculo de quanto gastaria um doente com câncer de intestino avançado que vivesse dezoito meses à custa do uso dos principais antineoplásicos disponíveis: 250 mil dólares, sem contar gastos com analgésicos, exames, consultas ou internações! "Que país poderá pagar essa despesa?", perguntou ele.

Tradicionalmente, os avanços tecnológicos ficam mais baratos à medida que se popularizam. Entretanto, isso não acontece com a maioria dos medicamentos usados em oncologia; eles entram no comércio a um preço elevado para ser logo substituídos por inovações mais caras ainda.

Como não viveremos as décadas necessárias até a ciência descobrir e testar todas as drogas necessárias, o que fazer para não morrermos de câncer?

Antes de tudo, lembrar que essa é uma doença passível de prevenção: perto de 40% dos casos são provocados por cigarro. Vida sedentária, consumo exagerado de álcool, dietas pobres em vegetais e ricas em alimentos altamente calóricos que levam à obesidade são responsáveis por mais 30% (só para citar as causas evitáveis mais importantes).

Mas como nos defender dos tumores que surgem ao acaso ou por predisposição genética?

Nessas situações, a única solução é o diagnóstico precoce. Alguns exames, como a mamografia, permitem evidenciar tumores antes que atinjam um centímetro, apresentação curável em quase 100% dos casos. Outros, como a colonoscopia, permitem não apenas visualizar o intestino por dentro e surpreender tumores iniciais, como retirar lesões na fase pré-maligna para evitar sua progressão.

Quanto às neoplasias, para as quais não existem métodos preventivos, a solução virá com o estudo das proteínas. Os tumores malignos às vezes aumentam a produção de certas proteínas normalmente excretadas pelos tecidos normais. A detecção delas na corrente sanguínea permite o diagnóstico precoce: é o caso do PSA, o exame para detectar o câncer de próstata.

Nos tumores em que ainda não foram identificadas proteínas desse tipo, a ciência básica deverá desenvolver todo esforço para fazê-lo. É tarefa comparável a procurar agulha no palheiro: encontrar, no meio de cerca de 1 milhão de proteínas presentes na corrente sanguínea, qual delas foi produzida especificamente pela célula tumoral. O conhecimento para tanto está disponível; daí a necessidade de um Projeto Proteinoma de cooperação internacional, como foi o Projeto Genoma, que identificou todos os genes humanos em doze anos.

O conhecimento dessas proteínas exclusivas das células malignas possibilitará inquéritos populacionais com a finalidade de identificar os indivíduos que correm risco de apresentar câncer, de modo a surpreendê-lo na fase inicial. Permitirá ainda avaliar a agressividade de cada caso e a probabilidade de resposta ao tratamento proposto, para evitar o que acontece atualmente: tratarmos cem doentes com esquemas tóxicos, caríssimos, que beneficiarão apenas vinte.

A próstata do seu Olinto

A próstata é uma glândula que traz problemas com o passar dos anos. É como o útero depois da menopausa.

Por razões mal compreendidas, no entanto, enquanto a maioria das mulheres visita disciplinadamente o ginecologista todos os anos para fazer o exame de Papanicolaou, ainda são raros os homens que procuram o urologista para examinar a próstata. Os poucos que o fazem geralmente tomam a iniciativa só para livrar-se das recomendações insistentes da mulher ou da filha preocupada.

A próstata é uma glândula acessória do aparelho reprodutor, que participa da produção do sêmen e ajuda a manter a viabilidade dos espermatozóides. Está localizada junto à parte inferior da bexiga, bem próxima do reto (por onde é acessível por meio do toque) e em contato íntimo com a uretra. A partir de certas dimensões, os tumores prostáticos malignos e benignos comprimem a bexiga e dificultam a passagem de urina pela uretra, causando aumento na freqüência das micções (notado especialmente à noite), urgência para urinar e redução da força do jato urinário.

Anualmente, a partir dos cinqüenta anos, todo homem deve fazer um exame de sangue chamado PSA e submeter-se a um toque retal para avaliar as características da glândula, para fazer a prevenção do câncer prostático, a segunda neoplasia mais prevalente nessa faixa etária (perde apenas para o câncer de pulmão, intimamente associado ao cigarro).

Quando o índice de PSA está anormalmente elevado, ou o toque retal mostra a presença de tumor na próstata, está indicada uma biopsia por agulha, porque o diagnóstico de câncer precisa ser feito no microscópio.

O PSA é uma proteína liberada na circulação sanguínea tanto pelo tecido normal da próstata quanto pelas células malignas prostáticas. Quando surge o câncer, os níveis de PSA no sangue costumam subir. O aumento ocorre antes que o homem tenha sintomas urinários ou que o médico consiga palpar o tumor pelo toque. Daí a importância do exame: permite detectar a presença de tumores nas fases iniciais, quando podem ser curados com facilidade.

Infelizmente, falta especificidade ao PSA. Até 25% dos homens com câncer de próstata apresentam valores de PSA dentro da faixa de normalidade (igual ou menor do que 4 nanogramas por mililitro). Além disso, mais da metade dos portadores de PSA acima de 4 não tem câncer. Por isso o toque retal é imprescindível: permite detectar tumores em pessoas com PSA normal.

Fisiologicamente, à medida que envelhecemos, a média de PSA tende a aumentar. Por essa razão, há uma tendência entre os urologistas a procurar uma escala de valores de PSA aceitáveis para cada faixa etária. A finalidade desse tipo de escala é evitar a biopsias de próstata em homens mais velhos, com índices de PSA mais altos. Há entretanto especialistas contrários à aplicação desse tipo de procedimento. Argumentam que sua utilização pode deixar escapar tumores malignos, principalmente no grupo acima de setenta anos de idade.

A velocidade de aumento do PSA de um ano para outro é muito importante para o diagnóstico de câncer de próstata, mesmo entre aqueles com exames dentro da faixa de normalidade. A maioria dos urologistas considera que um aumento do nível de PSA maior do que 0,75 por ano seja indicativo da necessidade de biopsia de próstata. Por essa razão, é muito importante arquivar os valores anuais do PSA, independentemente das anotações do médico.

Os homens que apresentam PSA na faixa de 4 a 10 caem na chamada "zona cinzenta". Eles podem beneficiar-se de um exame de sangue mais discriminativo: o PSA livre. Parte do PSA excretado pelo tecido prostático fica livre na circulação; o restante liga-se a outras proteínas do sangue. A relação entre o PSA livre e o PSA ligado à proteína costuma ser baixa nos casos de câncer de próstata.

A descoberta do PSA foi um dos grandes avanços da cancerologia no final do século XX. Antes dela, o diagnóstico precoce de câncer de próstata era raridade. A maioria dos doentes chegava ao diagnóstico já com tumores enormes, inoperáveis, muitas vezes já espalhados para outras partes do corpo.

No Brasil, poucos homens se beneficiam da existência do exame. Muitos por não terem acesso a ele por meio do sistema público; outros, por ignorância ou porque o médico é mal informado e não faz o pedido.

Além disso, a necessidade do toque retal, independentemente do valor do PSA, parece que assusta sobremaneira o homem brasileiro. Os defensores dessa postura interpretam a resistência ao exame como demonstração inequívoca de macheza tropical; os detratores, ao contrário, atribuem-na à insegurança em relação à própria masculinidade.

Entre os primeiros, certamente estava seu Olinto, um senhor de setenta anos, nascido e criado em Ponta Porã, de quem tratei há mais de vinte anos e que respondeu com sotaque forte quando lhe falei da necessidade do toque: "O que é isso, doutor? Isso pode ser moda aqui em São Paulo e no Rio de Janeiro. Na minha terra, não!".

O risco do câncer de mama

No decorrer da vida, uma em cada oito ou nove mulheres vai apresentar câncer de mama. A incidência desse tipo de neoplasia aumentou significativamente nos últimos trinta anos. Parte do aumento resulta da aplicação cada vez mais rotineira de técnicas diagnósticas como a ultra-sonografia e as mamografias, que todas as mulheres devem repetir anualmente a partir dos quarenta anos (ou começar antes em casos especiais). Outra parte é conseqüência da mudança do padrão reprodutivo feminino ocorrida nos últimos cinqüenta anos.

Durante a primeira metade do ciclo menstrual os níveis de estrógeno na circulação aumentam, para declinar na segunda metade, quando a produção de progesterona cresce. Não havendo fecundação do óvulo liberado na metade do ciclo, catorze dias depois acontece a menstruação.

Há relatos científicos de que, no início do século xx, a primeira menstruação (menarca) das mulheres européias e americanas acontecia aos dezessete anos, em média. Casavam cedo, engravidavam em seguida e permaneciam sem menstruar até o final da fase de amamentação. Quando paravam de amamentar, menstruavam, engravidavam novamente e o ciclo se repetia até a menopausa, que acontecia ao redor dos quarenta anos. Ao final de uma vida reprodutiva profícua, a mulher havia menstruado quarenta ou cinqüenta vezes.

Por razões mal conhecidas, a fase reprodutiva da mulher atual é mais longa: as meninas começam a menstruar já aos onze ou doze anos e a menopausa ocorre depois dos cinqüenta. Além disso, o pequeno número de filhos característicos da maior parte das famílias mantém as mulheres em sucessivos ciclos menstruais, que se repetem exaustivamente por centenas de meses.

O impacto provocado pela ação repetida de estrógeno e de progesterona nos tecidos mamários é o principal suspeito pelo aumento no risco de desenvolver câncer de mama da mulher moderna.

Nem todas as mulheres, no entanto, têm a mesma probabilidade de desenvolver tumores malignos nos seios; algumas correm mais risco. De acordo com a interferência do estilo de vida na incidência da doença, os fatores de risco costumam ser divididos em dois grupos: inevitáveis e modificáveis.

FATORES INEVITÁVEIS

- *Idade:* 75% a 80% dos casos ocorrem em mulheres com mais de cinqüenta anos.
- *História familiar:* 90% dos casos são esporádicos, mas os 10% restantes estão ligados a predisposições genéticas. História de

câncer de mama em familiares do lado materno ou paterno dobram ou triplicam o risco. Quanto maior a proximidade do parentesco, mais alto o risco. Deve-se suspeitar fortemente de predisposição genética quando há vários casos de câncer de mama ou de ovário diagnosticados em familiares com menos de cinqüenta anos (especialmente em parentes de primeiro grau), casos com câncer nas duas mamas (apresentação bilateral) ou casos de câncer de mama em homens da família.

- *Menarca*: Menstruar pela primeira vez antes dos onze anos triplica o risco.
- *Menopausa*: Parar de menstruar apenas depois dos 54 anos duplica o risco.
- *Primeiro filho*: Primeira gravidez depois dos quarenta anos triplica o risco.
- Biópsia prévia em nódulo mamário benigno com resultado de hiperplasia atípica aumenta de quatro a cinco vezes o risco.
- Já ter tido câncer de mama: aumenta quatro vezes a chance de ter câncer na mama oposta.

FATORES MODIFICÁVEIS

- *Peso corpóreo*: Quando o índice de massa corpórea (peso dividido pela altura ao quadrado) ultrapassa o índice de 35 numa mulher em menopausa, seu risco duplica. Se ela estiver na pré-menopausa, no entanto, curiosamente o risco cai 30%.
- *Dieta*: Consumo exagerado de alimentos gordurosos aumenta o risco 1,5 vez.
- *Consumo de álcool*: Quando excessivo, aumenta 1,3 vez.
- *Ter recebido radioterapia no tecido mamário para tratamento*

de outro tipo de câncer: Se ocorreu numa menina com menos de dez anos, o risco aumenta dez vezes.
- *Uso corrente de contraceptivos orais*: Aumenta 1,24 vez.
- *Reposição hormonal por mais de dez anos*: Aumenta cerca de 1,3 vez.

Mulheres que apresentam fatores de risco para desenvolver a doença devem ser orientadas a procurar o especialista para avaliações radiológicas mais freqüentes.

A boa notícia é que o tratamento atual do câncer de mama é exemplo da evolução do papel da cirurgia, da radioterapia e da quimioterapia nas últimas décadas. Há trinta anos, quando comecei a trabalhar no Hospital do Câncer de São Paulo, todas as mulheres com tumores malignos no seio eram obrigatoriamente submetidas à mastectomia radical, segundo a técnica de Halsted. Nesse procedimento, o cirurgião retirava a mama inteira junto com os músculos peitorais situados sob ela e esvaziava o conteúdo da axila para retirar os linfonodos (gânglios) aí localizados. Depois, encaminhava a doente para receber radioterapia na região operada, na axila e na fossa supraclavicular do mesmo lado, no intuito de eliminar qualquer foco de células malignas residuais nos linfonodos da região.

A conseqüência mais triste dessa medida radical bem-intencionada era a mutilação das mulheres. A retirada dos músculos da parede torácica deixava visível sob a pele a silhueta do gradeado costal; o esvaziamento do conteúdo axilar seguido de radioterapia provocava inchaço persistente e muitas vezes irreversível do braço todo. Não era raro ver doentes com o braço do lado operado medindo o triplo do diâmetro do outro.

Hoje, mesmo pacientes com tumores grandes podem ser previamente tratadas com quimioterapia para diminuí-los e, depois, submetidas a cirurgias conservadoras que preservam a maior parte do seio, acompanhadas da retirada de um único linfonodo da axila para estudo. Avanços nas técnicas de radioterapia permitem irradiar essas mulheres com desconforto mínimo e praticamente sem seqüelas definitivas. A descoberta de drogas quimioterápicas e de tratamentos hormonais cada vez mais eficazes, de indicação bem definida em ensaios clínicos internacionais, multicêntricos, com milhares de participantes, conduziu a índices de cura com os quais não podíamos sonhar no passado.

Regeneração cardíaca

A regeneração do tecido cardíaco é um sonho antigo da medicina. A possibilidade de uma pessoa que sofreu infarto regenerar espontaneamente as células perdidas e recuperar a função cardíaca normal evitaria sofrimento e os altos custos dos cateterismos e das pontes de safena.

Ao contrário de órgãos como o fígado, que cortado ao meio regenera a outra metade em poucos meses, a sabedoria convencional ensinava que os miócitos (células do músculo cardíaco) não reparavam o tecido morto por serem incapazes de se dividir.

Sem possibilidade de multiplicar suas próprias células quando submetido a um excesso de demanda (miocardiopatias, infarto, hipertensão), ao músculo cardíaco só restaria a oportunidade de aumentar o tamanho de cada uma delas para hipertrofiar-se.

A hipertrofia, no entanto, tem seus limites. Sem contar com células novas para fazer frente ao esforço excessivo, o coração não consegue crescer indefinidamente para vencer a resistência aumentada do sistema hidráulico constituído por artérias e veias e bombear sangue para as regiões mais distantes do corpo. Como conseqüência, surge a insuficiência cardíaca, que evolui com aumento do tamanho do coração, cansaço, falta de ar aos esforços, inchaço e falência de múltiplos órgãos.

Além disso, as células musculares hipertrofiadas não se contraem e relaxam durante os batimentos com a mesma eficiência das normais, tornando o coração predisposto ao aparecimento de arritmias que podem levar ao colapso do sistema e à parada cardíaca.

Piero Anversa e colaboradores do New York Medical College publicaram em 2001, na revista *The New England Journal of Medicine*, um estudo realizado com material colhido por biópsia de miocárdio imediatamente depois de ocorrido o infarto.[64] Com técnicas elegantes, os pesquisadores conseguiram demonstrar a presença de miócitos em divisão celular nas regiões adjacentes à área infartada. Foram as primeiras evidências de que células cardíacas também tinham a propriedade de se dividir em resposta à morte celular imposta por um insulto (o infarto, nesse caso).

Na mesma revista, agora, o grupo de Anversa estudou oitos casos de transplante cardíaco em que mulheres com morte cerebral doaram seus corações para homens.[65] Como os homens apresentam o cromossoma Y não encontrado no sexo feminino, o experimento ofereceu oportunidade ímpar para discriminar a origem das células que povoavam o coração transplantado.

Os autores demonstraram que 14% a 20% de todos os miócitos presentes no coração feminino transplantado eram positivos para o cromossoma Y, isto é, derivavam do receptor e não da doadora do órgão. E mais, as células vasculares responsáveis pela formação de novos capilares e arteríolas encarregados de irrigar a musculatura cardíaca também eram de origem masculina em 14% dos casos.

Surpreendentemente, esses 14% a 20% de novas células cardíacas (musculares e vasculares) provenientes do receptor do transplante colonizavam o coração num intervalo de tempo bastante curto: 53 dias em média. Num dos pacientes, falecido no quarto dia pós-transplante, muitos miócitos e arteríolas de origem masculina presentes no coração já se encontravam em estágio de plena maturidade celular e eram indistinguíveis das demais células cardíacas de origem feminina.

O achado dá idéia da rapidez com que o miocárdio, lesado pela falta de oxigênio inerente à manipulação cardíaca durante o procedimento de transplante, orienta a chegada de células primitivas para se diferenciar em músculo e vasos sanguíneos a fim de reparar o defeito e repor as células perdidas.

O que o trabalho não esclarece definitivamente é se essas novas células que invadem o coração transplantado são células-tronco circulantes do receptor dotadas da capacidade de se diferenciar em qualquer outra do organismo, ou se elas se originam em células precursoras contidas no fragmento do coração do receptor que é suturado ao órgão doado.

Mas como em biologia se sabe que células precursoras se multiplicam muito mais depressa do que as células-tronco (e em poucos dias surgiram células novas masculinas no coração feminino transplantado), os autores supõem que existam células precursoras residentes no coração, prontas para migrar às regiões cardíacas que necessitarem de reparação.

A descoberta da existência de células precursoras que se diferenciam em miócitos e vasos sanguíneos abre a perspectiva de transplantá-las ou de atraí-las para as regiões do coração que foram lesadas por infarto, doença hipertensiva ou miocardiopatias com a finalidade de reparar os tecidos destruídos. Para tanto será preciso conhecer melhor o comportamento das células-tronco e identificar os fatores de crescimento que estimulam sua multiplicação e migração para a área afetada.

O trabalho do grupo de Nova York derrubou mais um paradigma da biologia: o de que as células cardíacas seriam incapazes de multiplicar-se para reparar defeitos, e abre perspectivas que revolucionarão a cardiologia dos próximos anos.

Um exame de sangue para prevenção do ataque cardíaco

Aprendi na faculdade que ataques cardíacos aconteciam quando as coronárias eram entupidas por placas de colesterol. A arterosclerose seria conseqüência mecânica da deposição de placas de gordura no interior das artérias, processo irreversível e contínuo que se iniciava desde a adolescência. Pela teoria, quanto mais gordura no sangue, mais rápida a velocidade de formação das placas, maior a probabilidade de obstrução.

Naquele final dos anos 1960, começava a adquirir popularidade a determinação das concentrações das frações HDL e LDL do colesterol no sangue, e passava-se a atribuir a elas valor prognóstico: o HDL seria a fração protetora, ou o "bom" colesterol, e o LDL, o "mau". Quanto mais alto o LDL, maior o risco de infarto do miocárdio (ataque cardíaco), derrame cerebral e complicações vasculares.

Esse conceito foi aceito pelos médicos apesar de evidentes contradições:

- Há pessoas que nunca infartam, apesar de apresentar placas extensas que lhes obstruem significativamente a luz das coronárias. Outras, portadoras de placas insignificantes, com pequeno grau de obstrução, podem sofrer infartos extensos.

- Níveis altos de colesterol explicam apenas 50% dos episódios de infarto; a outra metade dos eventos ocorre em pessoas com colesterol normal.
- As estatinas, drogas que reduzem as concentrações de colesterol no sangue, administradas a pessoas com LDL elevado, diminuem a probabilidade de ataques cardíacos e derrames cerebrais. Mesmo indivíduos com níveis normais de LDL, no entanto, podem beneficiar-se do uso desses medicamentos.

No início dos anos 1990, surgiu nos laboratórios da Universidade Harvard uma linha de pesquisa que apresentaria explicação racional para essas contradições, e em poucos anos revolucionaria o campo da prevenção e do tratamento da arterosclerose.

Das pesquisas iniciadas por esse grupo, emergiu o conceito de que a aterosclerose é um processo inflamatório. Entendê-la e tratá-la como resultado do acúmulo passivo de colesterol nas artérias é uma visão simplista, que deve ser abandonada. A formação da placa é um processo ativo, conseqüência de uma inflamação que se estabelece no local.

As partículas de LDL em excesso que se acumulam junto às paredes internas de uma artéria (endotélio) sofrem alterações químicas que induzem as células do revestimento interno do vaso a produzir certos mediadores que atraem glóbulos brancos, com a finalidade de digerir essas partículas alteradas. Inicia-se no local uma cadeia de reações imunológicas que resultará na deposição de uma camada constituída por gordura e glóbulos brancos. Como defesa, na superfície dessa placa gordurosa forma-se uma cápsula protetora, densa, de tecido fibroso, com o intuito de isolá-la e mantê-la íntegra, emparedada na intimidade do vaso, sem interferir significativamente no fluxo sanguíneo (embora estreite a luz do vaso).

O infarto acontece não porque a placa necessariamente ocluiu a artéria afetada, mas quando substâncias resultantes das reações inflamatórias que ocorrem no interior da placa digerem a cápsula protetora e provocam a formação de coágulos, que se desprendem e são levados pela corrente sanguínea.

A caracterização da aterosclerose como processo inflamatório tem implicações práticas da maior importância: as mesmas células e moléculas envolvidas nas inflamações, resposta a agentes infecciosos e ao trauma, estão intimamente ligadas à gênese do processo aterosclerótico.

Uma dessas moléculas é a proteína C-reativa, substância presente em pequenas quantidades no sangue de pessoas normais, mas cuja concentração pode aumentar cem ou mil vezes na vigência de processos inflamatórios.

Como a molécula dessa proteína permanece estável por décadas no sangue estocado, nos últimos anos surgiu uma avalanche de estudos que estabeleceram relações bem definidas entre os níveis de proteína C-reativa e o risco de acidentes cardiovasculares. Deles, emergiram explicações mais claras para as contradições ligadas ao colesterol:

- Níveis elevados de proteína C-reativa estão associados a ataques cardíacos e a derrames cerebrais mesmo em indivíduos com LDL baixo.
- Níveis elevados de proteína C-reativa guardam relação linear com o número de acidentes cardiovasculares, isto é, quanto mais altos os níveis, maior a probabilidade de acidentes.
- Pessoas com níveis baixos de LDL e de proteína C-reativa são as que menor risco de doença cardiovascular apresentam. Ao contrário, as que possuem LDL e proteína C-reativa elevados apresentam risco de seis a nove vezes maior.
- Indivíduos com LDL baixo, que mesmo assim se beneficiam com o uso de estatinas, são justamente aqueles portadores de

níveis altos de proteína C-reativa, sugerindo uma ação antiinflamatória para essa classe de drogas.

As concentrações de proteína C-reativa no sangue são coerentes com os demais fatores de risco para doenças cardiovasculares. Seus níveis se elevam com o fumo, com o aumento de peso, com o diabetes, com a hipertensão arterial e com o passar dos anos. O álcool exerce efeito aparentemente paradoxal: os abstêmios apresentam níveis mais altos da proteína, que caem nas pessoas que tomam um ou dois drinques por dia e sobem significativamente nos que exageram na bebida (distribuição que acompanha exatamente o risco de infarto).

Quer dizer então que beber faz bem para o coração? Recentemente foi publicado o estudo mais completo sobre o tema. Nele, 38 077 homens de quarenta a 75 anos, acompanhados no período de 1986 a 1998, enviavam a cada dois anos informações sobre seu estado de saúde, estilo de vida, consumo médio de álcool, concomitância do uso com as refeições e sobre o tipo de bebida ingerida: vinho tinto, branco, cerveja ou destilados.

Os autores padronizaram as quantidades de álcool presentes em um drinque de cada bebida da seguinte forma: uma lata de 355 ml de cerveja contém 12,8 gramas de álcool; um copo de 120 ml de vinho, 11 gramas de álcool e uma dose de 50 ml de destilado contém 14 gramas.

No período, ocorreram 1 418 casos de infarto do miocárdio. Abstêmios e os que bebiam em média menos do que 5 gramas por dia apresentaram risco semelhante. Nos demais, o risco de infarto caiu gradualmente de modo inverso ao total de álcool ingerido: no grupo de 5 a 10 gramas por dia, a redução de risco foi de 17%; no de 10 a 15 gramas ao dia, foi de 31%; e no que bebia 50 ou mais gramas por dia (quatro ou mais drinques diários) a redução foi de 52%.

Os níveis de redução de risco foram similares nas faixas etárias dos quarenta aos 79 anos, e independentes do uso estar ou não associado às refeições. Nenhuma bebida mostrou ser superior a outra: vinho, cerveja ou destilados foram igualmente eficazes na prevenção de ataques cardíacos, fatais ou não.

Um dos achados mais importantes foi a confirmação de que a freqüência do uso guarda relação direta com os benefícios cardiovasculares: o grupo que bebia apenas uma ou duas vezes por semana apresentou redução de risco de 17%, contra 34% de queda entre os que bebiam de três a quatro vezes por semana. Esse achado está de acordo com trabalhos anteriores, como o projeto Mônica, conduzido na Austrália: homens que tomam nove ou mais drinques num único dia por semana apresentam duas vezes mais ataques cardíacos do que os abstêmios. Já os que tomam dois drinques diários, de cinco a seis vezes por semana, têm o risco diminuído em 64%.

A associação entre uso moderado freqüente de álcool e redução do risco de infartos do miocárdio, confirmada num estudo com doze anos de duração, em que os 38 mil participantes enviaram mais de 200 mil relatórios para análise, não pode ser considerada cientificamente irrelevante.

O que os médicos devem fazer então? Aconselhar os homens acima de quarenta anos a beber todos os dias?

Os Alcoólicos Anônimos — grupo de auto-ajuda que presta serviços de grande alcance na recuperação de dependentes do álcool — consideram que existem pessoas já nascidas com tendência a abusar do álcool. Para elas, a única maneira de escapar do alcoolismo é ficar longe da bebida. Segundo o grupo, o número dessas pessoas, que por razões bioquímicas se encontram em situação de risco para alcoolismo, é substancial: de 10% a 15% da população adulta (12 a 15 milhões de pessoas no Brasil).

Os efeitos nocivos do alcoolismo são muito graves para corrermos riscos: violência, trauma, acidentes de trânsito, cirrose, câncer, psicoses, dissolução do núcleo familiar (para enumerar alguns). Substituir uma doença por outras não é o que a sociedade espera da medicina.

Como diz Ira Goldberg, da Universidade Columbia: "Se o álcool fosse uma droga recém-descoberta, nenhuma companhia farmacêutica ousaria comercializá-la para diminuir a incidência de doenças cardiovasculares. Nem os médicos a indicariam para reduzir de 25% a 50% do risco de infarto, à custa de milhares de mortes por outras causas".

Pessoalmente, estou de acordo, mas acho que os dados sobre a redução de risco de doença cardiovascular — principal causa de morte na sociedade moderna — associada ao uso de álcool em quantidades moderadas devem ser discutidos com clareza, especialmente com as pessoas que já tiveram infarto ou correm grande risco de tê-lo.

Desde que não percam o controle, elas podem se beneficiar do uso de bebidas alcoólicas, sem esquecer que fazer exercício físico e deixar de fumar, controlar o diabetes, a pressão arterial, os níveis de colesterol e os níveis de proteína C-reativa são medidas ainda mais importantes na redução do risco de doenças cardiovasculares, câncer e muitas outras, com a vantagem de não provocar ressaca nem dependência química.

A terceira onda da aids

Eram invariavelmente homossexuais os primeiros brasileiros com aids. A maioria havia adquirido o vírus em viagens aos Estados Unidos e à Europa, ou através de relações sexuais com parceiros infectados no exterior. Na época, a doença era chamada de "peste gay" e considerada por muitos um castigo que Deus, em sua infinita bondade, havia criado para punir a promiscuidade humana.

Por volta de 1985, começaram a cair doentes os portadores de hemofilia e os usuários de cocaína injetável (homens, em sua maioria). Não seria de estranhar: os norte-americanos e europeus já haviam descrito a transmissão do HIV através de produtos derivados do sangue e de agulhas contaminadas. O que surpreendeu foi descobrirmos a existência de uma verdadeira epidemia de cocaína injetável na periferia das grandes cidades. Ingenuamente, na época, a cocaína era considerada droga exclusiva das classes mais abastadas.

Essa foi a primeira onda da epidemia de aids: homens homossexuais, hemofílicos e usuários de droga injetável. Para cada vinte ou trinta homens com a doença, surgia uma mulher.

Durante a segunda metade dos anos 1980 e na década seguinte, o HIV se disseminou especialmente entre as mulheres. Não que os homens deixassem de se infectar, mas a velocidade de disseminação entre eles diminuiu, graças a dois fatores:

- Impressionados pelo sofrimento dos doentes e pelo número de mortos nas comunidades em que viviam, os homossexuais reduziram o número de parceiros e aderiram às práticas de sexo seguro (precauções que infelizmente muitos jovens atuais abandonaram).

- O número de usuários de cocaína injetável caiu vertiginosamente, provando que o uso de drogas ilícitas também obedece aos ditames da moda. No ambiente marginal de cidades como São Paulo, a cocaína injetável foi substituída pelo crack. Para dar uma idéia, em 1989, no auge da epidemia de cocaína injetável, num estudo epidemiológico na Casa de Detenção (Carandiru), encontramos 17,3% dos presos infectados pelo HIV. A repetição desse estudo em 1995, em plena era do crack, mostrou que a prevalência havia caído para 13,7%. E para 8,5%, em 1998, quando ninguém mais injetava droga na veia.

Entre as mulheres, ao contrário, a epidemia se disseminou com mais liberdade nesse período. Primeiro, porque a conformação anatômica da vagina oferece superfície de contato às secreções sexuais masculinas mais extensa do que a mucosa do pênis às secreções femininas. Na vagina, o vírus contido no esperma fica retido por mais tempo, dispõe de maior superfície de contato e pode utilizar como porta de entrada os processos inflamatórios ginecológicos, tão freqüentes nas mulheres. Depois, porque boa parte das brasileiras ainda vive em condições de submissão econômica e social aos homens. A falta de escolaridade e a dependência econômica colocam a mulher em desvantagem na hora de negociar com o parceiro o uso do preservativo. Há também fatores culturais: a sociedade faz vista grossa à infidelidade masculina. Todos os que trabalham com aids conhecem exemplos de senhoras infectadas pelo marido, único parceiro sexual de suas vidas.

Assim, da metade dos anos 1980 ao final da década seguinte, a razão entre homens e mulheres infectados pelo vírus da aids caiu gradativamente, até atingir praticamente a proporção de um homem para cada mulher. O relatório do Fundo de Desenvolvimento da ONU para as Mulheres mostra que na faixa etária entre quinze e 25 anos, 60% das infecções ocorrem no sexo feminino.⁶⁶

A aids feminina e os bebês infectados constituíram a segunda onda da epidemia, que exige intervenções educacionais agressivas destinadas a convencer as mulheres de que não podem confiar na sorte. A responsabilidade dessa tarefa começa em casa: não tem sentido os pais insistirem que os filhos homens carreguem preservativos na carteira, enquanto se omitem envergonhados no caso das filhas. Não custa lembrar que, assim como aconteceu conosco no passado, nossas filhas não nos pedirão licença para iniciar a vida sexual, e que portanto precisam receber orientação antes da puberdade. Ninguém espera uma criança atravessar a rua sozinha pela primeira vez para depois adverti-la do perigo dos automóveis.

A previsão dos rumos que a epidemia iria tomar daí em diante gerou debates acalorados. De um lado, os que anteviam uma terceira onda na qual o *pool* de mulheres infectadas transmitiria o vírus para seus parceiros heterossexuais; de outro, os que consideravam altamente improvável a transmissão sexual da mulher infectada para o homem saudável, por conta das diferenças anatômicas já citadas.

Em publicações científicas e em entrevistas, sempre defendi a posição dos primeiros. Nunca tive dúvida de que uma subpopulação de homens heterossexuais estava sendo infectada silenciosamente por suas parceiras. A certeza era baseada em reflexões teóricas e em observações clínicas.

A teoria nos ensina que não há exemplo de doença sexualmente transmissível que poupe um dos sexos. Seria a aids a única? Por quê? Os milhões de africanos e asiáticos portadores do HIV seriam todos homossexuais ou dependentes de droga injetável?

A observação prática que me permitiu confirmar a teoria ocorreu no atendimento médico a presidiários. Há anos encontro presos HIV-positivos que negam o uso de drogas injetáveis ou relações homossexuais. São mentirosos, poderíamos argumentar. É pouco provável, eu diria. Os estupros são raros no sistema penitenciário depois que o programa de visitas íntimas foi criado em meados dos anos 1980. Na cadeia, um homossexual jamais passa despercebido, é impossível disfarçar, todos ficam sabendo. E os que mantêm relações com travestis presos não têm o menor pudor em confessá-las: travestis são considerados "mulheres de cadeia", não é desdouro para presidiário nenhum relacionar-se com eles.

Quanto ao uso de droga injetável no passado, por que razão esconder do médico, se os que o negam confessam a condição de usuários de crack, maconha, ecstasy, cola e exibem as veias dos braços intactas?

Um dos relatórios do Ministério da Saúde traz a confirmação dessas evidências. Textualmente, diz: "Entre os homens, consolida-se o crescimento da categoria heterossexual como principal forma de transmissão do vírus. [...] A incidência de aids entre heterossexuais masculinos supera 65% das notificações".

Chegou a vez dos homens heterossexuais que jamais injetaram droga na veia nem consideravam necessário usar preservativo por se julgarem imunes à infecção. A terceira onda da aids está nas ruas.

Transmissão de HIV resistente

A história natural da aids mudou drasticamente a partir do final de 1995, quando foram lançados no mercado medicamentos altamente eficazes para inibir a multiplicação do HIV. Nos pacientes tratados adequadamente, a infecção pelo vírus deixou de ter seu curso inexorável de infecções de repetição, câncer, caquexia e morte, para adquirir características de infecção crônica, controlável clinicamente. No Brasil, a disponibilidade de medicamentos antivirais distribuídos à população infectada pelo HIV reduziu o número de infecções oportunistas, as internações hospitalares e a mortalidade.

É possível, também, que a inibição da carga viral na corrente sanguínea e nas secreções sexuais em grande número de pacientes tratados esteja colaborando para reduzir os índices de transmissão do vírus nas cidades brasileiras e nos países industrializados. Essa conclusão, no entanto, não está comprovada definitivamente.

Por outro lado, como o vírus apresenta capacidade aparentemente ilimitada de sofrer mutações para escapar de pressões ecológicas, sejam elas criadas pela resposta imunológica individual, pelas drogas antivirais ou por ambas, a administração de medicamentos de alta eficácia não é garantia absoluta de supressão do vírus nas secreções sexuais.

A transmissão de vírus resistentes a determinadas drogas para hospedeiros recém-infectados pelo HIV está documentada há mais de dez anos. Ela está relacionada com a disponibilidade dos medicamentos e com a aderência aos esquemas terapêuticos prescritos.

Um estudo suíço demonstrou redução surpreendente dos índices de transmissão de cepas resistentes do HIV no período de 1996 a 1999, quando os parceiros sexuais tratados apresentavam carga viral indetectável no sangue. Ao contrário, num estudo conduzido em Abidjan, Costa do Marfim, o acesso limitado aos antivirais — responsável pela falta de aderência ao tratamento — ocasionou o aparecimento de vírus com altos índices de resistência às drogas, na população.

Recentemente, um grupo de pesquisadores norte-americanos publicou na *The New England Journal of Medicine* uma análise retrospectiva dos padrões de resistência do HIV adquirido por 377 pessoas recém-infectadas, virgens de tratamento, que adquiriram a infecção entre maio de 1995 e junho de 2000 em dez cidades americanas. Os autores também analisaram a associação entre os níveis de resistência do vírus transmitido e a resposta virológica ao tratamento em 202 desses pacientes posteriormente medicados.

No período de 1995 a 1998, a presença de vírus com níveis altos de resistência a uma ou mais drogas antivirais foi detectada em 3,4% dos recém-infectados. Essa freqüência determinada no período de 1999 a 2000 cresceu para 12,4%. Nos 202 pacientes que iniciaram tratamento em seguida, o tempo necessário para tornar a carga viral indetectável no sangue foi dependente da sensibilidade das cepas virais transmitidas.

Embora apenas um dos portadores de vírus resistente a múltiplas drogas não tenha apresentado carga viral indetectável com a instituição do tratamento, a duração da supressão foi substancialmente mais longa naqueles que apresentavam vírus sensíveis.

O aumento da freqüência de transmissão de vírus resistentes a uma ou mais drogas documentado nesse e em outros estudos, associado à resposta mais lenta ao tratamento e à duração menor da supressão da carga viral no sangue quando esses pacientes são tratados, dificultam a escolha do esquema antiviral e implicam elevação de custos com exames laboratoriais.

É possível que no futuro imediato o ideal seja testar a sensibilidade do vírus adquirido antes de selecionarmos o esquema antiviral a ser empregado inicialmente, em cada caso.

A limitação das opções de tratamento imposta pela transmissão de cepas virais resistentes a uma ou mais drogas é um complicador que não pode ser menosprezado.

Na escolha do tratamento antiviral é importante que os médicos levem em consideração essa possibilidade, evitem prescrever esquemas difíceis de ser administrados, insistam com os pacientes para guardar rigorosa aderência ao tratamento e que o Ministério da Saúde mantenha o programa de distribuição gratuita dos antivirais.

Mais importante do que todas essas medidas, no entanto, é garantirmos acesso universal aos preservativos. Não basta insistirmos que eles são necessários. Prevenir é mais fácil do que remediar, e custa muito menos.

PARTE IV

DROGAS: REMÉDIOS
E DEPENDÊNCIA QUÍMICA

Toma, que é bom para a gripe

Ao contrário da lenda, os tubarões também sofrem de câncer. Um estudo recém-publicado joga por terra definitivamente as pretensões dos comerciantes que apregoam poderes milagrosos para a cartilagem de tubarão.

Essa história começou em 1983, quando um trabalho experimental mostrou que havia nos tecidos cartilaginosos dos tubarões uma substância capaz de bloquear a multiplicação de capilares sanguíneos. Como os tumores malignos precisam induzir a formação de novos vasos para irrigá-los à medida que crescem, teoricamente, pelo menos, uma substância como essa poderia ter ação antitumoral.

Baseado nessa premissa, um cidadão americano publicou o livro *Sharks Don't Get Cancer* (Tubarões não têm câncer)[67] e obteve a patente da cartilagem, em 1990. Depois, investiu pesado em publicidade, e o retorno foi rápido: milhões de dólares em vendas no mundo todo.

Em 1998, para testar cientificamente a eficácia da cartilagem de tubarão no tratamento do câncer, pesquisadores americanos realizaram um estudo no qual os pacientes foram divididos em dois grupos. O primeiro recebeu comprimidos da cartilagem, e o segundo, comprimidos de uma substância inerte (placebo). Não houve nenhuma diferença na evolução, na sintomatologia ou na sobrevida dos dois subgrupos.

Agora, dois cientistas americanos, Gary Ostrander e John Harshberger, fizeram um levantamento no arquivo do Registro de Tumores em Espécies Inferiores do Instituto Nacional do Câncer (NCI) dos Estados Unidos e encontraram pelo menos quarenta casos de câncer descritos em tubarões.

Desses, três casos eram de câncer primário do tecido cartilaginoso. Isto é, cartilagem de tubarão não evita câncer nem nas cartilagens dos tubarões.

No Brasil, cartilagem de tubarão tem sido anunciada em jornais, revistas e programas populares de rádio. Como sempre, o público-alvo são os doentes e suas famílias, ansiosos por algo que lhes possa aliviar o sofrimento.

O episódio ilustra a fragilidade dos assim chamados "tratamentos alternativos" do câncer e de tantas outras doenças.

Alguém diz que cogumelo é bom para isso, babosa, para aquilo, vitamina C cura gripe e fortificante rejuvenesce, e sai fazendo propaganda nos meios de comunicação de massa para tomar dinheiro dos incautos.

É fácil, não há leis que impeçam a comercialização de poções milagrosas, não há nem fiscalização do Procon.

O argumento de que esses produtos, "se não fazem bem, mal também não fazem", é inaceitável, porque alguns deles são tóxicos. É o caso do aparentemente inócuo chá de confrei, que pode provocar necrose do fígado. É o caso do betacaroteno nas doses encontradas na maioria dos suplementos vitamínicos, que sabidamente aumenta a incidência de câncer de pulmão nos fumantes. Ou do tradicional biotônico que tantas gerações de mães deram inadvertidamente para seus filhos e que continha 9,5% de álcool — concentração quase igual à existente no vinho e mais do que o dobro da encontrada na cerveja.

Além disso, ao aderir a essas panacéias, muitos retardam intervenções cirúrgicas e abandonam tratamentos clínicos de eficácia comprovada. Como conseqüência, sofrem muito mais, oneram as famílias e os cofres públicos com internações hospitalares que seriam desnecessárias e, o mais triste, perdem a oportunidade de cura.

Num país com nível de escolaridade como o nosso, quem dá

aos comerciantes o direito de anunciar em seus produtos propriedades terapêuticas que jamais foram demonstradas?

Por exemplo, em que revista científica digna desse nome está publicado o estudo que demonstrou que vitamina C previne, abrevia a duração, alivia sintomas de gripes e resfriados, ou aumenta a "resistência" do organismo, como aparece o tempo todo na televisão?

Embora nenhuma classe social esteja imune a esse tipo de publicidade enganosa, acontece entre os pobres o dano mais covarde.

Pelo país inteiro, milhões de famílias de baixa renda desviam da alimentação o dinheiro para comprar vitaminas que serão integralmente excretadas na urina, fortificantes, "remédios" para o fígado, memória, disposição, apetite ou rejuvenescimento; para não falar na absurda linha de medicamentos destinados a manter, e até melhorar, a saúde de quem já é saudável.

Enquanto nos falta coragem para varrer da prateleira das farmácias os milhares de "remédios" sem ação comprovada que envergonham a farmacopéia brasileira, é preciso pelo menos impedir a publicidade deles.

Se concordamos que um fabricante de tampinha de cerveja deva ser processado pela má qualidade de seu produto, como se explica nossa conivência com os que enganam a população apregoando propriedades falsas de substâncias químicas que serão ingeridas com a melhor das intenções por pessoas doentes, gente de idade e crianças pequenas?

Fórmulas milagrosas

"Adquira o corpo que pediu a Deus sem nenhum esforço: apenas duas cápsulas por dia!"

Popularíssimas no Brasil — terceiro consumidor no ranking mundial —, as fórmulas magistrais para emagrecimento atendem a esse apelo mágico.

O que são essas fórmulas, prescritas por médicos com diploma na parede, para ser aviadas em farmácias de manipulação legalmente autorizadas a fazê-lo, mas também vendidas na clandestinidade e até pela internet?

Fórmulas para emagrecer constituem exemplos didáticos de polifarmácia. A fórmula típica contém de cinco a quinze componentes: uma substância "tipo-anfetamina" (femproporex e dietilpropiona são as mais empregadas), tranqüilizantes benzodiazepínicos (geralmente diazepan ou clordiazepóxido), agentes tireoidianos (triiodotironina, tetraiodotironina, triac, triatec), diuréticos (furosemida, hidroclortiazida etc.), agentes gastrintestinais (cimetidina, fenolftaleína, dimeticona etc.), uma variedade de produtos vegetais (cáscara sagrada, cavalinha, *Fucus vesiculosus* e outros representantes da exuberante biodiversidade brasileira), antidepressivos como a fluoxetina e a sertralina, vitaminas, cloreto de potássio, propanolol e o que mais a imaginação for capaz de criar.

Se a boa prática médica recomenda cautela ao associar duas drogas, pela dificuldade em prever interações medicamentosas, como justificar essas prescrições mirabolantes? Elas se baseiam numa lógica que os estudantes de medicina jocosamente apelidaram de "princípio da cascata", segundo o qual sempre há de existir um remédio para combater os males provocados por outro.

Drogas do "tipo-anfetamina" como o femproporex e a dietilpropiona agem no sistema nervoso central provocando diminuição do apetite. Ao lado do efeito anorexígeno, entretanto, provocam agitação psicomotora, insônia, irritação, nervosismo, ansiedade, tremores, excitação, boca seca, gosto metálico, náuseas, alterações do hábito intestinal. Para combatê-los, a fórmula contém os tranqüilizantes diazepínicos, laxantes, antidepressivos, antiácidos etc.

Outra peculiaridade dessas prescrições é a generosidade com que são incluídos hormônios tireoidianos sem qualquer indicação clínica ou laboratorial, apenas sob o pretexto ridículo de fazer trabalhar "tireóides preguiçosas". Doses maciças desses hormônios, como as utilizadas em tais circunstâncias, conduzem ao hipertireoidismo, doença em que alguns dos sintomas se somam e se confundem com os efeitos indesejáveis dos anorexígenos (agitação, irritabilidade, tremores, taquicardia, alterações intestinais), além de causar perda de massa muscular, osteoporose e queda de cabelo, dentre outros inconvenientes.

O trágico é que os incautos compradores dessas cápsulas pela internet ou diretamente dos traficantes não têm a menor idéia das drogas nelas contidas: não existe prescrição nem bula, e os rótulos trazem nomes fantasiosos como "Emagrecedor número 2" ou "Emagrecedor natural".

Nem por isso os clientes que recebem prescrições das mãos dos médicos ficam em situação mais confortável. Estudo conduzido pela dra. Solange Nappo (Cebrid-Unifesp) e por colaboradores da USP mostrou que, em 107 consultas com prescrição de fórmulas, apenas um médico mencionou a existência de efeitos colaterais, somente cinco advertiram para não aumentar as doses prescritas, e sete recomendaram evitar gravidez. Nenhum deles sequer mencionou que anfetaminas e barbitúricos causam dependência química.

Já em 1983, um boletim da Organização Mundial da Saúde

advertia: "A indução de dependência por barbitúricos está claramente demonstrada. [...] Essas drogas devem ser reservadas para pacientes que sofrem de ansiedade clínica bem definida". Bastam três meses de uso (às vezes, menos) para que sejam criadas dependência química e síndrome de abstinência à interrupção abrupta.

Em relação às drogas do "tipo-anfetamina", a dependência leva à tolerância e, conseqüentemente, ao aumento de doses por conta própria. Aí reside o perigo maior: ao dobrar ou triplicar o número de cápsulas diárias, o usuário duplicará ou triplicará as doses de hormônio tireoidiano, diurético, benzodiazepínico, antidepressivo, laxante e o diabo que houver, correndo o risco de perder a vida.

Por essa razão, a Anvisa (Agência Nacional de Vigilância Sanitária) proibiu a prescrição de anorexígenos como parte de formulações magistrais. Mas o que fazem aqueles interessados em burlar a lei? Prescrevem o anorexígeno separadamente e todos os demais componentes numa mesma fórmula; depois, mandam tomar uma cápsula de cada um, duas vezes ao dia.

O que faz a fama de determinada fórmula é o fato de os incautos suporem que a composição foi criteriosamente dosada para seus casos e de conhecerem alguém que perdeu peso ao tomá-la. De fato, há pessoas que emagrecem até dez quilos no primeiro mês de tratamento, mas daí em diante a perda fica progressivamente lenta, até que o ponteiro da balança pára de se mover e retoma o caminho inexorável da subida.

Com a auto-estima rebaixada e achacados por uma constelação de efeitos colaterais, os usuários interrompem então o tratamento, e entram em crise de abstinência pela falta da anfetamina e do benzodiazepínico: sonolência, apatia, fraqueza, depressão, falta de memória, ideação suicida. A esses sintomas acrescentam-se os do hipotireoidismo, porque a tireóide previamente bombardeada pelas doses excessivas de hormônio declara greve por tempo indeterminado.

Derrotados em seu propósito de perder peso, os ex-usuários recuperarão num instante os quilos perdidos e ganharão outros mais até ouvirem falar na próxima fórmula milagrosa.

Descoberta da vacina da poliomielite

Na minha infância, a poliomielite era epidêmica. Por toda parte encontrávamos crianças que se locomoviam desengonçadas com a ajuda de aparelhos ortopédicos rústicos que rangiam ao serem movimentados. Qualquer febre ou fraqueza num filho bastava para deixar os pais apavorados. Seria paralisia infantil?

Nos anos 1960, no Hospital das Clínicas, assisti a aulas nos célebres "pulmões de aço", tubos cilíndricos inventados em 1928 onde a criança era mantida deitada permanentemente apenas com a cabeça de fora, no interior dos quais a ação de uma bomba de vácuo diminuía e aumentava a pressão para o ar ser inalado e expulso dos pulmões incapacitados de respirar por conta da flacidez da musculatura encarregada de fazê-lo. A dedicação dos médicos e das enfermeiras responsáveis pela unidade e a imagem de meninas e meninos imóveis dentro daqueles aparelhos, capazes ainda de sorrir quando brincávamos com eles, estão entre as imagens mais tocantes que guardei dos tempos de faculdade.

Para comemorar o cinquentenário do Prêmio Nobel conferido aos cientistas que criaram as condições básicas para o desenvolvimento da vacina contra a poliomielite, a *New England Journal of Medicine* contou a história dessa descoberta.[68]

Ela começa com John Enders, filho de banqueiros que o educaram para seguir nos negócios da família, mas que se interessou por literatura na Universidade Harvard, onde, por casualidade, dividiu moradia com um colega do curso de microbiologia. Contaminado pela paixão do outro, Enders se formou microbiologista em 1930.

Dez anos mais tarde, conseguia pela primeira vez isolar os vírus da *vaccinea* (catapora) e da gripe em culturas de tecidos mantidas em tubos de ensaio, trabalho interrompido em 1941 pela eclosão da Segunda Guerra Mundial. Quando a guerra terminou, Enders foi convidado para chefiar um laboratório no Children's Hospital, de Boston. Lá, encontrou dois pediatras recém-formados, Tom Weller e Fred Robbins, seus futuros parceiros na descoberta de uma aparente curiosidade laboratorial que abriria caminho definitivo para a obtenção da sonhada vacina contra a paralisia infantil.

Robbins semeou vírus da poliomielite em tecidos fetais mantidos em tubo de ensaio, na presença de um corante que mudava de cor de acordo com a acidez ou alcalinidade do meio. Verificou que enquanto as células não-infectadas liberavam ácidos no meio de cultura, tornando o corante amarelo, as que continham o vírus não modificavam a cor do corante. Por esse método simples conseguiram demonstrar que era possível propagar o vírus da pólio em cultura de tecidos. E que, ao transferir o vírus de uma cultura para outra em sucessivas passagens, ocorria diminuição progressiva da virulência, passo essencial para a vacina.

Em 1954, Enders recebeu a notícia de que havia ganhado o prêmio Nobel, mas para surpresa geral recusou-se a recebê-lo a menos que a honraria fosse dividida com "aqueles que fizeram o trabalho". Sensibilizadas, as autoridades suecas decidiram agraciar os três cientistas.

Atentos a esses avanços laboratoriais estavam dois cientistas ambiciosos e reconhecidamente brilhantes: Jonas Salk e Albert Sabin.

Salk havia trabalhado na Universidade de Nova York no desenvolvimento de uma vacina preparada com o vírus inativo da gripe. Sabin, durante a guerra, na Universidade de Cincinnatti, havia feito pesquisas com o vírus da dengue e o da encefalite japonesa, pragas que afligiam os soldados americanos no Pacífico Sul.

Na busca da vacina contra a pólio, os dois cientistas perseguiram caminhos diversos: Salk explorava preparações com vírus morto, administradas por via intramuscular; Sabin explorava as propriedades do vírus vivo, atenuado, administrado pela via oral.

A corrida entre os dois sofreu influência decisiva de um terceiro personagem, alheio ao ambiente universitário: Daniel O'Connor, advogado, ex-sócio do presidente Roosevelt, a mais notória de todas as vítimas da doença, ao lado de quem criara a Fundação Nacional para a Paralisia Infantil. Embora os dois pesquisadores tenham recebido fundos generosos dessa fundação, coube a Salk a parte do leão, porque O'Connor ficou convencido de que ele estava mais próximo da vacina.

Depois de testar sua vacina em pequenos grupos de crianças, Salk recebeu apoio decisivo da fundação para realizar um estudo populacional memorável no qual foram vacinados 1,8 milhão de escolares. Anunciado com espalhafato numa conferência de imprensa em abril de 1955, o sucesso dos resultados obtidos transformaram Salk em herói nacional.

A aceitação imediata da vacina Salk tornou muito difícil para Sabin a realização de testes em larga escala nos Estados Unidos. Obsessivo na perseguição de suas convicções científicas, no entanto, ele foi capaz de organizar, em conjunto com pesquisadores soviéticos, o estudo definitivo com a utilização da vacina oral em milhões de crianças do Leste europeu.

Além da facilidade da administração oral, a vacina Sabin apresentava a vantagem do baixo custo, da propriedade de estimular a imunidade da mucosa intestinal e de espalhar através das fezes o vírus vivo, atenuado, capaz de imunizar mesmo crianças não vacinadas ao entrar em contato com ele nas regiões de saneamento básico precário.

Graças ao trabalho conjunto desses cientistas e dos que os antecederam nas primeiras pesquisas com vírus conduzidas a partir do início do século xx, a Organização Mundial da Saúde iniciou em 1988 um programa de erradicação global da poliomielite. Minha geração de médicos assistiu ao fim da paralisia infantil em nosso país. Será que em breve veremos o vírus responsável por ela desaparecer da face da Terra?

Erradicação da poliomielite

Introduzida em 1962, a vacina Sabin mostrou-se muito eficaz nas campanhas de vacinação em massa. Um programa regional de erradicação da poliomielite foi iniciado nas Américas em 1985, com base na criação dos dias nacionais de vacinação para crianças com menos de cinco anos e na supervisão médica de todos os casos de paralisia aguda em menores de quinze anos, com a finalidade de detectar novos surtos.

Como conseqüência, o último diagnóstico de pólio no Brasil foi feito em 1990, e o último caso endêmico ocorreu no Peru, em 1991. Oficialmente, a Organização Mundial da Saúde (oms) declarou a poliomielite erradicada das Américas em 1994 e da Europa em 1999. Esses resultados motivaram a oms a lançar, em 1988, um programa de erradicação global, com o objetivo de pôr um fim à doença até o ano 2000.

A pretensão era razoável: se em 1977 havíamos varrido a varíola da face da Terra, por que não conseguiríamos o mesmo com uma doença para a qual existe vacina e que é transmitida de homem para homem sem intermediação de hospedeiros intermediários, que tantas vezes funcionam como reservatórios naturais impossíveis de ser eliminados?

O tempo se encarregou de provar que a varíola foi mais fácil de erradicar. Primeiro, porque seus portadores são facilmente identificáveis a partir das lesões que surgem na pele, enquanto a maioria das infecções pelo vírus da pólio são inaparentes: apenas um em cada cem a duzentos infectados desenvolve a forma paralítica da doença, mas todos eliminam o vírus nas fezes. Segundo, porque enquanto uma única dose da vacina contra a varíola confere imunidade em 95% a 98% das vacinações, a da paralisia infantil exige três, quatro e, às vezes, seis doses de reforço para a imunização.

Além disso, em 1977, quando ocorreu o último caso de varíola, a população mundial era de 4 bilhões, contra os 6,2 bilhões atuais, aumento ocorrido quase exclusivamente em países que dispõem de poucos recursos para investir em saúde.

Quando o programa da OMS de erradicação da pólio foi iniciado em 1988, havia 350 mil casos de paralisia infantil no mundo. Em 2005, esse número havia diminuído para 2 mil, queda impressionante, mas aquém do objetivo inicial.

Problemas sociais e políticos explicam por que os US$ 4 bilhões investidos não foram suficientes para acabar com a doença em regiões conflagradas como Somália, Congo, Angola e a fronteira entre Afeganistão e Paquistão.

O caso da Nigéria é didático. Em 2003, grupos que se opõem à vacinação de crianças (que, por incrível que pareça, ainda existem) lançaram boatos de que a vacina estaria contaminada pelo vírus da aids ou misturada a hormônios destinados a esterilizar meninas muçulmanas, e conseguiram suspender a vacinação em vários estados no norte do país. Resultado: um ano mais tarde, o número de casos havia chegado a oitocentos, o dobro do ano anterior, e o vírus invadiu países vizinhos como Iêmen e Somália.

Ao lado dessas dificuldades, há evidências de que o vírus da pólio possa se espalhar por vários anos sem ser detectado. No ano passado, pesquisadores demonstraram a presença silenciosa do vírus durante cinco anos no Sudão, enquanto a OMS considerava o país como área livre da doença.

A poliomielite ainda persistirá por muitos anos?

Isao Arita, pesquisador que participou com distinção das campanhas contra a varíola, considera mais realista admitirmos que a estratégia de erradicação deve ser substituída pela de "controle efetivo". Segundo ele, a prioridade é manter as medidas de emergência atuais para limitar a disseminação do vírus na África, Oriente Próximo, Índia e Indonésia.

Ficaremos livres de vacinar nossos filhos contra a poliomielite, como aconteceu com a vacinação anti-variólica?

Tão cedo, não. Mesmo depois de surgir o último caso, será difícil garantir que o vírus tenha de fato desaparecido. Um retorno dele num mundo de crianças não-imunizadas provocaria uma tragédia.

A vacina da gripe

Os sintomas da gripe são comuns a muitas doenças. Dores musculares, coriza, tosse, congestão nasal, dor de garganta e febre constituem um cortejo de manifestações presentes em diversas infecções virais ou bacterianas. Dessa semelhança vem a confusão existente entre gripe e resfriado. Basta o nariz escorrer, a garganta queimar à deglutição e os músculos ficarem cansados para acharmos que é gripe.

Na prática, costumo me orientar para estabelecer a diferença entre as duas viroses com a pergunta: "Você conseguiu trabalhar apesar da falta de disposição ou não conseguiu sair de casa?". Se a pessoa que se diz gripada agüentou até o final do expediente, o diagnóstico mais provável é o de resfriado. A gripe causa tanta astenia e cansaço muscular que não há cristão capaz de resistir em pé.

Não conseguimos desenvolver imunidade duradoura contra a gripe porque a cada nova temporada o vírus que emerge é geneticamente diferente do anterior. Por essa razão, a preparação de uma vacina antigripal precisa ser reformulada anualmente, a partir das características dos vírus que estão circulando pelo mundo naquele momento.

A Organização Mundial de Saúde desenvolve estudos de supervisão internacional para detectar e caracterizar os vírus responsáveis pelas diferentes epidemias de gripe. Esse trabalho tem permitido reformular rapidamente as preparações vacinais para adaptá-las às novas variedades de vírus presentes em cada surto.

A vacina com vírus vivos, mas atenuados, é a mais empregada. É preparada semeando-se as partículas virais em ovos de galinha fecundados, posteriormente expostos ao formol para inativá-las e impedir a transmissão acidental da doença. Em adultos saudáveis a vacinação previne de 70% a 90% dos casos de gripe.

Um fator de grande importância na disseminação das epidemias de gripe na comunidade é a alta incidência da doença em crianças. Adultos jovens apresentam quadros gripais com o dobro da freqüência das pessoas acima de sessenta anos, mas nestes as complicações são mais comuns e mais graves.

Está provado que nos mais velhos a vacina contra a gripe reduz significativamente o número de complicações pulmonares, hospitalizações e mortes. O custo-benefício da vacinação anual das populações com mais de sessenta anos tem se mostrado favorável em diversos estudos epidemiológicos. Quanto mais agressiva for a epidemia, mais vantajosa será a vacinação.

A vacina deve ser administrada antes do início do inverno, estação em que costuma ocorrer aumento do número de casos. Em países mais quentes como o nosso, no entanto, não são raros surtos de epidemia em outras épocas do ano.

Crianças, adolescentes e as pessoas mais velhas são mais suscetíveis à infecção pelo vírus da gripe. As doses da vacina dependem da idade. Geralmente empregam-se doses únicas, mas duas doses administradas com um mês de intervalo entre uma e outra são indicadas no caso de crianças pequenas que ainda não foram expostas ao vírus. Nas grandes epidemias, entretanto, doses duplas podem ser prescritas para toda a população. Como a duração da proteção integral é relativamente curta, o ideal é que a vacinação seja feita o mais próximo possível do surgimento dos primeiros casos da temporada.

O único efeito colateral relevante atribuído à administração da vacina é a ocorrência de reação inflamatória de fraca intensidade no local da aplicação. A febre que às vezes surgia com as vacinas antigas pode ser atribuída à presença de impurezas que não são mais encontradas nas preparações atuais. Em 1976, a vacina contra a gripe foi associada a um aparente aumento de um quadro neurológico conhecido como síndrome de Guillain-Barret (talvez um caso para cada 100 mil pessoas vacinadas).

Vacinas com vírus vivo atenuado na forma de *spray* nasal têm sido usadas na Rússia e países vizinhos, com a finalidade específica de prevenir a doença em crianças, e para explorar a vantagem de disseminar essa forma atenuada do vírus vivo para os contactuantes, e assim vaciná-los de forma indireta.

Estudos conduzidos nos Estados Unidos com esse tipo de vacina demonstraram a alta eficácia dessas preparações com vírus vivos na prevenção de quadros gripais em crianças e de sua complicação mais freqüente: as otites.

Segundo os Centers for Disease Control and Prevention (CDC) dos Estados Unidos, devem receber anualmente a vacina contra a gripe os seguintes grupos de pessoas:

Pessoas com risco mais alto de apresentar complicações
- Homens e mulheres a partir dos cinqüenta anos.
- Adultos e crianças portadores de doenças pulmonares crônicas (incluindo asma) ou doenças cardiovasculares.
- Adultos e crianças portadores de doenças metabólicas crônicas (como diabetes), insuficiência renal, hemoglobinopatias ou deficiência imunológica (incluindo infecção pelo HIV).
- Crianças de seis a dezoito meses em tratamento de manutenção com aspirina.
- Mulheres que estarão no segundo trimestre de gravidez quando chegar a "estação de gripe" (de junho a agosto, no Brasil).
- Residentes de creches, orfanatos e casas de repouso.

Pessoas que podem transmitir gripe a grupos de risco
- Pessoal médico e paramédico.

- Empregados de creches, orfanatos e casas de repouso.
- Adultos, crianças e empregados que vivem em residências nas quais moram pessoas de risco mais alto.

Grupos que devem considerar a vacinação
- Pessoas que viajam para locais em que existe a epidemia.
- Pessoas que exercem funções essenciais à comunidade.
- Estudantes e outras pessoas que freqüentam instituições públicas.
- Qualquer pessoa que deseja reduzir o risco de "pegar" gripe.

A vacina da gripe disponível atualmente é preparada a partir de uma seleção de subtipos de vírus que estão provocando surtos pelo mundo e podem representar perigo de disseminação no inverno seguinte. É importante lembrar que as vacinas são fabricadas para administração imediatamente antes das "estações de gripe", e que esse período é discordante em relação a nós: nos países do hemisfério norte (onde as vacinas são fabricadas) elas correspondem aos meses de dezembro a março, e no Brasil, de junho a agosto.

Assim, ao usarmos vacinas importadas, devemos lembrar que elas foram preparadas com os vírus que representavam ameaça alguns meses antes (dezembro a março) e que, em junho, outros vírus poderão surgir para os quais a vacina não oferece proteção.

Embora nem sempre seja fácil demonstrar os benefícios econômicos da vacina quando administrada para grande número de indivíduos numa comunidade, a vacinação contra a gripe sempre traz benefícios individuais para a saúde.

Reposição hormonal: continuar ou descontinuar?

Em medicina, as generalizações são perigosas. Em 1998, numa conferência internacional, ouvi uma professora universitária americana afirmar com ênfase: "São tantas as vantagens da reposição hormonal, que negar à mulher de meia-idade o direito de usufruir seus benefícios é conduta antiética".

Em seguida ela apresentou uma série de *slides* para justificar a afirmação de que a reposição devia ser iniciada nos anos que antecedem a última menstruação e mantida pelo resto da vida. A argumentação, de fato, impressionava: a reposição hormonal aliviaria os sintomas vasoativos da menopausa responsáveis pelas ondas de calor, sudorese e mal-estar; reduziria os níveis de colesterol, o risco de doenças cardiovasculares, de osteoporose e fraturas ósseas; diminuiria a secura vaginal, a dor à penetração, o número de infecções ginecológicas e do trato urinário. Além disso, rejuvenesceria a pele, elevaria a auto-estima, teria ação antidepressiva, preservaria a memória e retardaria o aparecimento de demências como a doença de Alzheimer.

Embora a passagem para a menopausa possa ser amena, há mulheres que sofrem com ela. Os sintomas vasoativos podem ser tão intensos e os episódios de sudorese tão freqüentes que chegam a inviabilizar o convívio social. A perda de elasticidade da pele, a diminuição da libido, a secura vaginal, os lapsos de memória, as crises de choro e os quadros depressivos característicos dessa época em que os filhos ficaram adultos podem destruir relacionamentos amorosos, provocar perda da auto-estima e da vontade de viver.

Para agravar, algumas doenças parecem aguardar a chegada

da menopausa. As mulheres têm menos ataques cardíacos e derrames cerebrais do que os homens até atingi-la, daí em diante o risco passa a ser idêntico: uma em cada três irá morrer de doença cardiovascular. As infecções ginecológicas e urinárias de repetição, a osteoporose, as fraturas e a redução da massa muscular comprometem a qualidade de vida e muitas vezes encurtam sua duração.

Nada mais desejável, portanto, que um tratamento como a reposição hormonal, aparentemente desprovido de maiores efeitos colaterais, fosse indicado para essa fase da vida. O que me incomodou naquela palestra não foi a indicação, mas a proposta de torná-la universal sem levar em conta a biodiversidade humana. Em medicina, não existe um único exemplo de remédio que sirva a todos.

A publicação de um estudo americano aguardado com grande interesse, no entanto, confundiu médicos e pacientes a respeito das indicações da reposição e dos problemas a ela relacionados. Esse estudo foi o WHI (Women's Health Initiative) [Iniciativa sobre Saúde da Mulher].[69] Nele foram inscritas mais de 160 mil mulheres pós-menopausadas, com idades entre cinquenta e 79 anos, no período de 1993 a 1998. As participantes foram distribuídas aleatoriamente em dois grupos: o primeiro recebeu reposição hormonal por meio de uma combinação de estrogênio e progesterona, em doses mais altas do que as empregadas nos dias de hoje. O segundo recebeu placebo, comprimido inerte, mas de aspecto idêntico ao da reposição. O formato do estudo era em duplo-cego, isto é, médicos e pacientes desconheciam a composição dos comprimidos ingeridos.

O estudo estava planejado para terminar em 2005, mas foi encerrado três anos antes em virtude de um aumento significante de casos de câncer de mama, infartos do miocárdio, derrames cerebrais e embolias pulmonares nas mulheres submetidas à reposição. Por outro lado, a reposição reduziu o número de fraturas ósseas provocadas por osteoporose e, inesperadamente, a incidência de câncer do intestino.

A confusão que esse relatório provocou pode ser explicada não apenas pelos resultados surpreendentes, mas porque as doses empregadas de estrogênio e progesterona foram bem mais altas do que as utilizadas na rotina atual. Tivessem sido elas mais baixas, os números finais seriam os mesmos?

Depois da publicação do estudo, as mulheres mantidas em reposição hormonal, e que se sentiam melhor e mais jovens com ela, foram tomadas por uma dúvida cruel: continuar ou interromper?

A decisão deve ser discutida com base nas razões que levaram à indicação do tratamento. Se foi reduzir a possibilidade de ataque cardíaco numa mulher com fatores de risco como história familiar, diabetes, fumo, hipertensão e vida sedentária, as doses devem ser diminuídas gradualmente, e o tratamento obrigatoriamente descontinuado.

Se foi indicado apenas para proteger contra osteoporose, medidas como dieta variada rica em vitamina D, suplementos de cálcio, exercícios físicos, não fumar e eventualmente tomar medicamentos específicos para prevenção podem conferir proteção aos ossos, com menos risco do que os hormônios.

Caso a indicação tenha sido feita para combater sintomas mais intensos, que comprometiam seriamente a qualidade de vida, o médico poderá optar por descontinuar o tratamento para avaliar se os sintomas retornam. Em caso positivo, voltar a administrá-lo na dose mais baixa que for possível.

É importante entender o que significam os aumentos de risco encontrados numa pesquisa como essa. O estudo mostrou, por exemplo, que no grupo tratado houve crescimento de 26% nos casos de câncer de mama. Isso não quer dizer absolutamente que um quarto das mulheres tenha desenvolvido tumores, mas que se a chance de uma mulher qualquer apresentar câncer de mama no decorrer da vida é de 10%, se fizer reposição nas doses utilizadas no WHI, passará a correr risco de 10 + 2,6 = 12,6%.

Entretanto, se essa mulher tiver mãe e duas irmãs com câncer de mama, já tiver sido submetida a biópsias de lesões pré-malignas no seio e tiver, por exemplo, risco de 30%, acrescentar 26% significaria aumentá-lo para 30 + 7,8 = 37,8%.

Desde a publicação do WHI, nenhum médico razoavelmente informado defende reposição hormonal para todas as mulheres em menopausa; ao contrário, a indicação se tornou criteriosa, restrita aos casos em que os sintomas desagradáveis são suficientemente intensos para justificá-la. Ainda assim, as doses de estrogênio e progesterona empregadas costumam ser bem menores, e a duração do tratamento muito mais limitada.

Nos casos em que seja necessário suspender a reposição, é melhor fazê-lo com redução gradativa das doses sob orientação médica, para evitar desequilíbrios hormonais que provoquem efeitos indesejáveis. Interromper o tratamento abruptamente por conta própria certamente não é a medida mais sensata.

A importância dos dados estatísticos obtidos em estudos com tantos participantes quanto o WHI é justamente permitir a avaliação crítica de dogmas como aquele enunciado pela professora americana.

A prática da medicina moderna não pode seguir a moda como no passado, deve ser baseada em evidências científicas; nas situações em que elas não existem, todo cuidado é pouco. Em biologia, especialmente, nem tudo o que reluz é ouro.

Disfunção erétil e doença vascular

Nada assusta um homem como a fatalidade da impotência. O medo de falhar no momento crítico paira como espada de Dâmocles sobre nossas cabeças, da primeira à última relação sexual que manteremos na vida.

Para haver ereção é preciso ativar neurônios em várias áreas cerebrais. Cada área controla uma função específica no tráfego de informações: estímulos visuais, cheiro, paladar, sons, emoção, coordenação motora, reconhecimento do olhar, tomada de decisão e uma infinidade de pequenas sensações captadas pelo sistema de sintonia fina cerebral.

Como conseqüência da ação integrada desses centros, quando um homem se aproxima da pessoa que é objeto de seu desejo, são liberados mediadores químicos que caem na circulação e chegam ao pênis. Mais precisamente, aos corpos cavernosos.

Os corpos cavernosos são duas estruturas cilíndricas que percorrem o órgão de ponta a ponta. Seu interior é constituído por um emaranhado de pequenos vasos sanguíneos, que lhes conferem a consistência de esponja. Quando se enchem, o pênis endurece, caso contrário, fica mole. O pênis é um órgão vascular.

Para encher de sangue os corpos cavernosos, esses pequenos vasos precisam aumentar de calibre. Para fazê-lo, relaxam a musculatura de suas paredes. Um mediador químico essencial para que ocorra esse processo é o óxido nítrico. Sem ele, não há esperança.

O acumulo de óxido nítrico facilita o relaxamento das trabéculas que constituem os corpos cavernosos, com a finalidade de aumentar o fluxo de entrada de sangue. A maior parte dos medicamentos usados para tratamento da disfunção erétil exerce suas funções ao aumentar as concentrações desse neurotransmissor nos vasos do pênis.

Como os homens não gostam de admitir que sofrem de disfunção erétil, nem sempre é fácil estimar a prevalência do problema. Num dos estudos mais respeitados sobre o tema, o *Massachusetts Male Aging Study*,[70] realizado com 1290 homens entre quarenta e setenta anos, foi demonstrado que 52% deles apresentavam certo grau de disfunção, e que 10% tinham total ausência de ereção.

As disfunções eréteis podem ser classificadas como psicogênicas, orgânicas ou mistas. As de causa orgânica podem ser de origem vascular, neurogênica, hormonal, induzida por drogas ou estar associadas a alterações anatômicas dos corpos cavernosos.

Ao contrário do que muitos imaginam, as causas orgânicas são as mais comuns: constituem cerca de 80% dos casos. As principais delas são as causas vasculares.

Aterosclerose: É a mais comum de todas as causas. No mecanismo de formação das placas de aterosclerose ocorre agressão ao endotélio com conseqüente diminuição do diâmetro interno dos vasos e dificuldade para manter o fluxo sanguíneo. O envelhecimento do endotélio também altera os níveis locais de óxido nítrico, prejudicando a entrada de sangue nos corpos cavernosos.

Cigarro: Fumar durante muitos anos é um dos maiores fatores de risco para o desenvolvimento de disfunção erétil de causa vascular. As substâncias tóxicas presentes no cigarro provocam danos no endotélio e diminuem os níveis de óxido nítrico nos corpos cavernosos. Além disso, a própria nicotina provoca contração da musculatura lisa dos vasos que irrigam os corpos cavernosos, reduzindo o aporte sanguíneo para o local.

Diabetes: No *Massachusetts Male Aging Study*, 28% dos diabéticos apresentavam disfunções eréteis, contra 9,6% dos não-diabéticos da mesma idade (prevalência). As causas estão ligadas à aterosclerose mais acelerada, às alterações nos tecidos dos corpos cavernosos e ao comprometimento das terminações nervosas (neuropatia diabética).

Hipertensão arterial: É causa importante de disfunção erétil como demonstrou claramente o estudo americano. Seria ela provocada pela própria hipertensão ou estaria relacionada com a medicação anti-hipertensiva? Essa polêmica foi esclarecida por um estudo recente: tanto os medicamentos utilizados quanto a própria hipertensão podem ser responsabilizados pelas dificuldades de ereção.

Hiperlipidemia: A presença de altos níveis sanguíneos de LDL-colesterol, triglicérides e fibrinogênio estão associados à disfunção erétil tanto em fumantes como em não-fumantes.

A enumeração desses fatores mostra que disfunção erétil e doenças cardiovasculares compartilham fatores de risco semelhantes. Dificuldade de ereção pode constituir o primeiro sintoma de doença coronariana, uma vez que ambas estão ligadas a comprometimento do endotélio, estrutura essencial para a regulação das funções circulatórias.

Uma vez que os fatores de risco agem de forma sinergística sobre o endotélio vascular, a extensão e a gravidade do acometimento cardiovascular costuma ser proporcional ao grau de dificuldade de ereção.

Compulsões comportamentais

Para o cérebro, toda recompensa é bem-vinda, venha ela da experiência vivida ou de uma droga ilícita. Sempre que os neurônios dos centros encarregados de reconhecer recompensas são estimulados repetidamente por substâncias químicas ou vivências que confiram sensação de prazer, existe risco de um cérebro vulnerável tornar-se dependente delas e desenvolver uma compulsão. Por isso tanta gente bebe, fuma, cheira cocaína, perde casa em jogo de baralho, come demais, faz sexo sem parar, compra o que não pode pagar e levanta peso compulsivamente nas academias.

A palavra "dependência" vem sempre associada às drogas químicas, ao desespero do dependente para obtê-las, ao aumento da tolerância às doses crescentes e à crise de abstinência provocada por sua ausência na circulação. A tríade compulsão-tolerância-abstinência, no entanto, não é obrigatória mesmo no caso de substâncias dotadas de alto poder de adição.

A cocaína, por exemplo, droga de uso altamente compulsivo, causa síndromes de abstinência relativamente discretas, desde que o usuário não entre em contato com a droga ou com alguém sob o efeito dela. Apesar de causar dependência, a maconha é muitas vezes consumida esporadicamente, sem que o usuário apresente crises de abstinência dignas de nota. Doentes que tomam morfina para combater dores fortes, em menos de 3% dos casos desenvolvem dependência quando as dores desaparecem.

Toda vez que o cérebro é submetido a estímulos repetitivos que provocam prazer, os circuitos de neurônios envolvidos em sua condução se modificam para tentar perpetuar a sensação de prazer obtida.

O mecanismo, conhecido como neuroadaptação, é arcaico.

Quando a abelha penetra uma flor e sente o prazer de encontrar o néctar, o tecido cerebral libera um neurotransmissor chamado octopamina. Quando um adolescente fuma maconha ou cheira cocaína, ocorre aumento na concentração de dopamina nas terminações nervosas de certas áreas cerebrais. A semelhança de nomes entre esses dois neurotransmissores traduz a proximidade da estrutura química existente entre as duas moléculas. Apesar de as abelhas terem divergido da linhagem que nos deu origem há mais de 300 milhões de anos, os mediadores das sensações de prazer são quase os mesmos nas duas espécies.

Na seleção natural, levaram vantagem reprodutiva os indivíduos que desenvolveram mecanismos de recompensa ao prazer com o objetivo de criar a necessidade de buscar sua repetição. Para o organismo, em princípio, tudo o que traz bem-estar é bom e deve ser perpetuado. Se não fosse assim, nós nos esqueceríamos de nos alimentar, de fazer sexo ou de procurar a temperatura mais agradável na hora de dormir.

Os estudos para entender o mecanismo de neuroadaptação em resposta aos estímulos de prazer, sugerem que os neurônios se organizam em circuitos que convergem para centros cerebrais situados nas proximidades das áreas encarregados de arquivar memórias e processar emoções. Neurônios situados nessas estações ligadas à recompensa estabelecem conexões com outros que convergem para o chamado centro da busca. Estes, quando ativados, interferem no comportamento, criando expectativa e sensação de ansiedade para induzir o corpo a buscar a repetição do prazer. Por isso o fumante sai da cama para comprar cigarro, o alcoólatra bebe no horário de trabalho, e o craqueiro pede esmola para comprar a droga.

Por um capricho da natureza, entretanto, a estimulação repetida do centro do prazer pode provocar ativação irreversível do centro da busca, de modo que este permanece estimulado mesmo quando o uso da droga já não traz mais prazer nenhum. Em outras palavras, o prazer repetido à exaustão pode manter o centro da busca ativado irreversivelmente.

É freqüente entre os usuários crônicos de drogas o aparecimento de quadros persecutórios em que o dependente imagina ser perseguido pela polícia ou por algum desafeto. No caso da cocaína, da heroína, do crack, da morfina ou do álcool, não é raro surgirem alucinações em que o usuário vê bichos na parede e inimigos embaixo da cama. Nessa fase da adição, nem o dependente é capaz de entender o que o leva a tomar outra dose e a repetir experiência tão dolorosa. O centro da busca assumiu o controle, para obrigá-lo a ir atrás de um prazer que nunca mais será alcançado.

Esse mecanismo neuroadaptativo, associado à tolerância que o organismo desenvolve a doses crescentes de qualquer droga psicoativa administrada repetidas vezes, constrói a armadilha que aprisiona tantas pessoas no inferno da dependência química. A primeira cerveja deixa o adolescente bêbado; depois de alguns anos, é preciso tomar meia dúzia para obter efeito semelhante. A primeira cachimbada de crack tira de órbita e faz o ouvido zumbir durante meia hora; após alguns dias de uso, o efeito dura menos de um minuto. Pela mesma razão, todo usuário crônico de maconha se queixa da qualidade da maconha atual.

Os neurocientistas já demonstraram que, por trás do consumo de drogas, das compulsões alimentares, sexuais ou de fazer compras, da cleptomania e do vício do jogo ou de fazer exercícios exageradamente, existe um mecanismo comum de neuroadaptação.

Constance Holden, editora da revista *Science,* diz que o distúrbio comportamental mais semelhante ao da adição às drogas é o vício do jogo.[71] Pode alguém que não goste de jogar entender o que leva um ser humano a passar a noite inteira numa roda de baralho e nela perder o salário do mês, sempre na esperança de que a sorte virá na próxima rodada?

Estudos mostram que mais da metade dos jogadores apresenta sintomas de abstinência menos intensos, porém muito semelhantes aos dos usuários de drogas: distúrbios de sono, irritabilidade, sudorese e hiperexcitabilidade que se acalma diante da mesa de jogo. Além disso, estão sujeitos a recaídas mesmo depois de anos de abstinência.

Pesquisadores da Universidade Yale fizeram um estudo com jogadores postos diante de um vídeo com imagens de pessoas jogando e falando sobre o tema.[72] Por intermédio de um exame chamado ressonância magnética funcional, capaz de mapear as áreas cerebrais que estão em atividade mais intensa naquele momento, os autores verificaram que quando os jogadores assistiam ao vídeo, entravam em atividade em seus cérebros áreas do lobo frontal e do sistema límbico idênticas às dos usuários de cocaína diante da droga.

Medicamentos como a naltrexona, que bloqueiam o "barato" proporcionado por diversas drogas, são capazes de inibir também a compulsão pelo jogo, como demonstrou um grupo de pesquisadores da Universidade de Minnesota, sugerindo um mecanismo comum de neuroadaptação às drogas e à compulsão por jogar.[73]

Há evidências claras de que mecanismos semelhantes estejam envolvidos em indivíduos que comem compulsivamente: no cérebro de certas pessoas obesas existe deficiência de dopamina, neurotransmissor essencial para a sensação de prazer. É possível que elas comam exageradamente para compensar a baixa atividade dos circuitos cerebrais responsáveis pelo prazer ligado à alimentação, conseqüente à falta de dopamina. O déficit desse neurotransmissor é uma anomalia encontrada com freqüência em dependentes de cocaína.

Talvez a semelhança dos mecanismos patológicos, ligados à baixa produção de dopamina, explique os altos índices de recaídas entre os usuários crônicos de cocaína e entre os obesos que fazem regimes para perder peso.

Os compradores compulsivos, capazes de adquirir tudo o que está nas vitrines mesmo sem ter como pagar, sofrem de distúrbio semelhante. Vão às compras com sofreguidão, geralmente induzidos por quadros de depressão e ansiedade. No momento em que estão comprando, experimentam sensações de excitação muito semelhantes às das provocadas pela cocaína ou pela maconha; depois, caem em depressão, fadiga e sentimento de culpa, exatamente como os usuários dessas drogas.

Cleptomania, ingestão de grandes quantidades de chocolate, comportamento sexual compulsivo e mesmo a prática exagerada de esportes como correr, andar de bicicleta ou levantar peso são alterações comportamentais que acontecem graças à ativação repetitiva de circuitos cerebrais comuns àqueles estimulados quimicamente pelo uso de substâncias psicoativas. A diferença é apenas quantitativa: a concentração de dopamina associada ao uso de droga é pelo menos de duas a cinco vezes mais elevada do que a quantidade desse mediador do prazer liberada através dos comportamentos compulsivos citados.

A semelhança fisiológica das modificações bioquímicas que ocorrem nos circuitos cerebrais dos portadores de distúrbios compulsivos e dos usuários de drogas psicoativas explica por que as compulsões comportamentais muitas vezes conduzem à dependência química. Explica também por que o uso abusivo de uma droga ou a repetição compulsiva de determinado comportamento reduz o limiar para o desenvolvimento de outras dependências.

Os mecanismos de memória e aprendizado também estão associados à dependência de drogas ou de comportamentos compulsivos como jogo, sexo ou cleptomania. A associação explica por que enfrentar os primeiros dias de abstinência de drogas como a cocaína ou o álcool, por exemplo, não é o mais difícil; o martírio é permanecer abstinente pelo resto da vida.

Classicamente, existem memórias das quais temos plena consciência, enquanto outras geralmente estão esquecidas. De forma consciente, um usuário de cocaína ou um apostador de corrida de cavalo pode lembrar da sensação de euforia proporcionada pela recompensa obtida e ir atrás de sua repetição. Isso talvez explique por que as pessoas jogam ou cheiram cocaína, mas não justifica a dependência química ou comportamental que elas desenvolvem pelo resto de suas vidas, e que persiste mesmo quando o prazer deixou de existir, como é o caso do dependente de cocaína que desenvolve delírios persecutórios ou do jogador que perde a casa em que mora.

Nas memórias não conscientes, armazenadas em centros cerebrais especializados como o hipocampo, está a explicação do lado compulsivo do comportamento que conduz às recaídas.

Uma vez atendi a um rapaz incapaz de entender como conseguia passar o mês inteiro sem fumar crack para recair sempre no dia 30, quando recebia o salário mensal. Outro resistia sem problemas à abstinência de anfetaminas, desde que não passasse na frente de uma farmácia aberta à noite. As crises de cólicas intestinais, náuseas e palpitação que os usuários de cocaína em abstinência sentem ao ver a droga ou ao encontrar alguém sob seu efeito constituem outra evidência de que muitas recaídas estão associadas à ausência de percepção consciente.

O grupo de Nora Volkow, de Nova York, mostrou que a simples estimulação elétrica de uma área do cérebro situada no lobo frontal, atrás dos globos oculares, induzia crises de ansiedade pela droga em ex-usuários de cocaína.[74] Da mesma forma, ratos dependentes de cocaína ficam desesperados atrás dela quando se lhes estimula o hipocampo por meio de uma corrente elétrica.

Outro tipo de memória não consciente que interfere no comportamento compulsivo é representada pelo fenômeno da sensibilização. Quando um rato recebe doses diárias de anfetamina, morfina ou cocaína por uma ou duas semanas, cada dose sucessiva provoca uma resposta mais intensa: o animal balança a cabeça e se movimenta mais depressa pela gaiola, e mais dopamina (o neurotransmissor mais importante para as sensações de prazer) se acumula em seu cérebro. Essa resposta exagerada persiste mesmo quando o rato é estimulado depois de estar em abstinência por um ano — a metade da vida de um rato.

Terry Robinson, da Universidade Harvard, diz que o processo de sensibilização altera os circuitos de neurônios envolvidos nos mecanismos habituais de incentivo, motivação, recompensa e busca. E que essa alteração não é mera conseqüência da ação química da droga na estrutura desses circuitos, mas de um processo dependente do contexto em que ocorreu a experiência.

Assim, se isolarmos um rato sensibilizado por anfetamina, por exemplo, e se administrarmos a ele uma nova dose da droga, porém numa gaiola diferente, na qual nunca esteve anteriormente, o fenômeno de sensibilização desaparece, e o animal responde como se fosse virgem ao uso de anfetamina.

Embora cada droga ou comportamento compulsivo utilize circuitos de neurônios e proporcione prazeres específicos, todos provocam liberação de dopamina nas áreas relacionadas com a recompensa que o prazer traz. A repetição compulsiva do estímulo liberador de dopamina reduz a sensibilidade a ela, tornando o cérebro mais resistente à sua ação. Por esse mecanismo, usuários de droga ou portadores de distúrbios comportamentais obsessivo-compulsivos deixam de produzir dopamina aos estímulos naturais e não sentem mais prazer em ir ao cinema, ver uma paisagem ou estar com a família.

Como diz Robinson: "O único estímulo suficientemente intenso para ativar-lhes a liberação de dopamina nos circuitos envolvidos na motivação é o uso da droga".

O conhecimento dos processos envolvidos no aprendizado e na memória é decisivo para entendermos por que a repetição intermitente de uma experiência que traz prazer, como o uso de uma droga ou a prática de uma atividade inocente como um jogo de cartas, pode se transformar numa compulsão que coloca a vida em risco.

Segundo o neurologista brasileiro Daniele Riva, a elucidação desses mecanismos permitirá compreender melhor por que um sistema de tanta complexidade como o cérebro humano é incapaz de encontrar estabilidade independentemente da cultura e da sociedade. Sem controles culturais o cérebro é um sistema caótico.

Morfina

Dor fraca, qualquer analgésico espanta. Dores de intensidade intermediária, daquelas que melhoram com antiinflamatórios, impõem limitações, tiram a alegria, mas permitem que a vida siga em frente. Não é dessas dores que trato agora. Vou falar da dor forte, a mais trágica sensação transmitida pelo corpo.

As dores fortes podem vir em cólicas ou como pontadas que não passam. A cólica ataca o abdome, retorce, afrouxa e aperta de novo uma porção de vezes; quando é muito forte, dá vontade de rolar no chão, a pessoa sente que vai se rasgar por dentro. Quem já teve cólica renal ou de vesícula sabe o que é isso.

A pontada que não passa é mais insidiosa: começa, aperta até atingir um platô e fica. Parece que enterraram uma faca na carne da gente. Depois de algumas horas com ela, a vida se transforma num vale de lágrimas, a morte chega a ser bem-vinda.

Como cancerologista, convivo com essas dores intensas, persistentes, há muitos anos. Nesse tempo, aprendi que boa parte delas só desaparece com morfina. Os demais analgésicos reduzem a intensidade, mas dificilmente acabam com dores muito fortes. A pessoa fica aliviada com eles, é lógico: doía cem, tomou o remédio, agora dói trinta! Melhorou, mas a dor não foi embora; ficou lá, no fundo, como um alicate frouxo, pronto para apertar assim que diminuir o efeito analgésico. A morfina é a única droga que pode reduzir esse tipo de dor a zero.

Tanta tecnologia na medicina e ainda não inventaram analgésico melhor. A morfina foi obtida a partir do ópio há duzentos anos, na Alemanha. O ópio é retirado do leite da papoula e tem sido usado como remédio há mais de 2 mil anos. Os médicos do Império Romano já o receitavam. Na Idade Média, fez parte de elixires e tônicos usados como panacéia para muitas doenças. Alguns deles, como o elixir paregórico, resistiram até recentemente nas farmácias brasileiras.

Hoje, o tratamento com morfina geralmente se restringe a dois grupos de doentes: aqueles que precisam da droga por um período curto, no hospital, para enfrentar dor de cirurgia, osso quebrado ou ferimento; e os que fazem uso crônico dela, como as pessoas queimadas e os portadores de câncer.

No hospital, é fácil receitar morfina. Para o doente que está em casa, entretanto, a obtenção da droga é um drama épico.

O médico é obrigado a fazer a receita num formulário amarelo, numerado. Para obtê-lo precisa se cadastrar numa repartição pública no centro da cidade, pessoalmente. De posse da prescrição, começa a via sacra dos familiares atrás de uma farmácia que venda morfina. Mesmo nos grandes centros urbanos é muito difícil encontrá-la; nos bairros pobres e nas pequenas cidades, então, impossível.

Isso acontece porque as farmácias que vendem morfina obedecem a uma legislação que impõe fiscalização rígida. De fato, esses estabelecimentos são os mais fiscalizados. Se você fosse dono de farmácia, ia preferir vender morfina, que custa barato, e trazer o fiscal para dentro da sua casa, ou os medicamentos que a indústria põe à venda a preços pirotécnicos sem qualquer fiscalização?

As dificuldades burocráticas nessa área são de tal ordem que o Sindicato dos Médicos do Rio Grande do Sul entrou com uma ação na Justiça contra a Vigilância Sanitária por cercear o exercício da medicina.

Embora seja a pior, a burocracia não é a única barreira para impedir que a morfina chegue às mãos dos que precisam dela. Tradicionalmente, a ênfase do ensino nas faculdades é colocada na cura das doenças, e não no alívio da dor. Como conseqüência, a maioria dos médicos conhece mal a farmacologia da droga e se esquiva de prescrevê-la.

A terceira barreira é criada pelos próprios familiares do doente com dor crônica, que hesitam em aceitar a prescrição por achar que morfina só é indicada quando o caso está perdido.

De onde vem tanto preconceito contra essa droga milenar?

Vem da ignorância, como todo preconceito. O medo dos médicos, dos familiares e das autoridades que controlam a distribuição da morfina é que os usuários se tornem dependentes dela, razão jamais demonstrada cientificamente.

Num estudo conduzido em Boston, que acompanhou 11 882 pacientes tratados com morfina, foram encontrados apenas quatro casos de dependência. Uma pesquisa feita em Nova York, com 10 mil queimados que receberam morfina durante várias semanas ou meses, não registrou um caso sequer de dependência crônica.

No Brasil, os que padecem de dores crônicas de forte intensidade vivem um calvário, pela falta de acesso à assistência médica, porque os médicos receitam analgésicos inadequados e porque a burocracia cria entraves ao fornecimento de opiáceos.

As faculdades de medicina deviam ensinar aos estudantes que aliviar a dor de quem sofre é a função mais nobre do médico. A Secretaria de Vigilância Sanitária precisa adotar urgentemente as normas internacionais para a liberação de morfina aos que necessitam. Elas consideram absurda, por exemplo, a exigência de receituário especial.

Esse assunto interessa a todos. Nenhum de nós está livre de uma dessas dores traiçoeiras que atacam no meio do caminho ou no final dele. A natureza é impiedosa, não respeita as virtudes da pessoa.

Abuso de anabolizantes

Durante a Segunda Guerra Mundial, os nazistas administravam hormônios derivados da testosterona para aumentar a agressividade dos soldados alemães. Esses hormônios anabolizantes — chamados de esteróides androgênicos — foram estudados na década de 1950 como agentes promotores de crescimento, mas suas propriedades virilizantes tornaram o uso clínico inviável.

Não é de hoje que alguns atletas usam anabolizantes com o objetivo de melhorar a performance, mas foi nos últimos dez anos que o abuso dos esteróides se disseminou entre freqüentadores de academias sem nenhum interesse em participar de competições esportivas, unicamente para melhorar a aparência física.

Quando os andrógenos são ingeridos ou injetados na corrente sanguínea, ao passar pelo fígado, a testosterona é metabolizada e tornada inerte. Para impedir essa inativação surgiram no mercado adesivos transdérmicos, cápsulas de liberação prolongada e preparações contendo modificações estruturais na fórmula da testosterona.

Doses fisiológicas de testosterona e seus derivados, como aquelas empregadas em homens com hipogonadismo, resultante da insuficiência de produção desse hormônio, não exercem efeitos indesejáveis em homens normais. Por isso, quem abusa de anabolizantes é obrigado a aumentar e escalar as doses para obter o efeito desejado – exatamente como o fazem os usuários de outras drogas.

Doses mais altas (suprafisiológicas) de testosterona estimulam a síntese de proteínas e aumentam a massa muscular porque o hormônio se liga a receptores específicos localizados nas fibras musculares. Dosagens mais elevadas provocam ainda euforia e resistência à fadiga, facilitando a realização de exercícios mais vigorosos que colaboram decisivamente para hipertrofiar a musculatura.

Alguns estudos mostram que o exercício físico é muito importante para o ganho de massa muscular se for associado ao uso de anabolizantes. Estes, quando administrados a sedentários, promovem aumentos bem mais discretos.

O abuso de anabolizantes provoca distúrbios comportamentais, endócrinos, cardiovasculares, hepáticos e musculoesqueléticos.

- *Comportamentais*: São freqüentes as queixas de agressividade exacerbada, irritabilidade, agitação motora e aumento ou diminuição da libido. Síndromes psiquiátricas como transtorno bipolar (anteriormente conhecida como psicose maníaco-depressiva), síndrome do pânico e quadros depressivos podem surgir na vigência do uso de doses elevadas.

- *Endócrinos*: É comum aparecerem lesões dermatológicas típicas de acne — principalmente na face —, atrofia dos testículos, calvície, impotência sexual, diminuição do número e da motilidade dos espermatozóides, redução do volume de esperma ejaculado, ginecomastia (crescimento das mamas em homens), masculinização das mulheres e alterações na tolerância à glicose que podem desencadear quadros de diabetes em indivíduos predispostos.
- *Cardiovasculares*: Retenção de líquido que favorece o aparecimento de edemas; aumento da pressão arterial; alteração no metabolismo dos lípides que podem levar a aumento do risco de doenças cardiovasculares: aumento do colesterol total, diminuição de HDL ("bom colesterol"), aumento de LDL ("mau colesterol") e de triglicérides.
- *Hepáticos*: Elevação das enzimas do fígado (transaminases, fosfatase alcalina, gama GT etc.), quadros de icterícia e, mais raramente, câncer do fígado.
- *Musculoesqueléticos*: Lesões osteomusculares por solicitação exagerada ("*overuse*"). Fechamento precoce das epífises, com conseqüente interrupção do crescimento ósseo.

Não existe tratamento específico para o uso abusivo de anabolizantes. Como essas drogas são geralmente comercializadas por vias ilegais e administradas em dosagens e concentrações variáveis por pessoas leigas, não há estudos clínicos para nos ajudar a definir esquemas seguros de administração, se é que eles existem.

Abstinência de antidepressivos

Grande número de pessoas faz uso de antidepressivos. Nos últimos anos, os chamados inibidores da recaptação da serotonina têm sido o grupo de drogas mais empregadas no tratamento de distúrbios psiquiátricos como depressão, ansiedade, bulimia, estresse pós-traumático, obsessão-compulsão, disforias pré-menstruais e outros.

Pertencem a esse grupo medicamentos como fluoxetina, paroxetina, sertralina etc. O sucesso dessas drogas na clínica se deveu especialmente à tolerabilidade e segurança de uso em comparação com os antidepressivos empregados anteriormente. No entanto, um dos problemas mais freqüentes associados ao uso desses inibidores é o aparecimento de síndrome de abstinência quando a administração é interrompida de forma abrupta.

Fenômeno semelhante pode ocorrer com outros antidepressivos não pertencentes a esse grupo, como venlafaxina, mirtazapina etc.

A síndrome de abstinência, aqui, é definida como "um conjunto de sinais e sintomas de instalação e duração previsíveis, que envolve sintomatologia psicológica e orgânica previamente ausente à suspensão da droga, e que desaparece depois de seu reinício".

A abstinência à descontinuação abrupta dos inibidores da recaptação de serotonina, surge de 24 a 72 horas depois da interrupção do tratamento e provoca os seguintes sintomas:

- *Psiquiátricos*: ansiedade, insônia, irritabilidade, explosões de choro, distúrbios de humor e sonhos vívidos.
- *Neurológicos e motores*: tonturas, vertigens, sensação de cabeça vazia, cefaléia, falta de coordenação motora, alterações de sensibilidade da pele e tremores.

- *Gastrintestinais*: náuseas, vômitos e alterações do hábito intestinal.
- *Somáticos*: calafrios, fadiga, letargia, dores musculares e congestão nasal.

Na ausência de tratamento, esses sintomas desagradáveis costumam durar de uma a três semanas. Embora sejam discretos ou de moderada intensidade na maioria dos casos, às vezes podem se tornar mais intensos a ponto de ser confundidos com outras enfermidades.

A probabilidade de desenvolver a sintomatologia descrita é tanto maior quanto mais longa tiver sido a duração do tratamento. As reações geralmente estão associadas com durações de pelo menos quatro a seis semanas, mas podem acontecer depois de períodos de uso mais curtos.

Quanto mais rapidamente for excretado o antidepressivo, maior a probabilidade de surgir a síndrome. No caso de drogas como a fluoxetina, que têm meia-vida (tempo necessário para eliminar metade da droga administrada) de dois a três dias, os sintomas de abstinência podem ocorrer mais tardiamente (até uma semana depois da interrupção).

Duas a três semanas depois de instalados os sintomas da abstinência, costuma surgir um fenômeno conhecido como "rebote": o reaparecimento dos sintomas psiquiátricos que levaram à indicação do medicamento.

O tratamento da síndrome de abstinência é óbvio: basta reiniciar a droga cuja retirada intempestiva foi responsável por ela. Com o reinício do tratamento os sintomas começam a melhorar já nas primeiras 24 horas. Para evitar a repetição do quadro, as doses diárias devem ser diminuídas gradativamente no decorrer de quatro a seis semanas, até que a interrupção completa possa ser realizada com segurança.

O grande número de pessoas que faz uso de antidepressivos atualmente deve estar informado de que os efeitos benéficos do tratamento podem levar até seis semanas para se tornar aparentes, e que ele precisa ser continuado por períodos de seis meses a um ano, para evitar recaídas precoces. Em caso de quadros depressivos que se instalam antes dos vinte anos de idade, em pacientes com recaídas múltiplas ou distúrbio bipolar, o tratamento pode exigir mais tempo ainda, ou mesmo ser indicado pelo resto da vida.

Durante o período de tratamento é fundamental que as doses diárias sejam tomadas com regularidade, porque os sintomas de abstinência podem surgir depois de apenas dois ou três dias de interrupção.

Considerações sobre o alcoolismo

Do ponto de vista médico, o alcoolismo é uma doença crônica, com aspectos comportamentais e socioeconômicos, caracterizada pelo consumo compulsivo de álcool, na qual o usuário se torna progressivamente tolerante à intoxicação produzida pela droga e desenvolve sinais e sintomas de abstinência quando ela é retirada.

Sem menosprezar a importância do ambiente no alcoolismo, há evidências de que alguns fatores genéticos aumentam o risco de contrair a doença. O alcoolismo tende a ocorrer com mais freqüência em certas famílias, entre gêmeos idênticos (univitelinos) e mesmo em filhos biológicos de pais alcoólatras, adotados por famílias de pessoas que não bebem.

Estudos mostram que adolescentes abstêmios filhos de alcoólatras têm mais resistência aos efeitos do álcool do que jovens da mesma idade cujos pais não abusam da bebida. Muitos desses filhos se recusam a beber para não seguir o mau exemplo paterno. Quando acompanhados por vários anos, porém, apresentam maior probabilidade de abandonar a abstinência e tornarem-se dependentes.

Filhos biológicos de pais alcoólatras criados por famílias adotivas têm mais dificuldade de abandonar a bebida do que os dependentes que não têm história familiar de abuso de álcool.

O álcool cruza, com liberdade, a barreira protetora que separa o sangue do tecido cerebral. Poucos minutos depois de um drinque, sua concentração no líquido que banha o cérebro (liquor) já está praticamente igual à da circulação.

Em pessoas que não costumam beber, níveis sanguíneos de 50 mg/dl a 150 mg/dl são suficientes para provocar sintomas. Esses, por sua vez, dependem diretamente da velocidade com a qual a droga é consumida, e são mais comuns quando a concentração de álcool está aumentando no sangue do que quando está caindo.

Os sintomas da intoxicação aguda são variados: euforia, perda das inibições sociais, comportamento expansivo (muitas vezes inadequado ao ambiente) e emotividade exagerada. Há quem desenvolva comportamento beligerante ou explosivamente agressivo.

Algumas pessoas não apresentam euforia. Ao contrário, tornam-se sonolentas e entorpecidas, mesmo que tenham bebido moderadamente. Segundo as estatísticas, estas têm menos risco de alcoolismo crônico.

Com o aumento da concentração da droga na corrente sanguínea, a função do cerebelo começa a mostrar sinais de deterioração, provocando desequilíbrio, alteração da capacidade cognitiva, dificuldade crescente para a articulação da palavra, falta de coordenação motora e movimentos vagarosos ou irregulares dos olhos. Surge visão dupla, rubor facial e taquicardia; o pensamento fica desconexo e a percepção da realidade se desorganiza.

Quando a ingestão de álcool não é interrompida, surgem letargia, diminuição da freqüência das batidas do coração, queda da pressão arterial, depressão respiratória e vômitos, que podem ser eventualmente aspirados, chegar aos pulmões e provocar pneumonia, entre outros efeitos colaterais perigosos.

Em indivíduos não habituados ao uso, quando a concentração de álcool no sangue chega à faixa de 300 mg/dl a 400 mg/dL ocorre estupor e coma. Acima de 500 mg/dl, depressão respiratória, hipotensão e morte.

O metabolismo do álcool no fígado remove de 90% a 98% da droga circulante. O resto é eliminado pelos rins, pulmões e pele.

Um adulto de setenta quilos consegue metabolizar de 5 a 10 gramas de álcool por hora. Como um drinque contém em média de 12 a 15 gramas, a droga acumula-se progressivamente no organismo, mesmo em quem bebe apenas um drinque por hora.

O álcool que cai na circulação sofre um processo químico chamado oxidação, que o decompõe em gás carbônico (CO_2) e água. Como nesse processo ocorre liberação de energia, os médicos recomendam evitar bebidas alcoólicas aos que desejam emagrecer, uma vez que cada grama de álcool ingerido produz 7,1 kcal, valor expressivo diante das 8 kcal por grama de gordura e das 4 kcal por grama de açúcar ou proteína.

Usuários crônicos de álcool costumam obter dessa fonte 50% ou mais das calorias necessárias para o metabolismo. Por isso, freqüentemente desenvolvem deficiências nutricionais de proteína e vitaminas do complexo B.

A resistência aos efeitos colaterais do álcool está diretamente associada ao desenvolvimento de tolerância e ao alcoolismo crônico.

Horas depois da ingestão exagerada, embora a concentração

da droga circulante ainda esteja muito alta, a bebedeira pode passar. Esse fenômeno é conhecido como tolerância aguda.

O tipo agudo é diferente da tolerância crônica do bebedor contumaz, que lhe permite manter aparência de sobriedade mesmo depois de ingerir quantidades elevadas da droga. Doses de álcool entre 400 mg/dl e 500 mg/dl, que muitas vezes levam o bebedor ocasional ao coma ou à morte, podem ser suportadas com sintomas discretos pelos usuários crônicos. Diversos estudos demonstraram que as pessoas capazes de resistir ao efeito embriagante do álcool, estatisticamente, apresentam maior tendência a tornarem-se dependentes.

Bebedores esporádicos ou crônicos podem apresentar crises de *blackout* (ou apagamento) caracterizadas por amnésia que pode durar horas, sem perda de consciência da realidade durante a crise. O apagamento acontece porque o álcool afeta os circuitos cerebrais encarregados de arquivar acontecimentos recentes. O quadro, de certa forma, lembra o perfil de memória das pessoas idosas, capazes de contar com detalhes histórias antigas, mas que não conseguem recordar o cardápio do almoço.

O álcool é droga depressora do sistema nervoso central. Para contrabalançar esse efeito, o usuário crônico aumenta a atividade de certos circuitos de neurônios que se opõem à ação depressiva. Quando a droga é suspensa abruptamente depois de longo período de uso, esses circuitos estimulatórios não encontram mais a ação depressora para equilibrá-los, e surge então a síndrome de hiperexcitabilidade característica da abstinência.

Seus sintomas mais freqüentes são tremores, distúrbios de percepção, convulsões e *delirium tremens*.

Uma das características mais importantes do alcoolismo é a negação de sua existência por parte do usuário. Raros são aqueles que reconhecem o uso abusivo de bebidas, passo considerado essencial para livrar-se da dependência.

As recomendações atuais para tratamento do alcoolismo envolvem duas etapas principais:

- *Desintoxicação*: Geralmente realizada por alguns dias sob supervisão médica, permite combater os efeitos agudos da retirada do álcool.
- *Reabilitação*: Depois de controlados os sintomas agudos da crise de abstinência, os pacientes devem ser encaminhados para programas de reabilitação, cujo objetivo é ajudá-los a viver sem álcool na circulação sanguínea.

Dados os altíssimos índices de recaídas, no entanto, o alcoolismo não é doença a ser tratada exclusivamente no âmbito da medicina convencional. Para que o tratamento tenha sucesso, é fundamental a participação de familiares e amigos próximos. Encaminhar o paciente a grupos de auto-ajuda como os Alcóolicos Anônimos é de grande utilidade.

Alcoolismo em mulheres

O metabolismo do álcool nas mulheres não é igual ao dos homens. Se administrarmos para dois indivíduos de sexos opostos a mesma dose ajustada de acordo com o peso corpóreo, a mulher apresentará níveis alcoólicos mais elevados no sangue.

A fragilidade aos efeitos embriagadores do álcool no sexo feminino é explicada pela maior proporção de tecido gorduroso no corpo das mulheres, por variações na absorção de álcool no decorrer do ciclo menstrual e por diferenças entre os dois sexos na concentração gástrica de desidrogenase alcoólica (enzima fundamental para o metabolismo da droga).

Por essas razões, as mulheres ficam embriagadas com doses mais baixas e progridem mais rapidamente para o alcoolismo crônico e suas complicações médicas.

Diversos estudos documentaram os benefícios do consumo moderado de bebidas alcoólicas tanto em homens como em mulheres. A margem de segurança entre a quantidade de álcool benéfica e a que traz prejuízos à saúde das mulheres, entretanto, é estreita e nem sempre fácil de delimitar.

Num dos estudos mais completos sobre o tema foram acompanhadas 13 mil pessoas durante mais de doze anos. Nele foi possível demonstrar:

- Para todos os níveis de consumo alcoólico, as mulheres correm mais risco de desenvolver doenças hepáticas do que os homens.
- Para os mesmos níveis de ingestão, o risco de cirrose nas mulheres é três vezes superior.
- Mulheres que tomam de 28 a 41 drinques por semana (1 drinque = 1 copo de vinho = 1 lata de cerveja = 50 ml de bebida destilada) apresentam risco de cirrose dezesseis vezes maior do que o dos homens abstêmios.

Mulheres que ingerem um drinque por dia apresentam menor probabilidade de morte por doença cardiovascular. Esse benefício também é válido para as mulheres diabéticas.

No entanto, a análise dos dados de dezenas de milhares de mulheres acompanhadas no *Nurses' Health Study* [Estudo sobre Saúde de Enfermeiras] revelou que tomar dois ou três drinques diários aumenta o risco de surgir hipertensão arterial em 40%, e a probabilidade de acontecer derrame cerebral hemorrágico. Nas mulheres que bebem mais do que três drinques por dia, o risco de hipertensão arterial duplica.

Mulheres que abusam de álcool desenvolvem também miocardiopatias mesmo usando doses mais baixas do que os homens.

A meta-análise de seis estudos importantes mostrou que mulheres habituadas a ingerir de 2,5 a cinco drinques por dia apresentam probabilidade 40% maior de desenvolver câncer de mama. Esse risco aumenta 9% para cada 10 gramas de álcool (cerca de um drinque) diários.

O efeito inibidor da remodelação óssea do álcool é fenômeno bem conhecido em ambos os sexos. Mulheres com menos de sessenta anos que tomam de dois a seis drinques por dia têm risco maior de fratura de colo de fêmur e de antebraço, por causa da osteoporose.

Todos os distúrbios psiquiátricos são mais prevalentes em mulheres que abusam de álcool do que em homens que o fazem e do que em mulheres abstêmias. A única patologia psiquiátrica mais freqüente no alcoolismo masculino é a personalidade anti-social.

A prevalência de depressão em mulheres que abusam de álcool é de 30% a 40%. Estudos demonstram que a maior parte delas bebe como forma de se livrar dos sintomas associados a quadros de depressão primária.

Anorexia e bulimia estão presentes em 15% a 32% das que abusam de álcool.

Mulheres que abusam de álcool tentam o suicídio quatro vezes mais freqüentemente do que as abstêmias.

A ingestão de álcool durante a gravidez pode provocar distúrbios fetais que vão do retardo de desenvolvimento à chamada síndrome alcoólica fetal, caracterizada por anormalidades físicas comportamentais e cognitivas. Consumo de álcool durante a gravidez é considerado a principal causa evitável dessas anormalidades na infância.

Problemas familiares são mais comuns entre mulheres que abusam da bebida (entre os homens são os problemas legais e aqueles relacionados com o trabalho) e as tornam mais sujeitas a agressões físicas. Mulheres que consomem quantidades exageradas de álcool geralmente vivem com parceiros que fazem o mesmo.

Cigarro: droga pesada

Fui dependente de nicotina durante vinte anos. Comecei ainda adolescente, porque não sabia o que fazer com as mãos quando chegava às festas. Era início dos anos 1960 e o cigarro estava em toda parte: televisão, cinema, outdoors e com os amigos. As meninas começavam a fumar em público, de minissaia, com as bocas pintadas assoprando a fumaça para o alto; o jovem que não fumasse estava por fora.

Um dia, na porta do colégio, um amigo me ensinou a tragar. Lembro que fiquei meio tonto, mas saí de lá e comprei um maço na padaria. Caí na mão do fornecedor por duas décadas; vinte cigarros por dia, às vezes mais.

Fiz o curso de medicina fumando. Naquela época, começavam a aparecer os primeiros estudos sobre os efeitos do cigarro no organismo, mas a indústria tinha equipes de médicos encarregados de contestar sistematicamente qualquer pesquisa que ousasse demonstrar a ação prejudicial do fumo. Esses cientistas de aluguel negavam até que a nicotina provocasse dependência química, desqualificando o sofrimento da legião de fumantes que tenta largar e não consegue.

Nos anos 1970, fui trabalhar no Hospital do Câncer de São Paulo. Nesse tempo, a literatura científica já havia demonstrado a relação entre o fumo e diversos tipos de câncer: pulmão, esôfago, estômago, rim, bexiga e os tumores de cabeça e pescoço. Já se sabia até que, de cada três casos de câncer, pelo menos um era provocado pelo cigarro. Apesar do conhecimento teórico e da convivência diária com os doentes, continuei fumando.

Na irresponsabilidade que a dependência química traz, fumei diante dos doentes a quem recomendava abandonar o cigarro. Fumei em ambientes fechados diante de pessoas de idade, mulheres grávidas e crianças pequenas. Como professor de cursinho durante quase vinte anos, fumei nas salas de aula, induzindo muitos jovens a adquirir o vício. Quando me perguntavam: "Mas você é cancerologista e fuma?", eu ficava sem graça e dizia que ia parar. Só que esse dia nunca chegava. A droga quebra o caráter do dependente.

A nicotina é um alcalóide. Fumada, é absorvida rapidamente nos pulmões, vai para o coração e, via sangue arterial, se espalha pelo corpo todo e atinge o cérebro em seis a dez segundos. No sistema nervoso central, age em receptores ligados às sensações de prazer que, uma vez estimulados, comunicam-se com os circuitos de neurônios responsáveis pelo comportamento associado à busca do prazer. De todas as drogas conhecidas, é a que mais dependência química provoca. Vicia mais do que álcool, cocaína, morfina e crack. E vicia depressa: de cada dez adolescentes que experimentam o cigarro quatro vezes, seis se tornam dependentes para o resto da vida.

A droga provoca crise de abstinência insuportável. Sem fumar, o dependente entra num quadro de ansiedade crescente, que só passa com uma tragada. Enquanto as demais drogas dão ao usuário trégua de dias, ou pelo menos de muitas horas, as crises de abstinência da nicotina se sucedem em intervalos de minutos. Para evitá-las, o fumante precisa ter o maço ao alcance da mão; sem ele, parece que está faltando uma parte do corpo. Como o álcool dissolve a nicotina e favorece sua excreção por aumentar a diurese, quando o fumante bebe, as crises de abstinência se repetem em intervalos tão curtos que ele mal acaba de fumar um, já acende outro.

Em quase quarenta anos de profissão, assisti às mais humilhantes demonstrações do domínio que essa droga exerce sobre o usuário. O doente tem um infarto do miocárdio, passa três dias na UTI entre a vida e a morte e não pára de fumar, mesmo que as pessoas mais queridas implorem. Sofre um derrame cerebral, sai pela rua de bengala arrastando a perna paralisada, mas com o cigarro na boca. Na vizinhança do Hospital do Câncer, cansei de ver doentes que perderam a laringe por câncer levantarem a toalhinha que cobre o orifício respiratório aberto no pescoço, aspirar e soltar a fumaça por ali.

Existe uma doença, exclusiva de fumantes, chamada tromboangeíte obliterante, que obstrui as artérias das extremidades e provoca necrose dos tecidos. O doente perde os dedos do pé, a perna, o pé, uma coxa, depois a outra, e fica ali na cama, aquele toco de gente, pedindo um cigarrinho pelo amor de Deus.

Mais de 95% dos usuários de nicotina começam a fumar antes dos 25 anos, a faixa etária mais vulnerável às adições. A imensa maioria comprará um maço por dia pelo resto de suas vidas, compulsivamente. Atrás desse lucro cativo, os fabricantes de cigarro investem fortunas na promoção do fumo para os jovens: imagens de homens de sucesso, mulheres maravilhosas, esportes radicais e a ânsia de liberdade.

Infernizar a vida do fumante é mau método para fazê-lo deixar de fumar. Ele é o primeiro a reconhecer os malefícios do fumo, e só não larga porque não consegue.

No caso da dependência de nicotina, o desespero para livrar pessoas queridas do sofrimento que o fumo lhes causará é com freqüência contraproducente. Cometi esse erro com meu pai, meu irmão, meu sogro e com inúmeros pacientes, até conhecer mais as fases que todo fumante atravessa durante o doloroso processo que o conduz a livrar-se da nicotina.

Existem cinco fases:

1. *Fase de pré-contemplação*: Nela, o fumante jura que consegue largar a hora que quiser; se não o faz imediatamente é porque não tem vontade. Afirma que o fumo não faz tanto mal quanto apregoam, que sua saúde nada fica a dever à de muitos que nunca fumaram, e que um tio fumou cigarro sem filtro até os setenta anos e morreu atropelado.

Nessa fase, a intervenção deve ser ocasional, limitada a chamar a atenção para as vantagens da abstinência: melhora do hálito, do fôlego, do sabor dos alimentos etc.

Talvez caiba aqui uma adaptação do lema dos Alcoólicos Anônimos: "Se você quer fumar, o problema é seu. Se quiser largar, posso ajudar". Não esquecer que o dependente precisa de apoio; condenações são contraproducentes.

2. *Fase de contemplação*: Ele chegou à conclusão de que precisa largar, mas hesita em marcar data para fazê-lo. No íntimo, não consegue imaginar a vida sem a droga. Vive dominado por sentimentos de autocomiseração: "Pobre de mim, nunca mais um cigarrinho! Nem depois do café? Nem do copo de cerveja? E se eu engordar e ficar horrível?".

Nesse estágio, determinação e covardia se alternam em ciclos. Seria o momento ideal para encaminhar o fumante aos grupos de apoio, não fossem eles tão raros entre nós.

A essa altura, se o médico quiser ajudar, é prudente medir as palavras. O melhor é exaltar as vantagens da vida sem fumar e discutir os métodos existentes para enfrentar a síndrome de abstinência de nicotina, mas com cautela. A fase de contemplação não é adequada para submeter ninguém a discursos antitabagistas nem prescrições de medicamentos ou de adesivos de nicotina.

3. *Fase de ação*: Começa quando o fumante marcou data para o último cigarro. É o momento em que ele mais precisa da ajuda dos familiares, dos amigos e de um médico com experiência na área, se possível. Deles espera-se a sabedoria de oferecer apoio irrestrito à decisão; mas em caso de fracasso, não devem agir de forma reprovativa. Nada desencoraja mais o fumante de tentar parar do que o medo do fracasso.

Durante esse estágio, adesivos de nicotina ou a bupropiona, medicamento que reduz a ansiedade provocada pela síndrome de abstinência, podem ser muito úteis.

4. *Fase de manutenção*: Aqui é importante estimular o ex-fumante a apregoar sua nova condição para os amigos. É durante a manutenção que o ex-fumante tratado com adesivos ou bupropiona deixa de usá-los; daí em diante é por conta dele.

A maioria dos que largaram de fumar concorda que depois de seis meses o sofrimento praticamente desaparece. De fato, grande parte das recaídas acontece nesse período.

5. *Recidiva*: Diversos estudos mostram que a maior parte dos fumantes só consegue ficar livre da dependência depois de três ou quatro tentativas. Quando a pessoa volta a fumar, é fundamental reconhecer para qual das fases anteriores regrediu. Se retornou à fase pré-contemplativa, por exemplo, não adianta vir com ladainha para convencê-la a largar de novo.

Nada destrói mais a auto-estima de alguém quanto voltar a fumar depois de meses ou anos de abstinência. Recriminações não lhe fazem falta. Se quisermos ajudá-lo, devemos dizer-lhe que fracassar diante da nicotina não é humilhação; humilhante é não reagir contra a dependência que ela provoca.

É possível refrear a disseminação da epidemia do fumo, basta haver disposição da sociedade e seriedade política. Para isso, algumas das medidas sugeridas pelos técnicos podem ser implantadas a curto prazo, sem ônus para o Tesouro:

- Aumento de impostos. Em nenhum país civilizado é possível comprar um maço de cigarros por menos de meio dólar. Está exaustivamente provado que quanto mais caro o maço, menor o número de cigarros fumados.
- Proibir todos os tipos de publicidade. Toda e qualquer propaganda de uma droga que provoca um tipo de dependência tão cruel, tanto sofrimento físico e tantos óbitos, para viciar meninas e meninos em nome do lucro, deve ser punida como crime inafiançável.
- Incluir no currículo obrigatório das escolas aulas sobre os problemas causados pelo cigarro.
- Proibir o fumo em lugares públicos. É absurdo obrigar quem não fuma a inalar fumaça alheia. Embora não seja obrigação do Estado proteger o cidadão contra o mal que ele pode fazer a si mesmo, é seu dever protegê-lo do mal que os outros podem fazer contra ele. Além disso, não há dúvida de que a proibição ajuda o fumante a adquirir mais controle sobre a dependência.
- Oferecer tratamento gratuito para os que quiserem largar o hábito de fumar. Hoje existem grupos de apoio, adesivos e chicletes de nicotina, além de medicamentos que ajudam a vencer as crises de abstinência. É ignorância deixar de oferecê-los gratuitamente aos fumantes, ainda que não seja por razões

humanitárias: sai muito mais em conta do que esperar que tenham câncer, infarto, derrame cerebral.

O fumo é o mais grave problema de saúde pública no Brasil. Como a dependência de nicotina é adquirida na puberdade e adolescência, as crianças devem ser instruídas de que o cigarro é um mero dispositivo para administrar nicotina, droga que conduz à mais escravizante das dependências químicas. Há pessoas que, por razões metabólicas, quando começam a fumar perdem o controle e não conseguem mais parar, mesmo diante da possibilidade concreta da morte. Assim como não admitimos que os comerciantes de maconha, crack ou heroína façam propaganda para nossos filhos, todas as formas de publicidade do cigarro devem ser proibidas terminantemente. Afinal, que pais e mães somos nós?

De gravata ou revólver na mão

Ao contrário do que imaginam os fumantes, cigarros de baixos teores são mais nocivos à saúde.

Na primeira metade do século XX, a indústria do fumo fez o possível e o inimaginável para impedir que a sociedade fosse informada dos malefícios do cigarro. Nos anos 1960, depois da publicação da monografia "Fumo e saúde", na Inglaterra, e do relatório "Luther Thierry, General Surgeon", nos Estados Unidos, nos quais foram reunidos mais de 30 mil estudos que demonstravam ser o tabagismo a principal causa isolada de mortes e doenças crônicas, a indústria houve por bem lançar o chamado cigarro de baixos teores, também batizado de "light", "ultralight" ou "low tar".

O bombardeio publicitário pela TV e demais meios de comunicação sugeria aos incautos que as marcas "light" representariam uma forma segura de fumar: fumos com teores reduzidos de alcatrão e nicotina fariam menos mal do que aqueles com concentrações mais altas dessas substâncias. Como conseqüência, seu consumo virou moda; especialmente entre as mulheres, o alvo principal das campanhas para expandir o mercado de dependentes.

Na verdade, tratava-se de mais uma manobra criminosa: comparado com os fumos mais fortes, o cigarro de baixos teores é um agravo muito mais sério à saúde!

Para conquistar usuários do sexo feminino e facilitar para as crianças a aceitação do sabor aversivo da fumaça, a indústria adiciona aos cigarros de baixos teores compostos naturais e sintéticos com odores e gostos agradáveis, como o etilvalerato (maçã), álcool fenílico (rosas), anetol (aniz) e muitos outros. Muitos mesmo: são mais de seiscentos — segundo a Food and Drug Administration, dos Estados Unidos —, que vêm somar-se aos 5 ou 6 mil normalmente presentes no cigarro. A combustão de vários desses aditivos dá origem a subprodutos hepatotóxicos ou cancerígenos.

Como vimos, a nicotina é uma droga que exerce ação psicoativa ao ligar-se a receptores existentes nos neurônios de diversas áreas cerebrais. Quando esses receptores ficam vazios, o fumante entra em crise de abstinência e acende o próximo cigarro. Ao dar a primeira a tragada, a ansiedade desaparece de imediato porque a droga vai dos pulmões ao cérebro em apenas seis a dez segundos. Esse mecanismo é tão poderoso que o cérebro não deixa a critério do fumante a inalação da quantidade de nicotina exigida pelos neurônios dependentes: são eles que controlam a duração e a profundidade da tragada. Se a concentração da droga na fumaça é mais baixa, o cérebro ordena uma tragada mais profunda e duradoura.

Ao se aspirar com mais força, o ar entra com maior velocidade e queima proporcionalmente mais tabaco do que o papel das laterais, aumentando o conteúdo de nicotina na fumaça e provocando alterações químicas que a tornam mais facilmente absorvida nos alvéolos pulmonares.

Por essas razões, até hoje nenhum estudo demonstrou que fumantes de cigarros "light" apresentem menos doenças cardiovasculares, respiratórias ou câncer. Pelo contrário, alguns trabalhos mostram incidência mais alta de ataques cardíacos e de doenças respiratórias.

Faço essas observações, leitor, para comentar um trabalho publicado na revista médica *The Lancet* por três autores canadenses que tiveram acesso aos documentos dos estudos sobre os efeitos do cigarro conduzidos secretamente pela multinacional British American Tobacco (controladora da Souza Cruz, no Brasil) no período de 1972 a 1994, agora tornados públicos depois de longa batalha judicial vencida pelas autoridades norte-americanas.[75]

Os exames para analisar cigarros são regulamentados por uma organização internacional (ISO). O teste padrão é feito por meio de uma máquina de fumar que, uma vez por minuto, dá uma tragada de dois segundos de duração, na qual são inalados 35 mililitros de fumaça para análise. Ocorre que os pesquisadores da companhia descobriram que o fumante médio é mais ávido: dá duas tragadas por minuto, nas quais inala 50 a 70 mililitros de cada vez.

Na documentação, os autores canadenses verificaram que a multinacional não estava simplesmente interessada nos hábitos dos fumantes; procurava usar esse conhecimento para desenvolver um cigarro que obedecesse às normas legais de acordo com as análises efetuadas pelas máquinas de fumar, enquanto aumentava o conteúdo de nicotina a ser absorvido pelos pulmões fumantes, como evidencia um documento interno datado de 1983: "O desafio é reduzir o conteúdo de nicotina determinado pelas medidas das máquinas, e ao mesmo tempo aumentar a quantidade realmente absorvida pelo fumante".

Outra diretriz interna propunha: "O ideal é que os cigarros de baixos teores não pareçam diferentes dos normais. [...] Eles devem ser capazes de liberar 100% mais de nicotina do que o fazem nas máquinas de fumar". Em 1978, enquanto a publicidade milionária exaltava as virtudes das marcas "light", um dos médicos contratados pela empresa advertia, em sigilo: "Talvez a variável mais importante para caracterizar o risco à saúde seja a duração do contato com a fumaça inalada. Se assim for, a fumaça inalada profundamente através dos cigarros de baixos teores deve ser mais prejudicial".

Moral da história: de terno e gravata ou revólver na mão, vendedores de drogas são indivíduos dispostos a cometer qualquer crime para ganhar dinheiro.

Café e ataque cardíaco

Como quase tudo o que dá prazer, a cafeína é um alcalóide que provoca dependência química. A falta dela nos deixa nervosos. Muitos dizem que não conseguem raciocinar antes do café-da-manhã, queixam-se de intestino preso sem o cafezinho em determinadas horas, acham impossível fazer reunião de trabalho ou aturar visita em casa sem ele.

Apesar do poder aditivo da cafeína, capaz de nos fazer mendigar por um gole, o cafezinho é liberado em qualquer ambiente. Seu usuário é respeitado, seja o padre da cidade, seja a mãe de família. É a última droga que nos permitem usar sem remorsos.

É lógico que uma droga consumida por tantos, dotada da propriedade de provocar dependência, acelerar o coração e excitar o sistema nervoso como a cafeína seja considerada suspeita de fazer mal para o organismo até que se prove o contrário.

Muitos estudos foram realizados para esclarecer essa questão. Com exceção da azia, dores de estômago e da insônia que o café pode causar em pessoas sensíveis ou quando ingerido em doses mais altas, até hoje a medicina não conseguiu demonstrar que essa bebida seja nociva à saúde.

A única dúvida que persiste em relação ao cafezinho está relacionada à doença coronariana, a grande responsável pelos ataques cardíacos. Diversos pesquisadores procuraram caracterizar uma possível associação entre consumo de café e prevalência de doença coronariana, mas os resultados obtidos têm sido conflitantes.

A suspeita de que o café possa aumentar o número de infartos do miocárdio foi recentemente reforçada pela demonstração de que tomar café não filtrado (como o café turco, por exemplo) faz aumentar o colesterol total e a fração LDL, conhecida como "mau colesterol".

Em 2000, pesquisadores finlandeses publicaram na revista *Archives of Internal Medicine* um artigo[76] que é considerado um dos mais completos sobre o tema, pelas seguintes razões:

- Na Finlândia, o consumo *per capita* de café está entre os mais altos do mundo.
- O sistema finlandês de registro das enfermidades que incidem sobre a população é bem organizado e criterioso.
- A mortalidade por doença cardíaca é muito alta no país, o que permite a obtenção de resultados significantes estatisticamente.

No estudo, foram selecionados ao acaso 20 179 homens e mulheres de trinta a 59 anos. Os dados de cada participante foram colhidos nos anos de 1972, 1977 e 1982. Os pesquisadores incluíram também, no trabalho, informações sobre as doenças do passado, quantidade de café ingerida diariamente e a presença dos fatores de risco para doença coronariana: cigarro, hipertensão, diabetes, níveis de colesterol, vida sedentária, história familiar etc.

O grupo foi seguido por dez anos. A evolução de cada pessoa foi obtida por meio de consultas aos registros nacionais de altas hospitalares e de óbitos.

A média diária de xícaras de café na população estudada foi igual a cinco, e os resultados obtidos foram:

- Depois de ajustar os resultados de acordo com idade e fatores de risco, os autores verificaram que a incidência de infartos do miocárdio não fatais nos homens foi a mesma entre os que bebiam café e os abstêmios. Já os infartos fatais foram mais freqüentes entre os abstêmios.
- Nos dois sexos, os níveis de colesterol aumentaram com o número de xícaras bebidas por dia. Os autores explicam esse achado pela preferência de muitos finlandeses por café não filtrado.
- Os homens que tomavam mais do que sete xícaras por dia apresentaram índices de mortalidade coronariana ligeiramente superiores aos dos bebedores moderados. Essa tendência foi atribuída aos níveis mais altos de colesterol e ao maior número de cigarros consumidos, encontrados entre os que tomavam mais café.
- Nas mulheres, não só a mortalidade por infarto foi mais baixa, mas todas as causas de morte diminuíram com o aumento do consumo de café.

A conclusão é um lenitivo para aqueles cansados dos sacrifícios impostos pelos cuidados para preservar a integridade das coronárias: cortar gordura animal, controlar a pressão, diminuir o estresse, comer pouco, não fumar, beber com moderação e abandonar a vida sedentária. Pelo menos até que outro estudo demonstre o contrário, podemos tomar até cinco cafezinhos por dia, sem culpa nenhuma. Não é pouco.

PARTE V

VIDA E MORTE

Longevidade

Jesus Cristo morreu aos 33 anos. Apesar da morte trágica, não viveu muito menos do que seus contemporâneos: no Império Romano poucos chegavam aos quarenta anos de idade.

Depois da morte de Jesus, muitos séculos se passaram sem que houvesse aumento significativo na duração média de vida da espécie humana. No início do século XVIII, o chinês médio vivia trinta anos, apesar do acesso pleno à milenar medicina chinesa. Em 1900, nos países mais ricos da Europa e nos Estados Unidos, a expectativa de vida ao nascer ainda estava abaixo de cinqüenta anos.

Então, veio o século XX. O desenvolvimento da agropecuária e das técnicas de conservação de alimentos — que permitiram o acesso de grandes massas populacionais a alimentos de melhor qualidade — e os avanços científicos da biologia — que conduziram às noções modernas de higiene e de saneamento básico, à vacinação em massa, aos antibióticos, à descoberta do colesterol, às drogas para tratar a hipertensão e ao reconhecimento dos benefícios da atividade física — provocaram uma extensão dos limites da vida média sem paralelo na história da humanidade.

Nos Estados Unidos, por exemplo, as mulheres, que viviam em média 48,9 anos em 1900, passaram a viver 79 anos em 1995. As mulheres francesas, que viviam tanto quanto as americanas naquela época, ultrapassaram a média de oitenta anos em 1987. Nesse mesmo ano, as japonesas, o subgrupo humano de maior longevidade, atingiram a média de 83 anos. No decorrer do século XX, no Brasil e em outros países em desenvolvimento, a expectativa de vida também saltou dos quarenta para a casa dos setenta anos.

Esse aumento espetacular da expectativa de vida fez surgirem as mais variadas especulações a respeito do que acontecerá no século XXI. Extrapolando os dados dos últimos cem anos, muitos imaginam que as crianças nascidas nas próximas décadas viverão 150 anos.

Três autores, Jay Olshansky, Bruce Carnes e Aline Désesquelles, publicaram um estudo na revista *Science* que joga um balde de água fria em nossas pretensões matusalêmicas.[77]

Os autores compararam os dados demográficos de três países (Estados Unidos, França e Japão) no período de 1985 a 1995 e chegaram às seguintes conclusões:

- Nos três países, de fato, a expectativa de vida aumentou nesse período.
- Quando a média de duração da vida de uma população se aproxima de oitenta anos, os ganhos futuros em longevidade caminham em passos cada vez mais vagarosos.
- Nas próximas décadas, para que a expectativa de vida alcance 85 anos, deverão ocorrer reduções muito drásticas nos índices de mortalidade em todas as faixas etárias. Para atingir esse objetivo entre as mulheres japonesas, o subgrupo que está mais próximo dele, a mortalidade geral deverá cair 20%; no caso das francesas, 26%; no das americanas, mais do que 50%.
- Projetando os números obtidos no período de 1985 a 1995, a expectativa de vida dos franceses (homens e mulheres) só chegará aos 85 anos em 2033, a dos japoneses em 2035 e a dos americanos em 2182.
- Para a expectativa de vida ultrapassar cem anos, mesmo em países com populações de grande longevidade, como França e Japão, será preciso eliminar todas as causas de morte antes dos 85 anos.

Os números mostram que, à medida que aumenta, a expectativa de vida fica menos sensível à queda dos índices de mortalidade. Esse fenômeno, conhecido como entropia das tabelas demográficas, pode ser ilustrado com as mulheres francesas, que em 1900 tinham expectativa de vida ao redor de cinqüenta anos. Nessa época, bastava uma redução de 4,1% na mortalidade para que a expectativa média aumentasse um ano. Nos dias atuais, para aumentá-la de oitenta para 81 anos, a mortalidade na França precisa cair 9,1% em todas as faixas etárias.

Nos países industrializados, o impacto da redução da mortalidade ocorrida no século xx dificilmente será repetido nos próximos cem anos, porque foi conseqüência do controle das doenças infecciosas. No futuro, só haverá aumento significativo da longevidade nesses países se ocorrer redução expressiva dos índices de mortalidade da população acima dos cinqüenta anos, portadora de doenças predominantemente degenerativas.

Os autores concluem que as análises demográficas do período estudado demonstraram que os próximos aumentos da expectativa de vida serão contados em dias ou meses, não em anos como no século xx. Para saltos numéricos comparáveis, será necessário acrescentar décadas de vida aos que já viveram mais de setenta anos. Isso só será possível quando a ciência desenvolver métodos eficazes para retardar o envelhecimento do corpo humano.

Aqui vale ressaltar que o conceito de sexo frágil atribuído às mulheres não encontra justificativa biológica. O organismo feminino foi desenhado para durar mais: em todos os países, a vida média dos homens é pelo menos dois ou três anos inferior à das mulheres. No Brasil, os homens vivem nove anos menos, em média.

Nós, do chamado sexo forte, morremos bem mais cedo do que elas. A explicação tradicional para essa constatação demográfica tem sido a de que levamos vidas mais atribuladas e cheias de riscos. Afinal, em nossa história evolutiva, nós é que saíamos atrás da caça e declarávamos guerra aos inimigos para roubar-lhes os pertences e o território, enquanto elas permaneciam no aconchego das cavernas tomando conta dos filhos.

O maior apego feminino à prole também costuma ser usado como justificativa evolutiva para o ganho de longevidade feminina. No passado, levaram vantagem na seleção natural não apenas as mães que cuidaram bem de seus filhos, mas especialmente as que viveram mais tempo, entraram em menopausa e puderam ajudar na criação dos netos. Essas mulheres de vida mais longa teriam deixado mais descendentes, garantindo maior penetração de seus genes no patrimônio genético das gerações futuras.

Embora avós carinhosas aumentem as chances de sobrevivência dos netos e os dados estatísticos mostrem que os homens têm maior probabilidade de morrer em desastres automobilísticos, em homicídios e em acidentes com armas de fogo, esses eventos não explicam a diferença de longevidade entre os dois sexos: a freqüência de homicídios e de acidentes fatais começa de fato a aumentar significativamente entre os homens a partir da puberdade, mas diminui depois dos trinta ou quarenta anos, para tornar-se praticamente igual à das mulheres depois dos sessenta. Mesmo depois dessa idade, entretanto, continuamos a morrer mais cedo do que elas.

Sarah Moore e Kenneth Wilson, da Universidade de Stirling, na Inglaterra, publicaram em setembro de 2002 um estudo que acende outras luzes sobre o tema.[78]

Depois de estudar a incidência de infestações por insetos, parasitas e doenças infecciosas em diversas espécies de mamíferos, os autores concluíram que, nos animais estudados, os machos apresentam maior suscetibilidade a doenças infecciosas e parasitárias do que as fêmeas. E mais: que tal suscetibilidade é conseqüência do dimorfismo sexual, isto é, do tamanho avantajado que os machos costumam atingir em relação às fêmeas na maioria das espécies dos animais que, como nós, mamam quando filhotes.

Na evolução das espécies, o dimorfismo sexual existente entre machos grandes e fêmeas de tamanho menor é indicativo de intensa disputa masculina pelo privilégio do acasalamento no passado. A explicação é simples: nos combates intra-sexuais, para atrair a atenção feminina, os machos mais fortes levaram vantagem seletiva e transmitiram a seus filhos genes que lhes garantiram portes avantajados. As fêmeas, por sua vez, tradicionalmente interessadas nos machos mais poderosos, capazes de lhes garantir a sobrevivência da prole, contribuíram decisivamente para a perpetuação dessa característica masculina.

Os dados obtidos por Moore e Wilson demonstraram que a maior fragilidade dos machos diante dos parasitas é regra geral entre os mamíferos e que ela adquire proporções extremas nas espécies em que a competição intra-sexual na disputa pelas fêmeas é mais feroz.

Os dados demográficos humanos dão suporte às conclusões dos pesquisadores ingleses. No Japão, na Inglaterra e nos Estados Unidos, a vulnerabilidade dos homens à morte causada por doenças parasitárias é o dobro daquela encontrada nas mulheres. Um estudo conduzido no Cazaquistão e no Azerbaijão mostrou que nesses países essa proporção chega a ser quatro vezes maior.

A explicação mais imediata para a fragilidade do sexo assim chamado de forte em relação aos agentes parasitários e infecciosos é a de que a testosterona, o hormônio sexual masculino, provoca depressão imunológica. Um trabalho clássico, publicado há mais de trinta anos, mostrou que os homens castrados vivem em média quinze anos mais do que os não castrados, e que quanto mais precocemente sofrerem a castração, maior a longevidade.

O mecanismo pelo qual a testosterona deprime a imunidade é mal conhecido. Talvez por gastar energia em excesso para construir e manter um sistema musculoesquelético que imponha respeito aos rivais, os machos sejam obrigados a desviar a energia que seria utilizada por outros sistemas orgânicos. Com seus bilhões de células que exigem alta demanda energética para trabalhar orquestradamente, o sistema imunológico pode ressentir-se dessa oferta diminuída e da disponibilidade de micronutrientes essenciais.

A espécie humana apresenta evidente dimorfismo sexual. A testosterona que começou a jorrar na circulação de nossos ancestrais à época da puberdade tornou-os mais fortes e violentos para competir pelo interesse feminino. A energia consumida pelo organismo para torná-los maiores e assegurar a transmissão de seus genes às gerações que os sucederam faz falta até hoje para enfrentarmos míseros parasitas microscópicos.

Por ironia das forças naturais que selecionaram os genes de nossos antepassados, continuamos maiores e fadados a morrer mais cedo do que nossas mulheres, mesmo agora, quando a maioria delas perdeu o interesse pela força bruta.

Os genes do envelhecimento

A vida eterna está ao alcance de certas espécies. A morte não é obrigatória para todos os seres vivos. Desde que as condições do meio permaneçam estáveis, um ser unicelular, ao se dividir, dá origem a duas células filhas idênticas, sem que se possa falar em envelhecimento e morte da célula-mãe.

Em certas espécies multicelulares assexuadas, como as anêmonas-do-mar, a seqüência de envelhecimento e morte também não é obrigatória. Esses organismos podem permanecer em aquários por décadas sem demonstrar sinais de senescência. O envelhecimento seguido de perto pela morte surgiu na Terra com o aparecimento da reprodução sexual: machos e fêmeas têm filhos, envelhecem e morrem.

O envelhecimento, então, não faz parte de um programa genético universal criado para evitar a superpopulação, como muitos imaginavam; uma espécie de gentileza pela qual os que nasceram antes abririam espaço para filhos e netos. O envelhecimento surgiu, nas espécies que se reproduzem sexualmente, apenas porque as forças de seleção natural estão concentradas na juventude. Com a maturidade, a pressão seletiva diminui progressivamente, como explicaremos em seguida.

A afirmação acima é conseqüência da teoria de Wallace-Darwin: determinada característica individual persiste numa população quando ajuda seus portadores a sobreviver até a idade reprodutiva e produzir descendentes herdeiros dela. Por exemplo: na história da evolução da espécie humana, os homens que produziram esperma e as mulheres que ovularam mais cedo levaram vantagem reprodutiva e deixaram mais descendentes com capacidade de amadurecimento sexual precoce.

Ao contrário, quando uma característica impede a chegada do indivíduo à fase reprodutiva, tende a ser eliminada da população. É o caso de certas leucemias da infância, raríssimas hoje, porque seus portadores não viveram para transmitir seus genes aos filhos. Ou o caso da progeria, doença devastadora devida à mutação de um único gene, capaz de provocar envelhecimento tão precoce que um menino de sete anos pode parecer mais velho do que seu avô. Como essa enfermidade está associada à morte por infarto, derrame cerebral ou diabetes antes dos catorze anos, antes portanto que seus portadores tenham tido oportunidade de se reproduzir, a progeria é extremamente rara.

Ao lado das características que conferem vantagem reprodutiva, como o amadurecimento sexual precoce, e das que impedem que seus portadores atinjam a fase fértil, como a progeria e outras doenças hereditárias que causam morte na infância, existem genes que aumentarão o risco de aparecimento de doenças na maturidade, décadas depois do início da vida sexual. Esses genes, associados a maior probabilidade de infarto do miocárdio, derrame cerebral, diabetes ou câncer aos cinqüenta ou sessenta anos, podem ser considerados neutros do ponto de vista evolutivo: antes de exercerem ação deletéria, seus portadores já os transmitiram para os filhos.

Assim, na história da evolução das espécies sexuadas, como a humana, genes que conferem desvantagem reprodutiva foram pacientemente retirados do patrimônio genético e se tornaram raros. Ao contrário, os que favoreceram a reprodução e aqueles responsáveis pelo aparecimento de doenças ou morte na fase de maturidade foram transmitidos livremente para os descendentes.

No final da década de 1940 e início dos anos 1950, dois pesquisadores ingleses, Peter Medawar, prêmio Nobel de medicina, e John Haldane, introduziram a teoria evolutiva para explicar o envelhecimento. Segundo eles, com exceção dos organismos que se dividem em dois, assexuadamente, as forças de seleção natural exercem seu impacto máximo na juventude e depois declinam progressivamente. Na velhice, praticamente desaparecem.

Imaginem uma criança esquimó, há duzentos anos, portadora de genes que a tornassem muito suscetível a infecções respiratórias recorrentes a baixas temperaturas. Provavelmente morreria nos primeiros anos de vida por incapacidade de adaptação ao meio. Ao contrário, um esquimó portador de genes que provocassem dificuldade progressiva de regulação térmica a partir dos quarenta anos, poderia deixar dez filhos antes de morrer congelado. No primeiro caso, os genes tenderiam a ser extintos entre os esquimós; no segundo seriam preservados.

Pela teoria evolutiva, se tomarmos duas populações de indivíduos de uma mesma espécie e controlarmos a idade em que eles se reproduzem, a população na qual a reprodução ocorrer mais tardiamente apresentará maior longevidade. Usando ainda o exemplo do esquimó — o pai de dez filhos que morreu por defeito de regulação térmica aos quarenta anos só teria conseguido transmitir seus genes às gerações futuras por haver começado a ter filhos aos quinze anos. Se, por razões culturais, tivesse sido impedido de se aproximar das mulheres antes dos cinqüenta, teria morrido antes da oportunidade de concebê-los. Se apenas os esquimós que chegassem aos cinqüenta anos bem adaptados ao frio se multiplicassem, no decorrer de várias gerações prevaleceriam os indivíduos dotados de capacidade de regulação térmica muito mais resistente à passagem dos anos.

Para ilustrar a inexorabilidade desses mecanismos evolutivos, veja o caso dos negros nas Américas. Entre eles, a hipertensão arterial é mais prevalente do que nos brancos. Como explicar tal fato, se os negros que chegaram à América como escravos pertenciam a diversas etnias que viviam isoladas em comunidades distantes umas das outras, em diversas partes do continente africano?

A teoria mais aceita admite que, embora herdeiros de patrimônios genéticos distintos, os negros trazidos como escravos apresentavam uma característica comum: a travessia do oceano. Nenhum deles veio a pé ou de avião, todos chegaram de navio. Mais precisamente, nos porões dos navios negreiros, em condições de higiene que mal podemos imaginar. Nessas viagens intermináveis, recebiam o mínimo de alimentos e água para sobreviver. Boa parte dos viajantes não resistia ao esforço nos remos e às doenças infecciosas, chegando vivos apenas os mais resistentes, e entre eles os que tinham genes que lhes conferiam a capacidade de reter mais sódio, e com isso reduzir a perda de água, porque o excesso de sódio no sangue mantém a água na corrente sanguínea, evitando a perda por meio da urina e da transpiração. Graças a essa capacidade, resistiam melhor à sede, ao calor e às diarréias que matavam de desidratação seus companheiros perdedores de sódio.

Por causa da pressão seletiva imposta pela viagem desumana, entre os recém-chegados havia uma proporção maior de organismos economizadores de sódio, que puderam transmitir aos descendentes a característica que lhes salvou a vida nos navios. Estes, no mundo moderno, com alta disponibilidade de sal e água, carregam a desvantagem do aumento da pressão arterial. Entretanto, como a hipertensão costuma instalar-se na maturidade e causar complicações só depois de muitos anos, não chega a exercer pressão seletiva na idade da reprodução. Como conseqüência, os genes responsáveis pela retenção exagerada de sódio continuam passando dos pais para os filhos, sem restrições.

A partir dos anos 1970, foram publicadas inúmeras comprovações matemáticas de que a hipótese de Medawar e Haldane estava rigorosamente correta. A maioria se baseava em intervenções que retardavam o início da vida reprodutiva em animais de laboratório. Como estratégia, o pesquisador só permitia a multiplicação dos animais que atingiam a idade pré-estabelecida em boas condições de saúde. Dessa forma, os genes que exercem função deletéria logo na juventude eram impedidos de chegar aos descendentes.

Tal estratégia demonstrou ser especialmente eficaz na mosquinha que voa sobre as bananas da fruteira, a *Drosophila melanogaster*, tradicionalmente utilizada como modelo de experiências genéticas pelo fato de reproduzir-se rapidamente e de sobreviver com facilidade em laboratório.

Classicamente, nesses experimentos os autores separam duas populações de moscas. Na primeira permitem o acasalamento a partir de duas semanas de idade, assim que é atingida a maturidade sexual. Na segunda, todos os ovos produzidos por indivíduos jovens são descartados, sendo admitida a reprodução apenas das moscas que atingem pelo menos seis semanas de idade. Dessa forma, no primeiro grupo a ênfase da pressão competitiva e da seleção natural se faz sentir no início da fase fértil, enquanto no segundo elas incidem sobre os mais velhos. Depois de dez ou mais gerações, as moscas que se multiplicam mais tarde (com mais de seis semanas de idade) geram descendentes que vivem duas ou três vezes mais. Essa extensão da longevidade é acompanhada de aumento proporcional do período de vida livre de enfermidades.

De fato, além de viver mais tempo, as moscas concebidas pelos pais mais velhos resistem melhor à falta de alimentos, à desidratação, e são capazes de voar por mais tempo do que as companheiras da mesma idade geradas pelos pais jovens.

Nos 5 milhões de anos de história da espécie humana, a pressão seletiva incidiu sempre sobre os mais jovens. Aos vinte anos, muitas de nossas antepassadas já tinham três ou quatro filhos, e os homens dessa idade, dez ou quinze. O resultado foi a transmissão de genes que garantiam vigor muscular e saúde por duas ou três décadas apenas; no passado ainda recente, a vida média da espécie humana não chegava aos quarenta anos. Tivesse a fisiologia sexual sido outra, fossem as mulheres e os homens capazes de se reproduzir só depois dos setenta anos, os genes que aumentam a probabilidade de infarto, câncer, derrame, diabetes e Alzheimer antes dessa idade teriam sido varridos do patrimônio genético da humanidade no decorrer das gerações que nos antecederam, e talvez chegássemos com saúde aos duzentos anos.

Embora seja impossível prever para onde caminha a evolução de qualquer espécie, é teoricamente provável que se a atual tendência de ter filhos mais tarde se generalizar, contribuirá para o aumento gradual da longevidade. Infelizmente, não estaremos aqui para comprovar, pois se valerem os mesmos parâmetros das drosófilas, serão necessárias pelo menos dez gerações para tal efeito ser observado.

Inconformados com a impossibilidade de interferir no lento processo evolutivo, os cientistas procuram nos genes a lógica que explique por que um homem vive cinco vezes mais do que um gato, um gato cinco vezes mais do que um rato, e um rato 25 vezes mais do que uma drosófila.

Por que razão um irmão tem diabetes e seu gêmeo idêntico não desenvolve a doença? E qual o substrato genético que serve de base para o incrível aumento na expectativa de vida ocorrido no último século?

Para pensarmos na duração da vida, é preciso entender a interação entre os genes e o ambiente. Tanto em invertebrados como a drosófila, quanto em mamíferos como os ratos e homens, os dados atuais estabelecem que a duração da vida depende cerca de 35% de fatores genéticos e 65% dos ambientais. Dois estudos conduzidos entre irmãos gêmeos idênticos confirmam esses números, atribuindo às diferenças do ambiente pouco mais do que 65% da variação na longevidade. Quando se analisa a longevidade de gêmeos idênticos criados em locais diferentes, verifica-se que ela é mais dependente ainda dos fatores ambientais.

No entanto, é lógico que não podemos desprezar a importância da genética no envelhecimento e na duração da vida. Nos últimos vinte anos, grande número de centros tem procurado identificar quais os genes envolvidos no controle dos mecanismos que levam ao declínio das condições físicas característico da velhice. Com esse objetivo, François Schächter propôs três estratégias para identificação de genes envolvidos no controle da duração da vida humana:

A primeira seria a indução de mutações em determinados genes associados ao aumento da capacidade metabólica ou à resistência aos estresses causadas pelo ambiente. Dessa maneira, os biólogos moleculares têm sido capazes de manipular a longevidade de ratos, drosófilas e do levedo de cerveja. Esses genes que interferem na longevidade em outras espécies são bastante semelhantes a genes encontrados na espécie humana. A modificação de suas estruturas químicas poderá conduzir a resultados similares: aumento significante da longevidade humana por simples manipulação genética.

A segunda estratégia se baseia no estudo dos genes de homens e mulheres com mais de cem anos de idade, para identificar as diferenças com os das pessoas que morrem cedo. Um trabalho realizado entre franceses centenários encontrou duas variantes de genes presentes entre eles que seriam capazes de aumentar a longevidade: uma delas está envolvida no mecanismo de transporte do colesterol, a outra no controle da pressão arterial.

A terceira procura identificar os genes associados às enfermidades que atingem a espécie humana a partir da quarta ou quinta década: doenças cardiovasculares e neurodegenerativas, deficiências imunológicas e câncer. Por meio da alteração de alguns desses genes será possível impedir, ou pelo menos retardar, o aparecimento dessas enfermidades.

É didático o caso da doença de Alzheimer, patologia que provoca déficit cognitivo progressivo, responsável por 70% dos casos de demência que se instalam depois dos sessenta anos de idade. Cerca de 5% dos pacientes com Alzheimer apresentam os primeiros sintomas de perda de memória que caracterizam o início da doença antes dos sessenta anos. A partir daí, a incidência praticamente dobra a cada cinco anos, impondo à longevidade um limite melancólico.

Há fortes evidências de que os genes desempenhem papel decisivo na instalação da doença: em irmãos gêmeos iguais, a incidência de Alzheimer é duas ou três vezes mais alta do que entre gêmeos diferentes; e quando a doença se instala numa pessoa antes dos sessenta anos, em geral surgem outros casos semelhantes na família. Embora haja heterogeneidade genética, pelo menos três genes diferentes parecem desempenhar papel importante na instalação dessa forma de demência.

Esses genes já foram identificados, clonados e transplantados em ratos, criando animais transgênicos que servem de modelo experimental para estudo da doença. O conhecimento das funções específicas de cada um desses genes poderá trazer esperança aos que pretendem chegar aos 120 anos lúcidos e independentes.

Uma vez que nada podemos fazer em relação a nossos antepassados que se reproduziram com tanta pressa, mal instalada a adolescência, deixando-nos à mercê das doenças degenerativas que nos fazem envelhecer e morrer mais cedo do que gostaríamos, talvez seja possível procurar uma forma de retardar o envelhecimento por meio da desativação dos genes responsáveis por ele.

A explosão do número de casos de doenças cardiovasculares, câncer e Alzheimer é um fenômeno moderno, a respeito do qual não existe experiência anterior. Se conseguirmos entender com clareza as interações entre os genes envolvidos no aparecimento dessas patologias com aqueles ligados à longevidade, talvez nossa geração ainda possa bater o recorde mundial de 122 anos de vida.

Os modelos experimentais disponíveis para estudo do processo de envelhecimento possibilitam a identificação de muitos caminhos, alguns dos quais convergentes, responsáveis pela interação entre a genética e o ambiente. Pesquisas genéticas das doenças degenerativas humanas e da longevidade em animais mutantes definiram diversos fatores de risco que afetam as constelações de genes responsáveis pelo metabolismo e pela resistência ao estresse. Futuros avanços certamente permitirão interferir com a expressão dos genes envolvidos nas limitações que somos obrigados a enfrentar na idade avançada.

Apesar desse panorama de esperança, não podemos esquecer que a qualidade e duração da vida dependem menos de nossos genes do que dos fatores ambientais. Graças à tecnologia na produção de alimentos, condições de higiene e algumas descobertas da medicina, vivemos muito mais do que nossos avós, embora nosso patrimônio genético esteja separado do deles por apenas uma geração.

O ambiente e o envelhecimento

O ambiente exerce grande influência na duração da vida. Antes de entramos nessa discussão, vamos definir três conceitos: vida média, vida máxima e longevidade.

Usaremos o primeiro termo como a média de vida de uma população. Por exemplo: a vida média dos homens ingleses é de 79 anos; a dos brasileiros, 68.

A vida máxima, por sua vez, reflete a longevidade individual; está relacionada ao máximo de vida que um indivíduo da espécie pode atingir. Assim, no rato, a vida média é de 23 meses, e a máxima, 33 meses. No homem, a vida máxima é de 122 anos.

Já para o cálculo da longevidade, somam-se as idades com que morreram apenas os 10% de indivíduos que atingiram idade mais avançada numa população e divide-se pelo número deles.

A vida média de uma população pode ser modificada por qualquer estratégia capaz de impedir ou provocar a morte prematura: vacinação, saneamento básico, epidemias, guerras ou catástrofes ambientais. A longevidade, entretanto, só pode ser estendida por meio de uma estratégia única: retardar o envelhecimento.

A primeira descoberta revolucionária em relação ao envelhecimento foi feita na década de 1930 pelo grupo de Clive McCay, da Universidade Cornell:[79] animais mantidos com dietas de baixo conteúdo calórico viviam mais tempo. No entanto, como outras vezes ocorreu na história da ciência, essa descoberta relevante foi interpretada como mera curiosidade pela comunidade acadêmica. Somente nos últimos vinte anos foi retomada a questão da influência da dieta no envelhecimento.

Um dos estudos que confirmaram as impressões do grupo de McCay foi realizado com três grupos de ratos. O primeiro foi mantido em gaiolas com farta disponibilidade de alimentos (alimentados *ad libitum*, em linguagem técnica); o segundo sofreu um corte de 30% no número de calorias diárias; o terceiro, um corte de 60%. As dietas foram cuidadosamente balanceadas para que a restrição calórica não provocasse déficit de proteínas, vitaminas, gordura ou minerais.

Os autores verificaram que morreram antes os ratos alimentados *ad libitum*. Curiosamente, os que receberam 30% menos calorias diárias viveram 30% mais, e os que tiveram um corte de 60% viveram 60% mais do que os alimentados *ad libitum*.

Experimentos semelhantes foram repetidos com diversas espécies unicelulares e multicelulares. Alguns dos resultados estão relacionados a seguir:

	Dieta normal	*Restrição calórica*
Paramécio (protozoário de água doce)	Vida média = 7 dias Longevidade = 13 dias	Vida média = 13 dias Longevidade = 25 dias
Pulga-d'água (unicelular)	Vida média = 30 dias Longevidade = 42 dias	Vida média = 51 dias Longevidade = 60 dias
Aranha	Vida média = 50 dias Longevidade = 100 dias	Vida média = 90 dias Longevidade = 139 dias
P. reticulata (peixe ornamental dourado)	Vida média = 33 meses Longevidade = 54 meses	Vida média = 46 meses Longevidade = 59 meses
Rato branco	Vida média = 23 meses Longevidade = 33 meses	Vida média = 33 meses Longevidade = 47 meses

Quando uma mesma intervenção provoca resultados semelhantes em espécies tão díspares quanto seres unicelulares, insetos, peixes e mamíferos como o rato, dificilmente poderia deixar de ser válida para a espécie humana. Nesse caso, precisaríamos imaginar que a evolução tivesse criado um mecanismo geral de envelhecimento válido para todas as espécies e um outro especial para a humana, acontecimento altamente improvável de acordo com Wallace e Darwin.

Do conjunto de trabalhos publicados sobre a relação entre o número de calorias ingerido diariamente e a longevidade do animal, selecionamos algumas das conclusões mais importantes:

- Muitos pesquisadores procuraram esclarecer se a restrição calórica por si só aumentaria a longevidade, ou se o faria em virtude da ingestão de menos gordura ou outros componentes da dieta. Os trabalhos foram unânimes em demonstrar que a primeira hipótese é a verdadeira: restrição de gordura, proteína ou carboidratos sem que haja diminuição do número de calorias ingeridas não é capaz de alterar a longevidade. Da mesma forma, todos os estudos que testaram o papel da suplementação alimentar com multivitaminas ou agentes antioxidantes na dieta falharam em demonstrar qualquer impacto no aumento da sobrevida dos animais.

- Para esclarecer o papel do exercício físico na duração da vida há um trabalho clássico feito com dois grupos de ratos alimentados com dietas de idêntico conteúdo calórico. O primeiro grupo permaneceu em gaiolas pequenas, sedentário. O segundo foi colocado naquelas gaiolas com rodas penduradas, nas quais o ratinho anda o tempo todo sem sair do lugar. No final, os ratos andarilhos pesavam 30% a 40% menos do que os sedentários e atingiam uma vida média maior devido à redução de doenças cardiovasculares e metabólicas, mas não houve aumento da longevidade do grupo.

O exercício físico pode evitar a morte precoce devida a causas passíveis de prevenção, mas não retarda o envelhecimento. Quer dizer o seguinte: se todos andassem míseros trinta minutos por dia, haveria menos ataques cardíacos, diabetes e hipertensão, mas ninguém conseguirá bater o recorde oficial de 122 anos de vida para a espécie humana à custa do exercício, embora possa deixar de morrer de infarto aos 52 (o que certamente não é pouco).

- A influência do excesso de peso no envelhecimento só pode ser esclarecida a partir do desenvolvimento dos camundongos C57BL-BJ. Essa linhagem é constituída por camundongos geneticamente idênticos, portadores do gene ob-ob, regulador de determinadas características metabólicas que favorecem o aparecimento de obesidade.

Num experimento, esses animais geneticamente idênticos foram separados em dois grupos: o primeiro alimentado *ad libitum*, e o segundo com restrição calórica. Como seria de se esperar, no final de alguns meses os camundongos *ad libitum* estavam mais gordos; neles, a gordura representava 67% do peso corpóreo. Os submetidos à restrição calórica estavam mais magros: 48% do peso do corpo era gordura. A longevidade dos que foram mantidos em restrição calórica foi 50% maior.

Qual seria a explicação? Será que os mais magros sobreviveram por mais tempo pelo fato de terem menos gordura no corpo e, com isso, menor incidência de doenças cardiovasculares, diabetes, hipertensão, reumatismo ou câncer? Ou o fato de ter mais gordura no corpo não faz diferença? O que interessa é o número de calorias ingeridas?

A resposta veio com o seguinte experimento: um grupo de camundongos ob-ob foi comparado com um grupo de camundongos não portadores desse gene. Ambos os grupos receberam exatamente o mesmo número de calorias diárias na dieta. Terminada a experiência, os camundongos ob-ob estavam mais gordos: 48% do corpo era gordura. Nos outros, a gordura representava apenas 13% do peso corpóreo. A longevidade, no entanto, foi exatamente igual para camundongos gordos ou magros.

É o número de calorias ingeridas, não o grau de adiposidade, o fator crucial no retardo do envelhecimento.

- Há linhagens especiais de camundongos que caracteristicamente desenvolvem doenças auto-imunes, como artrite reumatóide e lúpus, por exemplo. Quando esses animais são alimentados *ad libitum*, costumam morrer ao redor dos doze meses de idade. Quando mantidos em dietas que reduzem em 30% o número de calorias diárias, a maioria ultrapassa vinte meses sem adoecer.

Além de alterar a sobrevida, camundongos mantidos com dietas de baixo conteúdo calórico apresentam declínio mais lento de funções como controle dos níveis de glicose no sangue, capacidade reprodutiva feminina, reparação do DNA, imunidade, habilidade para adquirir conhecimentos novos, manter a massa muscular e sintetizar proteínas. Como conseqüência, há retardo no aparecimento das doenças que costumam surgir na idade mais avançada: diabetes, hipertensão, câncer, catarata, patologias auto-imunes e insuficiência renal.

A restrição calórica exerce seu maior impacto no retardo do envelhecimento quanto mais precocemente for iniciada na vida do animal. Seu efeito benéfico pode no entanto ser observado mesmo quando instalada na maturidade. Como observou Richard Weindruch, pesquisador do Institute on Aging [Instituto sobre Envelhecimento] da Universidade de Wisconsin:

> Realmente, a descoberta mais emocionante da minha carreira foi a de que a restrição calórica iniciada na vida madura em camundongos pode estender a longevidade em 10% a 20% e diminuir a incidência de câncer. Além disso, embora o aumento máximo da longevidade seja obtido com dietas que contêm a metade do número de calorias ingeridas pelos animais que se alimentam à vontade (*ad libitum*), mesmo restrições mais leves instituídas na infância ou mais tarde conferem benefício.[80]

Para estender essas conclusões ao homem, é necessário que sejam válidas para nossos parentes mais próximos: os macacos. Experimentos com primatas, no entanto, são complicados em virtude da duração da vida nessas espécies (chimpanzés e gorilas vivem pelo menos quarenta e, às vezes, cinqüenta anos).

A partir de 1987, três projetos de restrição calórica em macacos conduzidos no National Institute on Aging da Universidade de Wisconsin analisaram os chamados "marcadores de idade", parâmetros que permitem estimar a preservação da saúde e a duração da vida: pressão arterial, nível de glicose e de triglicérides no sangue, sensibilidade à ação da insulina etc.

Nesses experimentos a restrição calórica foi imposta entre os oito e os quatorze anos, início da vida adulta dos macacos. Em ambos, a restrição do número de calorias foi ao redor de 30% em relação aos animais que se alimentaram *ad libitum*. Os resultados preliminares são muito encorajadores: os macacos mantidos com restrição calórica são mais saudáveis, têm pressão arterial inferior, nível de glicose no sangue mais baixo e sensibilidade à insulina maior.

Nos seres humanos ainda não foram realizados estudos cientificamente controlados sobre restrição calórica. Dados sobre o impacto da diminuição do aporte calórico nas populações que vivem em condições de extrema pobreza não fornecem informações confiáveis, devido à carência de nutrientes essenciais associada à desnutrição. Por outro lado, em populações bem nutridas há dificuldade na quantificação do número de calorias ingeridas diariamente.

Há, entretanto, evidências indiretas:

- Na ilha de Okinawa, a população consome uma dieta mais tradicional, em média 17% mais pobre em calorias do que no resto do Japão. Em Okinawa, a mortalidade por doenças cardiovasculares, derrame cerebral e certos tipos de câncer é 31% a 41% mais baixa do que no resto do país. Lá, também, o número de indivíduos centenários é quarenta vezes maior do que em qualquer outro lugar do Japão.
- Na Suécia, altos níveis de consumo calórico estão associados a maior incidência de câncer de próstata. Estudos epidemiológicos sugerem que a mesma associação exista pelo menos em câncer de estômago, intestino, útero e mama.
- Rapidamente, acumulam-se dados sugestivos de que dietas mais calóricas tenham implicações na instalação da doença de Alzheimer, Parkinson, insuficiência cardíaca, aterosclerose e outras enfermidades características do envelhecimento.

As dimensões dos órgãos internos guardam relação direta com o conteúdo energético da alimentação. Quanto maior o número de calorias ingeridas, maior o peso do coração, fígado, rim, próstata, músculos e dos linfonodos (gânglios linfáticos) envolvidos na resposta imunológica. Por capricho intencional da natureza, apenas o cérebro e os testículos mantêm constantes suas dimensões, mesmo quando o indivíduo é submetido a redução drástica do aporte calórico.

O tamanho dos órgãos internos, no entanto, não explica o retardo ou aceleração do envelhecimento. A explicação é dada por um conjunto de organelas microscópicas presentes em todas as células do organismo e responsáveis pela produção de energia: as mitocôndrias.

Cada célula contém centenas de mitocôndrias espalhadas pelo citoplasma. No interior da mitocôndria, as moléculas fornecidas pela alimentação são utilizadas numa série complexa de reações químicas, que resultará na síntese de uma molécula capaz de armazenar energia e transportá-la para os quatro cantos da célula: o ATP. É no ATP que a célula encontrará 90% da energia necessária para exercer suas funções: produção de proteínas, movimento, excreção, troca de íons etc. Se não fossem as mitocôndrias, não haveria possibilidade de vida; elas são as centrais energéticas da célula.

A lógica sugere que qualquer fenômeno capaz de comprometer a produção do ATP na mitocôndria pode prejudicar o funcionamento ou simplesmente provocar morte celular. De fato, em 1962, Rolf Luft, da Universidade de Estocolmo, demonstrou que o decréscimo da produção de energia nas mitocôndrias provocava o aparecimento de doenças debilitantes, características da idade avançada.[81]

Estudos posteriores demonstraram que o tecido mais rapidamente atingido pela redução do aporte energético era o sistema nervoso central. Seguiam-se, em ordem decrescente de sensibilidade, o coração, os músculos, os rins e os tecidos produtores de hormônios.

A perda progressiva da capacidade de gerar energia, que caracteriza o envelhecimento celular, se deve a um conjunto de reações químicas que ocorrem no interior da mitocôndria como conseqüência da ação de radicais livres, conceito explorado inadequadamente em muitos "tratamentos alternativos".

Na verdade, os radicais livres surgiram na literatura na década de 1950, quando Denham Harman, da Universidade de Nebraska, sugeriu que a formação deles no interior das células prejudicaria seu funcionamento.[82] Foi apenas nos anos 1980, entretanto, que ficaram claros dois conceitos:

- Radicais livres são formados nas células como resultado do conjunto de reações químicas normais, do dia-a-dia, que chamamos de metabolismo.
- São justamente as centrais energéticas da célula, as mitocôndrias, os alvos mais importantes da ação nociva desses radicais.

A explicação simplificada sobre a formação desses radicais é a seguinte: o oxigênio, tão necessário à respiração, é uma substância potencialmente tóxica. Embora não possamos passar cinco minutos sem respirá-lo, a longo prazo ele pode comprometer nossa existência. Esse fenômeno é conhecido com o nome de "paradoxo do oxigênio".

Tal paradoxo tem origem química: a molécula de oxigênio é formada por dois átomos (O_2). Nas reações que levam à produção de energia pela mitocôndria, a molécula de O_2 é quebrada em duas partes, liberando substâncias altamente reativas chamadas de radicais livres (O-, OH- e H_2O_2, a água oxigenada). Quando esses radicais reagem com os constituintes da mitocôndria, provocam danos às suas estruturas e redução da capacidade de produzir energia. É o envelhecimento celular.

Esse processo, chamado oxidação, está longe de ser insignificante. Estima-se que 2% a 3% do oxigênio consumido pelas células acabe na forma de radicais livres, e que cada célula — de um rato, por exemplo — sofra cerca de 100 mil ataques desses radicais por dia.

Sendo a geração dos radicais de oxigênio inerente ao processo normal de produção de energia absolutamente necessário ao funcionamento do organismo, é lógico que a evolução tenha privilegiado o aparecimento de mecanismos de defesa contra a ação nefasta deles. De fato, em todas as células existem sistemas encarregados de desativá-los.

Agora chegamos ao ponto de juntar os conceitos de dieta rica em calorias, envelhecimento e produção de radicais livres.

A energia de que a célula necessita para exercer suas funções é retirada dos nutrientes ingeridos. Quanto maior a quantidade deles, maior a quantidade de energia produzida. Não há limitações a esse processo, não existe um momento em que a mitocôndria pare de produzir energia; enquanto houver nutrientes à disposição, ela continua a trabalhar e a produzir radicais livres ininterruptamente.

Esse fenômeno tem justificativa evolutiva e guarda relação com a dificuldade que nossos ancestrais tiveram para conseguir alimentos. Quando logravam caçar ou colher frutas, suas mitocôndrias não podiam se dar ao luxo do fastio; ao contrário, aproveitavam para alavancar o máximo de energia disponível para dentro das células e armazenar o excesso sob a forma de gordura, porque sabe-se lá quando haveria comida outra vez.

Com a disponibilidade de alimentos atual, oferecemos às mitocôndrias mais nutrientes do que o necessário, e aumentamos a formação de radicais livres numa velocidade que ultrapassa a capacidade da célula em neutralizá-los. Como conseqüência, as mitocôndrias se desgastam mais rapidamente, até comprometer a produção de energia característica do envelhecimento.

Baseados nessas informações, podemos resumir os principais fatores que interferem na qualidade e na duração da vida da seguinte maneira:

- Exercício físico: emagrece, aumenta a força muscular, a capacidade respiratória e melhora a qualidade de vida pelo controle e prevenção de diversas enfermidades. Como conseqüência, aumenta a vida média de uma população, mas é incapaz de aumentar a longevidade.
- Dieta gordurosa: descontados os portadores de defeitos no metabolismo das gorduras (que apresentam níveis elevados de triglicérides e colesterol), o único problema com a ingestão desse tipo de alimento é seu alto conteúdo calórico. Ingerir gordura não apressa o envelhecimento, desde que a quantidade seja razoável para assegurar um total baixo de calorias.
- Ingestão de fibras: as fibras presentes nos vegetais são muito importantes para o funcionamento do aparelho digestivo e, como apresentam baixo conteúdo calórico, podem ser ingeridas em maiores quantidades. Dietas vegetarianas, porém, não aumentam a longevidade.
- Vitaminoterapia: baseados na existência dos radicais livres, um dos ramos da assim chamada medicina alternativa preconiza a inativação desses radicais com o uso de doses maciças de vitaminas. Não existe qualquer evidência científica de que o uso de vitaminas interfira com a complexa fisiologia do envelhecimento no homem ou em outros animais. Algumas vitaminas usadas em doses elevadas podem inclusive provocar danos à saúde. Por exemplo, o betacaroteno empregado nas doses encontradas em muitos suplementos vitamínicos, aumenta a incidência de câncer de pulmão em fumantes, provavelmente por aumentar a produção de radicais livres nos pulmões.

Nesse momento, as pesquisas de drogas capazes de retardar a senescência estão concentradas na identificação de substâncias que ajudem a neutralizar os radicais de oxigênio altamente reativos no interior da mitocôndria.

Enquanto não dispusermos dessas drogas, contamos apenas com uma alternativa eficaz, e dolorosa: reduzir o número de calorias na dieta. Quanto? Muitos autores sugerem que uma redução de 10% a 25% já pode exercer impacto na longevidade. O número de calorias é ditador absoluto, venham elas de onde vierem, da gordura ou da cenoura. A diferença é questão de quantidade: 500 kcal são meia dúzia de torresmos ou um pacote de cenoura.

A ciência do século XX mostrou que qualidade de vida se persegue com atividade física, dieta rica em frutas e verduras e parcimônia no consumo de carboidratos e gorduras. Retardar o envelhecimento para chegar bonito aos cem anos, no entanto, será privilégio apenas dos que tiveram sorte com os genes e ingeriram menos calorias na dieta. Infelizmente. Não adianta ficar revoltado, a natureza não leva a revolta humana em consideração.

A memória dos neurônios

Somos muito apegados à vida. Salvo nas crises de depressão psicológica grave, desistir ativamente de viver é acontecimento raríssimo. Embora alguns jurem que se perderem as pernas, a visão, um ente querido ou se tiverem uma doença incurável preferirão morrer, quando tais eventos ocorrem, rapidamente mudam de idéia.

Como médico, acompanhei inúmeros pacientes que enfrentaram situações típicas daquelas em que costumamos dizer: "Se isso acontecesse comigo, preferia morrer!". Em mais de trinta anos de cancerologia, no entanto, ouvi tal pedido apenas três vezes. Não me refiro, é lógico, às súplicas inconseqüentes dos momentos de dor lancinante, cansaço extremo ou gripe forte, como chegam a fazer os mais dramáticos. Falo de três pessoas lúcidas, sem dores ou outra aflição aguda, que se sentaram diante de mim para dizer: "Doutor, chega, por favor". Ainda assim, a esse pedido seguiram-se vários dias de hesitação e arrependimento, em pelo menos dois casos.

A intensidade do apego à existência tem raízes evolutivas. Nos 3,5 bilhões de anos em que a vida caminhou pela Terra até nascermos você e eu, nossos antepassados competiram ferozmente pelas reservas alimentares, cresceram e multiplicaram-se. No decorrer desse tempo, milhões de gerações de indivíduos que lutaram com extrema determinação pela sobrevivência deixaram mais descendentes, e esses herdaram as características genéticas dos pais. Por isso, agarrar-se à vida a qualquer preço é característica fundamental de todas as espécies que habitam o planeta.

Há entretanto, na visão da maioria, algumas situações em que a lei da sobrevivência a qualquer preço talvez não mereça ser respeitada. É o caso da deterioração do sistema nervoso central. Poucos de nós encontraríamos justificativa para viver para sempre numa cama, com descontrole esfincteriano, na dependência total dos outros, sem reconhecer os filhos ou entender qualquer palavra ao redor. E, pior, sem condições físicas sequer para dar um fim em tudo.

O século xx trouxe um aumento da expectativa de vida sem paralelo na história da humanidade. Esse recorde nos deixa curiosos: quanto viverão nossos filhos? E os netos, então?

No momento, duas linhas de pensamento dividem a ciência:

- A primeira defende a existência de um limite de duração para o corpo humano. Segundo ela, a vida média da população nos países industrializados vai ficar ao redor de 85 anos, por muito tempo. Chegaram a essa conclusão analisando os índices de mortalidade associados às principais doenças modernas. A conclusão foi pessimista: nem acabando com as mortes por câncer, doença cardiovascular e diabetes, a média de vida da humanidade ultrapassaria 95 ou cem anos.
- Para o segundo grupo, não há limite inerente à duração da vida humana. Contando com os avanços científicos que virão, uma criança nascida hoje poderá viver cem ou 110 anos; talvez mais.

A discussão entre as duas correntes está longe de acadêmica; dela depende o futuro das políticas sociais dos países. Nos Estados Unidos, em 1990, para cada cem trabalhadores de dezoito a 64 anos, havia vinte aposentados com mais de 65 anos. Se as projeções estiverem corretas, com o aumento da longevidade, em 2050 os mesmos cem trabalhadores terão que pagar aposentadoria para 36 aposentados.

Mas admitamos a hipótese de que as previsões mais otimistas sobre a longevidade se concretizem e que possamos viver mais de cem anos, e sem deixar de receber regularmente nossos salários mensais. Nesse caso, será fundamental investirmos já na melhora da qualidade de vida na velhice. Para tanto, podemos reduzir o número de calorias ingeridas, aumentar a atividade física e evitar muitas doenças preveníveis. Mas como preservar a memória e a agilidade intelectual? Como manter a integridade do sistema nervoso central se todos dizem que os neurônios morrem à medida que envelhecemos?

A resposta virá depois de uma explicação científica básica.

Em 1955, Harold Brody publicou em Nova York o primeiro estudo que deu suporte à convicção de que os neurônios são destruídos com o passar dos anos.[83] Para chegar a essa conclusão, tomou vinte cérebros de indivíduos cujas idades variavam entre alguns meses e 95 anos, fez cortes histológicos, corou-os com uma substância que deixa os neurônios bem visíveis e contou-os numericamente. Brody encontrou perda significante de neurônios com a idade, inclusive em áreas essenciais para manter a capacidade de planejamento e em centros que controlam a percepção de estímulos sensoriais.

Estudos posteriores mostraram que no córtex cerebral, estrutura sem a qual não haveria por que nos orgulharmos da condição humana, até 40% dos neurônios desaparecem com a idade. Em centros ligados à gênese e controle das emoções, a perda atingiria 25% a 50%.

Com o advento das técnicas mais modernas para obtenção de imagens radiológicas, como a tomografia computadorizada e a ressonância magnética, foi possível a obtenção de radiografias nítidas do sistema nervoso central. Empregando essas tecnologias, diversos autores documentaram redução do volume cerebral com a idade.

Em 1992, Stanley Rapoport, do National Institute on Aging [Instituto Nacional sobre Envelhecimento], ao estudar as ressonâncias magnéticas cerebrais de homens de diferentes idades, concluiu que o volume total do cérebro diminui 10% naqueles com mais de sessenta anos se comparado aos da faixa de 25 anos ou menos.[84] Rapoport e seu grupo afirmaram que as imagens obtidas sugerem redução das dimensões da massa cinzenta, camada cerebral onde se situam os corpos dos neurônios (os neurônios parecem aranhas, com um corpo central e muitas patas compridas, que estabelecem conexões à distância com outros neurônios).

Estudo semelhante, conduzido por Mony de Leon na Universidade de Nova York, comparou imagens cerebrais de jovens de vinte a trinta anos com as de adultos de sessenta a setenta, mostrando que a redução de volume, embora pequena, era significante, e comprometia não só a massa cinzenta, mas também a branca, situada mais internamente, e que contém os prolongamentos dos neurônios.

Essas evidências experimentais explicam a deterioração neurológica progressiva de grande parte das doenças da senectude: Alzheimer, Parkinson e muitas outras demências. O que não conseguem explicar são os casos de idosos lúcidos. A perda de tantos neurônios afetou a qualidade dos contos de Jorge Luís Borges? Os quadros de Matisse?

Embora não explicasse a velhice inteligente, a teoria da morte continuada dos neurônios forneceu as bases anatômicas para a impressão geral de que a idade estaria irreversivelmente ligada ao descontrole motor e à perda da memória e do controle emocional.

Essa teoria da morte inexorável foi seriamente contestada pela primeira vez por Hartmut Haug, da Universidade de Lübeck, na Alemanha.[85] Num estudo com 120 cérebros, Haug fez uma observação singela: o tecido cerebral encolhe quando cortado e corado para os exames de rotina no microscópio. E mais, o tecido jovem encolhe mais do que o velho. A partir daí, Haug desconfiou de que as idéias anteriores poderiam estar incorretas: se esticarmos uma borracha contendo dez alfinetes, eles vão parecer mais separados do que se deixarmos a borracha contraída. Com a densidade dos neurônios aconteceria a mesma coisa: nas lâminas de tecido cerebral infantil, mais retrátil, os neurônios apareceriam mais próximos, concentrados. No velho, tecido menos retrátil, neurônios mais separados, densidade menor.

A partir da publicação desse trabalho, em 1984, a conclusão de que a idade estaria irreversivelmente associada à perda neuronal sofreu o primeiro abalo: talvez ela fosse devida a mero artefato histológico.

O achado instigou os neurocientistas. Nos anos que se seguiram, vários laboratórios se dedicaram ao estudo da questão, alguns procurando desenvolver métodos de processamento do tecido nervoso que evitassem o "encolhimento", outros tentando corrigir os erros de medida provocados por esse fenômeno. Os resultados foram conflitantes até que, em 1987, ocorreu o segundo abalo na teoria da morte neuronal continuada.

Nesse ano, o grupo de Robert Terry, da Universidade da Califórnia, mostrou que havia outro problema com os trabalhos que serviram de base para a crença na morte de neurônios:[86] os cérebros mais velhos empregados nos primeiros estudos seriam realmente de idosos sadios ou haveria casos de Alzheimer e outras demência entre eles, doenças definitivamente associadas à perda de células cerebrais?

O argumento do grupo de Terry era consistente: à época da publicação daqueles estudos iniciais, os métodos para caracterizar essas patologias eram antiquados, muito menos rigorosos do que os modernos. Sem perceber, os pesquisadores teriam incluído idosos já doentes em seu material, influenciando os resultados finais.

Para demonstrar que estavam certos, Terry e seu grupo estudaram 51 cérebros de pessoas consideradas normais, depois de submetê-las a uma bateria exaustiva de testes de avaliação da capacidade intelectual. Encontraram diminuição no número de neurônios longos, com a idade: em compensação, notaram um aumento dos curtos. Os neurônios encurtam, mas não morrem, concluíram.

No mesmo ano, Paul Coleman e Dorothy Flood fizeram uma revisão rigorosa dos trabalhos anteriormente publicados e concluíram que a teoria da morte dos neurônios com a idade havia sido estabelecida com base em trabalhos experimentais que apresentavam problemas metodológicos capazes de comprometer as conclusões finais.[87]

Com o advento de técnicas tridimensionais muito mais precisas para a contagem de neurônios, diversos pesquisadores demonstraram que o envelhecimento não está associado à perda inevitável, salvo em condições patológicas:

- Alan Peters e Mark Moss, da Universidade de Boston, estudaram os cérebros de macacos *Rhesus*, espécie com organização social caracterizada por rígida hierarquia e machos-dominantes ditatoriais. Em mais de dez anos de pesquisas, nas quais foram contados neurônios em áreas cerebrais ligadas à visão, controle motor e resolução de problemas complexos, os autores não conseguiram demonstrar perda significante de neurônios com a idade. Em artigo publicado na revista *Science*, em 1996, Peters afirmou: "Quando começamos a estudar os macacos, assumimos que com a idade haveria perda de neurônios do córtex cerebral. Levou muito tempo para descobrirmos que não há".
- Nos últimos vinte anos, J. Morris e L. Berg, da Universidade de Washington, têm acompanhado duzentas pessoas idosas que eram saudáveis ao entrar em seu estudo. Anualmente, os pesquisadores testam as habilidades cognitivas de cada uma delas e entrevistam seus familiares na tentativa de identificar sinais precoces de demência. Quando os participantes do estudo morrem, os pesquisadores examinam o tecido cerebral e contam os neurônios presentes numa área crítica para a retenção da memória. Em pessoas com idades de sessenta a noventa anos, os autores não foram capazes de encontrar diferenças na concentração de neurônios presentes nessa região. Em contraste, estudos da mesma área realizados entre portadores de doença de Alzheimer avançada mostram perdas

neuronais de até 65% e, em casos de outras demências, 50%. Esses números revelam que nas doenças neurodegenerativas a perda de neurônios está definitivamente associada às deficiências neurológicas que as caracterizam.

- Em 1993, o grupo de Marilyn Albert, de Harvard, analisou as ressonâncias magnéticas cerebrais de setenta indivíduos saudáveis de trinta a oitenta anos. Comparando as dimensões das diversas áreas cerebrais, os autores não encontraram diferença nas dimensões da substância cinzenta e apenas 8% de redução no volume da substância branca dos mais velhos. Na conclusão do trabalho, Albert diz: "Pensava-se que nós perdíamos neurônios a cada dia de nossas vidas. Isso não é verdade".

Embora não pareça haver perda significativa nos circuitos do hipocampo (estrutura situada profundamente, no centro do cérebro, fundamental para a estruturação da memória), com a idade surgem deficiências funcionais nesses circuitos. Testes de aprendizado aplicados em roedores e primatas não-humanos evidenciam comprometimento da capacidade de reter informações à medida que o animal envelhece.

Trabalhos recentes, empregando a melhor tecnologia disponível, confirmam a existência de fenômeno semelhante em seres humanos. A conclusão é coerente com a impressão popular de que os mais velhos têm dificuldade progressiva para lembrar de fatos recentes, embora muitas vezes nos surpreendam pela lembrança detalhada de acontecimentos remotos.

Esses estudos mostram que há distinção clara entre o déficit associado ao envelhecimento "normal" e aquele que representa manifestação inicial das demências. A diferença mais importante é a de que as pessoas idosas saudáveis são capazes de reter novas informações, embora possam apresentar retardo para gravá-las na memória. Nos casos patológicos, em que ocorre perda substancial de neurônios, como vimos na doença de Alzheimer e em outras demências, surge incapacidade progressiva e irreversível para memorizar informações recém-adquiridas.

Se não ocorre redução significante do número de neurônios no caso do envelhecimento "normal", como se explicaria então a falta de memória de que tantas pessoas se queixam? É provável que a perda de memória associada à maturidade seja conseqüente a um processo multifatorial:

- O processo de aprendizado envolve circuitos de neurônios que se conectam a partir de diferentes centros cerebrais. Para aprender um caminho novo por entre as ruas de uma cidade é preciso captar as imagens no lobo occipital, centro da visão, integrá-las com os circuitos ligados à percepção tridimensional do espaço, à função coordenadora do cerebelo e com a circuitaria do lobo frontal, onde a informação será processada para se tornar consciente.

Como vimos, os neurônios não estão ligados uns nos outros como os fios elétricos, suas terminações não se tocam, ao contrário, deixam um espaço livre microscópico entre um axônio e outro, chamado sinapse. Na sinapse, são liberados íons e os mediadores químicos necessários para a condução do estímulo, que pode correr em velocidades vertiginosas medidas em milissegundos.

A preservação desse mecanismo implica não apenas a estimulação adequada nas fases de desenvolvimento cerebral, como o uso continuado pelo resto da vida. A transmissão de estímulos nervosos envolve mediadores químicos liberados num dos terminais da sinapse e receptores que os captam na outra. É um processo que depende de treinamento para ser conservado. Quanto mais repetido for, mais amplo o repertório gravado na memória.

O ato repetitivo explica por que velhos atores são capazes de memorizar textos longos, enquanto pessoas muito mais jovens não conseguem guardar um simples recado telefônico.

- É importante lembrar que a perda de memória está muitas vezes ligada ao número de informações armazenadas. Uma criança que conviva com trinta pessoas terá menor probabilidade de esquecer o rosto de uma delas, do que um adulto entre centenas de outros.

No mundo moderno, boa parte das queixas de falta de memória das pessoas maduras está relacionada com o fluxo de informações. Calcula-se que o número de informações acumuladas no cérebro de um homem de cinqüenta anos seja pelo menos três vezes maior do que o contido no cérebro de um rapaz de 25. Tal fato dá idéia da dificuldade que os neurocientistas encontram para desenvolver testes de avaliação de memória que possam ser aplicados nas diversas faixas etárias.

- Mesmo sem morte de neurônios, a memória pode se deteriorar em razão de outras alterações neurológicas.

O grupo de Alan Peters, da Universidade de Boston, verificou ao estudar cérebros de macacos *Rhesus* que nos macacos mais velhos, a mielina (camada que envolve as terminações nervosas como a capa dos fios elétricos) apresentava sinais de degeneração não encontrados nos jovens. Quanto mais intensa a desmielinização encontrada, maior o déficit das funções cognitivas do animal. Os neurônios precisam estar bem encapados para funcionar adequadamente.[88]

Em 1995, Linda Callahan demonstrou que com a idade pode ocorrer mudança na morfologia das sinapses (espaço livre entre os terminais de dois neurônios), alterando a condução do estímulo mesmo em neurônios aparentemente íntegros.[89]

John Morrison e colaboradores da Mount Sinai School of Medicine, em Nova York, mostraram que pequenas diminuições na concentração de receptores (moléculas que captam sinais químicos) existentes nas sinapses podem provocar deficiências importantes na memória dos mais velhos.[90]

O grupo de Amy Arnsten, de Yale, demonstrou com elegância que não só essa perda de receptores, mas também a de neurotransmissores, como a dopamina e acetilcolina (moléculas que transmitem sinais entre neurônios), pode estar associada às dificuldades de memorização.

- O decréscimo na produção de estrogênio característico da menopausa interfere nos eventos neurológicos que podem conduzir às deficiências cognitivas e de memória. No homem, a relevância dos hormônios nesses déficits, embora pouco clara, não deve ser menos importante.

O dogma de que os neurônios morrem a cada dia parece abandonado na neurociência atual. Se essas células não são destruídas com o tempo, a deterioração progressiva da inteligência e da motricidade não é obrigatória na velhice.

A circuitaria de neurônios envolvida no mecanismo de memorização tem sido mapeada com rigor. As moléculas responsáveis pela transmissão e recepção de sinais entre neurônios começam a ser conhecidas e manipuladas. Os genes que codificam muitas delas já podem ser clonados e inseridos em bactérias-escravas para produção industrial. Em alguns anos, muitas deficiências cognitivas tradicionalmente associadas à idade poderão ser prevenidas, tratadas com eficácia, ou adiadas por dez ou vinte anos. Quem sabe?

O momento da morte

A morte acontece num instante arbitrário que depende da cultura e da tecnologia disponível. Definir o momento exato da ocorrência da morte não é conceito indiscutível, mas preocupação característica da cultura ocidental.

Os funerais gregos e egípcios, por exemplo, sugerem que a morte seria uma fase de transição, jamais um instante definido como nós a imaginamos. Na civilização cristã, a idéia de transição foi substituída pela imagem do último suspiro de Jesus Cristo martirizado na cruz, símbolo máximo da passagem deste mundo para outro que dizem ser melhor.

Por milhões de anos foi fácil para os médicos diagnosticar a morte: bastava verificar se o doente respirava. Mortos estariam os ineptos a essa função fisiológica essencial, a única da qual o corpo humano não pode prescindir por mais do que uns minutos.

De fato, privado de oxigênio por quatro ou cinco minutos, nosso cérebro costuma sofrer danos irreversíveis. Mas outros órgãos são bem mais resistentes à anóxia. O coração é um deles — capaz de bater por muitos minutos depois que a última molécula de oxigênio fugiu dos pulmões, e até fora do corpo quando retirado cirurgicamente.

Estabelecer critérios para caracterizar a morte se tornou necessário a partir do aparecimento dos primeiros aparelhos de ventilação mecânica, que permitiram manter vivas pessoas incapazes de respirar por conta própria. Essa necessidade se tornou mais premente com o advento dos transplantes de órgãos na década de 1960.

Discuto essas idéias menos por pretensões filosóficas do que motivado pela leitura de um artigo de Eelco Wijdicks, neurologista da Mayo Clinic, "O diagnóstico de morte Cerebral".[91] O autor resume a evolução dos critérios adotados para o diagnóstico de morte cerebral a partir de 1959, quando Mollaret e Goulon introduziram o termo "coma dépassé" — o coma irreversível.

Os dois médicos franceses caracterizaram essa condição com base no estudo de 23 pacientes em coma, que haviam perdido a consciência, todos os reflexos do tronco cerebral, a capacidade de respirar sem aparelhos e que apresentavam eletroencefalogramas em linha reta, característicos da ausência de ondas cerebrais.

Reavaliações dos critérios de morte cerebral foram mais tarde realizadas por um comitê da Universidade Harvard (1968) e por uma conferência do Medical Royal College (1976), da Inglaterra. Ficou então estabelecido o consenso de que a morte deveria ser definida como "a perda completa e irreversível das funções do tronco cerebral". A definição considerava o tronco como o epicentro das funções cerebrais humanas, porque sem ele o organismo perde a capacidade cognitiva e a possibilidade de fazer movimentos voluntários ou reagir a estímulos do ambiente. Sem atividade no tronco cerebral, a vida humana podia ser considerada extinta.

Mesmo na ausência de um tronco cerebral em funcionamento, no entanto, o coração continua a repetir suas sístoles e diástoles, garantindo acesso de oxigênio ao resto do organismo para as atividades inerentes à vida vegetativa.

Em 1995, a Academia Americana de Neurologia coordenou uma revisão a respeito das dificuldades para diagnosticar a morte e adotou os seguintes princípios: "A declaração de morte cerebral requer não apenas uma série de testes neurológicos cuidadosos, mas também o esclarecimento das causas do coma, a certeza de sua irreversibilidade, a resolução de qualquer dúvida em relação aos sinais neurológicos clínicos, o reconhecimento de possíveis fatores conflitantes, a interpretação dos achados de neuroimagem e a realização dos exames laboratoriais necessários".

Da diversidade de resistência à falta de oxigênio que os diferentes tecidos do organismo apresentam, resulta que a morte é fenômeno de alta complexidade; não está restrita aos limites do último suspiro, como o cinema e o teatro nos fizeram crer. Não apenas o coração continua a bater dentro do peito, mas as unhas e os cabelos crescem, as células do revestimento interno do aparelho digestivo e da pele ainda se multiplicam, e muitos hormônios, enzimas e proteínas são produzidos por minutos e até horas depois do instante que se convencionou chamar de morte.

Essa definição de morte baseada na ausência de atividade do tronco cerebral é prática, porém arbitrária. Pode até ser interpretada de forma contraditória. Por exemplo, aceitamos que um garoto de dezoito anos atropelado seja doador de órgãos ao demonstrarmos que seu tronco cerebral está inativo, mas ficamos chocados quando uma gravidez é interrompida voluntariamente na quarta semana, fase em que não há a menor chance de existir atividade cerebral coordenada no embrião.

Com a descoberta dos aparelhos de ventilação pulmonar, o conceito de morte evoluiu do último suspiro para uma hierarquia de valores entre os diferentes tecidos, na qual o sistema nervoso central tem primazia sobre os demais.

Quando se trata de caracterizar a condição humana, atribui-se arbitrariamente às funções cognitivas do sistema nervoso central valor maior do que a qualquer outra do organismo. Na ausência delas, admitimos extinta a vida mesmo que os demais órgãos estejam saudáveis.

Ao considerar a morte como passagem, gregos e egípcios talvez não fossem tão ingênuos.

Notas

1. Anne McLaren,. "Cloning: Pathways to a pluripotent future", *Science*, v. 288, n. 5472, pp. 1775-1780, 2000.

2. Teodor Schwann, "Theorie der Zellen", in M. J. Schleiden, T. Schwann, M. Schultze, Klassische *Schriften zur Zellenlehre*, Leipzig, 1987, pp. 98-129.

3. Hans Driesch, "Zur Verlagerung der Blastomerer des Echinideneies", *Anat. Anz.*, v. 8, 1893, pp. 348-357.

4. Hans Spemann, *Embryonic development and induction*, New Haven, Yale University Press, 1938.

5. Robert Briggs, Thomas J. King, "Transplantation of living nuclei from blastula cells into enucleated frogs' eggs", *Proceedings of the National Academy of Sciences*, v. 38, n. 5, 1952, pp. 455-463.

6. James D. Watson, Francis H. C. Crick, "Molecular structure of nucleic acids: A structure for deoxyribose nucleic acid", *Nature*, v. 171, 1953, p. 737.

7. John B. Gurdon, Thomas R. Elsdale, Michael Fischberg, "Sexually mature individuals of *Xenopus laevis* from the transplantation of single somatic nuclei", *Nature*, v. 182, 1958, pp. 64-65.

8. John B. Gurdon, "The developmental capacity of nuclei taken from intestinal epithelium cells of feeding tadpoles", *Journal of Embriology and Experimental Morphology*, v. 10, 1962, pp. 622-640.

9. Id., "Egg cytoplasm and gene control in development". *Proceedings of the Royal Society of London, Series B*, v. 198, n. 1132, 1977, pp. 211-247.

10. David Rorvik, *A duplicação do homem*, Rio de Janeiro, Record, 1979.

11. Ira Levin, *Os meninos do Brasil*, Rio de Janeiro, Francisco Alves, 1981.

12. Fay Weldon, *The cloning of Joanna May*, Collins, 1989.

13. Steen Willadsen, "A method for culture of micromanipulated sheep embryos and its use to produce monozygotic twins", *Nature*, v. 277, 1979, pp. 298-300.

14. Id., "The viability of late morulae and blastocysts produced by nuclear transplantation in cattle", *Theriogenology*, v. 35, n. 1, 1991, pp. 161-170.

15. Ian Wilmut, Keith Campbell, C. Tudge, *The second creation: The age of biological control by the scientists who cloned Dolly*, London, Headline, 2000.

16. Keith H.S. Campbell, J. McWhir, W. A. Ritchie, Ian Wilmut, "Sheep cloned by nuclear transfer from a cultured cell line", *Nature*, v. 380, 1996, pp. 64-66.

17. Ian Wilmut, A. E. Schnieke, J. McWhir, A. J. Kind, Keith H. S. Campbell, "Viable offspring derived from fetal and adult mammalian cells", *Nature*, v. 385, n. 6619, 1997, pp. 810-813.

18. Anthony W. S. Chan, Kowit-Yu Chong, Crista Martinovich, Calvin Simerly, Gerald Schatten, "Transgenic monkeys produced by retroviral gene transfer into mature oocytes", *Science*, v. 291, n. 5502, 2001, pp. 309-312.

19. Rita Levi-Montalcini, Stanley Cohen, "In vitro and in vivo effects of a nerve growth-stimulating agent isolated from snake venom", *Proceedings of the National Academy of Sciences*, v. 42, n. 9, 1956, pp. 695-699.

20. Eric R. Kandel, Larry R. Squire, "Neuroscience: Breaking down scientific barriers to the study of brain and mind", *Science*, v. 290, n. 5494, 2000, pp. 1113-1120.

21. Kinsley, Craig H.; Lambert, Kelly G. "The maternal brain". *Scientific American*, janeiro de 2006.

22. Elizabeth Pennisi, "A genomic battle of the sexes", *Science*, v. 281, n. 5385, 1998, pp. 1984-1985.

23. Dustin Penn, Wayne Potts, "MHC-disassortative mating preferences reversed by cross-fostering". *Proceedings: Biological Sciences*, v. 265, n. 1403, 1998, pp. 1299-1306.

24. Claus Wedekind, Thomas Seebeck, Florence Bettens, Alexander J. Paepke, "MHC-dependent mate preferences in humans", *Proceedings: Biological Sciences*, v. 260, n. 1359, 1995, pp. 245-249.

25. Carole Ober, L. R. Weitkamp, N. Cox, H. Dytch, D. Kostyu, S. Elias, "HLA and mate choice in humans", *American Journal of Human Genetics*, v. 61, n. 3, 1997, pp. 497-504.

26. Bruno Faivre, A. Gregoire, M. Préault, F. Cézilly, G. Sorci, "Immune activation rapidly mirrored in a secondary sexual trait", *Science*, v. 300, 2003, p. 103.

27. Jonathan Blount, "Carotenoids and life-history evolution in animals", *Archives of biochemistry and biophysics*, v. 430, 2004, pp. 10-15.

28. *Science*, v. 289, n. 5479, 28 de julho de 2000.

29. Martin Enserink, "Searching for the mark of Cain", *Science*, v. 289, n. 5479, 2000, pp. 575-579.

30. Emil F. Coccaro, Richard J. Kavoussi, Richard L. Hauger, Tiffany B. Cooper, Craig F. Ferris, "Cerebrospinal fluid vasopressin levels: correlates with aggression and serotonin function in personality-disordered subjects", *Archives of General Psychiatry*, v. 55, n. 8, 1998, pp. 708-714.

31. Adrian Raine, Monte Buchsbaum, Lori LaCasse, "Brain abnormalities in murderers indicated by positron emission tomography", *Biological Psychiatry*, v. 42, n. 6, 1997, pp. 495-508.

32. Stephen B. Manuck, Janine D. Flory, Robert E. Ferrell, Karin M. Dent, J. John Mann, Matthew F. Muldoon, "Aggression and anger-related traits associated with a polymorphism of the tryptophan hydroxylase gene", *Biological Psychiatry*, v. 45, n. 5, 1999, pp. 603-614.

33. Pierre Charlebois, Marc LeBlanc, Claude Gagnon, Serge Larivée, Richard Tremblay, "Age trends in early behavioral predictors of serious antisocial behaviors", *Journal of Psychopathology and Behavioral Assessment*, v. 15, n. 1, 1993, pp. 23-41.

34. Constance Holden, "The violence of the lambs", *Science*, v. 289, n. 5479, 2000, pp. 580-581.

35. Adrian Raine, Peter H. Venables, Sarnoff A. Mednick, "Low resting heart rate at age 3 predisposes to aggression at age 11 years: Evidence from the Mauritius Child Health Project", *Journal of the American Academy of Child & Adolescent Psychiatry*, v. 36, n. 10, 1997, pp. 1457-1464.

36. Holden, "The violence of the lambs", pp. 580-581.

37. John B. Calhoun, "Population density and social pathology", *Scientific American*, v. 206, 1962, pp. 139-148.

38. Bruce K. Alexander, Emilie M. Roth, "The effects of acute crowding on aggressive behavior of Japanese monkeys", *Behaviour*, v. 39, n. 2, 1971, pp. 73-90.

39. Kees Nieuwenhuijsen, Frans de Waal, "Effects of spatial crowding on the social behavior of chimpanzees", *Zoology and Biology*, v. 1, 1982, pp. 5-28.

40. Michael Hagmann, "In Europe, hooligans are prime subjects for research", *Science*, v. 289, n. 5479, 2000, p. 572.

41. Jeffrey Fagan, Deanna L. Wilkinson, "Guns, youth violence, and social identity in inner cities", *Crime and Justice*, v. 24, 1998, pp. 105-188.

42. Laura Helmuth, "Has America's tide of violence receded for good?", *Science*, v. 289, n. 5479, 2000, pp. 582-585.

43. Thomas J. Dishion, Deborah M. Capaldi, Karen Yoerger, "Middle childhood antecedents to progressions in male adolescent substance use", *Journal of Adolescent Research*, v. 14, n. 2, 1999, pp. 175-205.

44. Eliot Marshall, "The shots heard round the world", *Science*, v. 289, n. 5479, 2000, pp. 570-574.

45. Patricia Chamberlain, Mark Weinrott, "Specialized foster care: treating seriously emotionally disturbed children", *Child Today*, v. 19, n. 1, 1990, pp. 24-27.

46. "Has America's tide of violence receded for good?". *Science*, v. 289, n. 5479, 2000, pp. 582-585.

47. Ibid.

48. Ibid.

49. Lilian Bensley, Juliet van Enwyk, "Video games and real-life aggression: review of the literature", *Journal of Adolescent Health*, v. 29, 2001, pp. 244-257.

50. Jeffrey G. Johnson, Patricia Cohen, Elizabeth M. Smailes, Stephanie Kasen, Judith S. Brook, "Television viewing and aggressive behavior during adolescence and adulthood", *Science*, v. 295, n. 5564, 2002, pp. 2468-2471.

51. Craig A. Anderson, Brad J. Bushman, "The effects of media violence on society", *Science*, v. 295, n. 5564, 2002, pp. 2377-2379.

52. Thomas M. Ball, Jose A. Castro-Rodrigues, Kent A. Griffith, Catherine J. Holberg, Fernando D. Martinez, Anne L. Wright, "Siblings, day-care attendance, and the risk of asthma and wheezing during childhood", *The New England Journal of Medicine*, v. 343, n. 8, 2000, pp. 538-543.

53. Marko Kalliomaki, Seppo Salminen, Heikki Arvilommi, Pentti Kero, Pekka Koskinen, Erika Isolauri, "Probiotics in primary prevention of atopic disease: a randomised placebo-controlled trial", *The Lancet*, v. 357, n. 9262, 2001, pp. 1076-1079.

54. Elizabeth Pennisi, "A mouthful of microbes", *Science*, v. 307, n. 5717, 2005, pp. 1899-1901. Ver também outros artigos do dossiê sobre sistema digestivo nesse mesmo número da *Science*.

55. John W. Gofman, Fredrik Lindgren, "The role of lipids and lipoproteins in atherosclerosis", *Science*, v. 111, n. 2877, 1950, pp. 166-171.

56. Edward H. Ahrens, David H. Blankenhorn, Theodore T. Tsaltas, "Effect on human serum lipids of substituting plant for animal fat in diet", *Proceedings of the Society for Experimental Biology and Medicine*, v. 86, n. 4, 1954, pp. 872-878.

57. Gary Taubes, "The soft science of dietary fat", *Science*, v. 291, n. 5513, 2001, p. 2536.

58. Ricardo Westin, "Homem engorda mais rápido que mulher", *Folha de S.Paulo*, Cotidiano, 11 de outubro de 2004.

59. Este texto foi originalmente publicado em 2004.

60. Stephen S. Hall, "In vino vitalis? Compounds activate life-extending genes", *Science*, v. 301, n. 5637, 2003, p. 1165.

61. Heather A. Lindstrom, Thomas Fritsch, Grace Petot, Kathleen A.Smyth, Chien H. Chen, Sara M. Debanne, Alan J. Lerner, Robert P. Friedland, "The relationships between television viewing in midlife and the development of Alzheimer's disease in a case-control study", *Brain and Cognition*, v. 58, 2005, pp. 157-165.

62. Sandeep Gupta, Edward W.Leatham, David Carrington, Michael A. Mendall, Juan Carlos Kaski, A. John Camm, "Elevated *Chlamydia pneumoniae* antibodies, cardiovascular events, and zithromycin in male survivors of myocardial infarction", *Circulation*, v. 96, 1997, pp. 404-407.

63. Mel Rosenberg,. "The science of bad breath", *Scientific American*, v. 286, n. 4, 2002, pp. 58-65.

64. Antonio P. Beltrami, Konrad Urbanek, Jan Kajstura, Shao-min Yan, Nicoletta Finato, Rossana Bussani, Bernardo Nadal-Ginard, Furio Silvestri, Annarosa Leri, C. Alberto Beltrami, Piero Anversa, "Evidence that human cardiac myocytes divide after myocardial infarction", *The New England Journal of Medicine*, v. 344, n. 23, 2001, pp. 1750-1757.

65. Quaini, Federico; Urbanek, Konrad; Beltrami, Antonio P.; Finato, Nicoletta; Beltrami, Carlo A.; Nadal-Ginard, Bernardo; Kajstura, Jan; Leri, Annarosa; Anversa, Piero. Chimerism of the transplanted heart. *The New England Journal of Medicine*, v. 346, n. 1, 2002, pp. 5-15.

66. UNAIDS/UNFPA/UNIFEM, relatório conjunto. "Women and HIV/AIDS: confronting the crisis, 2004. Disponível em: <http://www.unfpa.org/upload/lib_pub_file/308_filename_women_aids1.pdf>.

67. William I. Lane, Linda Comac, *Tubarões não têm câncer. Como a cartilagem dos tubarões pode salvar a sua vida*, Rio de Janeiro, Record, 1993.

68. *New England Journal of Medicine*, 7 out. 2004.

69. Writing Group for the Women's Health Initiative Investigators, "Risks and benefits of estrogen plus progestin in healthy postmenopausal women", *Journal of the American Medical Association*, v. 288, n. 3, 2002, pp. 321-333.

70. Henry A. Feldman, Irwin Goldstein, Dimitrios G. Hatzichristou, Robert J. Krane, John B. McKinlay, "Impotence and its medical and psychosocial correlates: Results of the Massachusetts Male Aging Study", *Journal of Urology*, v. 151, n. 1, 1994, pp. 54-61.

71. Constance Holden, "'Behavioral' addictions: do they exist?", *Science*, v. 294, n. 5544, 2001, p. 980.

72. Marc M. Potenza, Marvin A. Steinberg, Pawel Skudlarski, Robert K. Fulbright, Cheryl M. Lacadie, Mary K. Wilber, Bruce J. Rounsaville, John C.

Gore, Bruce E. Wexler, "Gambling urges in pathological gambling". *Archives of General Psychiatry*, v. 60, 2003, pp. 828-836.

73. Suck Won Kim, Jon E. Grant, David E. Adson, Young Chul Shin, "Double blind naltrexone and placebo comparison study in the treatment of pathological gambling", *Biological Psychiatry*, v. 49, n. 11, 2001, pp. 914-921.

74. Anat Biegon, Nora Volkow, *Sites of drug action in the human brain*, Boca Raton, CRC Press, 1995.

75. David Hammond, Neil E. Collishaw, Cynthia Callard, "Secret science: Tobacco industry research on smoking behaviour and cigarette toxicity", *The Lancet*, v. 367, n. 9512, 2006, pp. 781-787.

76. Päivi Kleemola, Pekka Jousilahti, Pirjo Pietinen, Erkki Vartiainen, Jaakko Tuomilehto, "Coffee consumption and the risk of coronary heart disease and death", *Archives of Internal Medicine*, v. 160, n. 22, 2000, pp. 3393-3400.

77. Olshansky, S. Jay; Carnes, Bruce A.; Désesquelles, Aline. "Prospects for human longevity". *Science*, v. 291, n. 5508, 2001, pp. 1491-1492.

78. Moore, Sarah L.; Wilson, Kenneth. "Parasites as a viability cost of sexual selection in natural populations of mammals". *Science*, v. 297, n. 5589, 2002, pp. 2015-2018.

79. Clive M. McCay, "Is longevity compatible with optimum growth?", *Science*, v. 77, pp. 410-411, 1933.

80. Richard Weindruch, Roy L. Walford, "Dietary restriction in mice beginning at 1 year of age: effect on life-span and spontaneous cancer incidence", *Science*, v. 215, n. 4538, pp. 1415-1418, 1982.

81. Rolf Luft, Denis Ikkos, Genaro Palmieri, Lars Ernster, Björn Afzelius, "A case of severe hypermetabolism of nonthyroid origin with a defect in the maintenance of mitochondrial respiratory control: a correlated clinical, biochemical, and morphological study", *Journal of Clinical Investigation*, v. 41, n. 9, 1962, pp. 1776-1804.

82. Denham Harman, "Aging: a theory based on free radical and radiation chemistry", *Journal of Gerontology*, v. 11, n. 3, 1956, pp. 298-300.

83. H. Brody, "Organization of the cerebral cortex", *Journal of Comparative Neurology*, v. 102, n. 2, 1955, pp. 511-516.

84. Declan G. Murphy, Charles DeCarli, Mark B. Schapiro, Stanley I. Rapoport, Benjamin Horwitz, "Age-related differences in volumes of subcortical nuclei, brain matter, and cerebrospinal fluid in healthy men as measured with magnetic resonance imaging", *Archives of Neurology*, v. 49, n. 8, 1992, pp. 839-845.

85. Hartmut Haug, Spencer Kuhl, E. Mecke, N. L. Sass, K. Wasner, "The significance of morphometric procedures in the investigation of age changes in cytoarchitectonic structures of human brain", *Journal für Hirnforschung*, v. 25, n. 4, 1984, pp. 353-374.

86. Robert D. Terry, Richard DeTeresa, Lawrence A. Hansen, "Neocortical cell counts in normal human adult aging", *Annals of Neurology*, v. 21, n. 6, 1987, pp. 530-539.

87. Paul D. Coleman, Dorothy G. Flood, "Neuron numbers and dendritic extent in normal aging and Alzheimer's disease", *Neurobiology of Aging*, v. 8, n. 6, 1987, pp. 521-545.

88. Alan Peters, Douglas L. Rosene, Mark B. Moss, Thomas L. Kemper, Carmela R. Abraham, Johannes Tigges, Marilyn S. Albert, "Neurobiological bases of age-related cognitive decline in the rhesus monkey", *Journal of Neuropathology and Experimental Neurology*, v. 55, n. 8, 1996, pp. 861-874.

89. Linda M. Callahan, Paul D. Coleman, "Neurons bearing neurofibrillary tangles are responsible for selected synaptic deficits in Alzheimer's disease", *Neurobiology of Aging*, v. 16, n. 3, 1995, pp. 311-314.

90. John H. Morrison, Patrick R. Hof, "Life and death of neurons in the aging brain", *Science*, v. 278, n. 5337, 1997, pp. 412-419.

91. Eelco Wijdicks, "The diagnosis of brain death", *New England Journal of Medicine*, v. 344, n. 16, 2001, pp. 1215-1221.

Índice remissivo

aborto, 75, 105
ácido úrico, 220-2
adiponectina *ver* hormônios
Admirável mundo novo, 30
Aedes aegypti, 190, 192-4
agressividade, 54-5, 66-7, 85, 87-90, 92-4, 102, 182, 304-5
Ahrens, Edward, 151, 163
aids, 15, 85, 101, 134, 261-4, 282; e preservativos, 262; medicamentos contra, 264-6; mulheres e, 261-3; *ver também* HIV
Albert, Marilyn, 363
álcool, 72, 88-9, 103, 118-9, 125, 207, 209, 228, 244, 250, 258-60, 272, 296, 299, 309-18, 323
alcoolismo, 259, 309-15; em mulheres, 313-6
alergias, 113-4, 120-1, 194, 234; *ver também* rinite
Alexander, Bruce, 97
alimentação *ver* dieta
Alzheimer, mal de, 34, 181-6, 287, 341, 343-4, 351, 360-2, 364
amamentação, 57, 139, 249
anabolizantes, 304-6
Anderson, Craig, 109
Anichkov, Nikolai, 149-50
anorexia nervosa, 53-4, 141
ansiedade, 53-5, 58, 93, 95, 189, 232, 275, 276, 295, 298-9, 307, 317, 320, 323
antibióticos, 82, 114-5, 189, 197, 331; *ver também* penicilina
anticoncepcionais: adesivos, 133; camisinha, 133; DIU, 132; orais, 73, 131
antidepressivos, 229-30, 233, 274-6, 307-9
Anversa, Piero, 253

apnéia do sono, 126-8
apoptose, 46, 164
Aristóteles, 40
Arnsten, Amy, 366
arteriosclerose, 34, 255-7
asma, 113, 179, 181, 285
ataque cardíaco *ver* infarto do miocárdio
aterosclerose, 149-51, 187, 189, 292-3, 351
atividade física, 144, 155, 163, 168, 170, 186, 207, 209, 223, 238-40, 331, 358
autismo, 52
auto-imunes, doenças, 207, 349
azeite de oliva, 160, 175
azia, 179, 326

bactérias, 13, 15-6, 23-4, 37, 59, 68-9, 114-21, 123-4, 164, 233-5, 366
Berg, L., 362
Bernardino, Marie Di, 30
betacaroteno, 272, 355
bipolar, distúrbio, 229, 305, 309
Blount, Jonathan, 78
Blumstein, Alfred, 100, 106
Briggs, Robert, 28-9
Brody, Harold, 359
bronquite, 212
bulimia, 307, 315
Bushinsky, David, 200
Bushman, Brad, 109

cafeína, 125, 325-6
cálculo renal, 198-9
Calhoun, John, 96-7; *ver também* "gaiola comportamental'
Callahan, Linda, 365
calorias, 137, 140, 143, 145, 147-8, 153-5, 164-5, 167, 171-3, 239-40, 311, 346-51, 354, 355-6, 358; restrição de, 347, 356
Campbell, Keith, 31
câncer, 34-5, 38, 85, 109, 136, 138, 165-6, 179, 218, 223, 227, 241-51, 260, 265, 271-2, 288-90, 302, 306, 315, 317-8, 322, 324, 338, 341, 343-4, 348-51, 355, 358; bexiga, 317; e cartilagem de tubarão, 271-2; esôfago, 317; estômago, 317, 351; fígado, 306; intestino, 243, 289; laringe, 318; mama, 241, 248-51, 288-90, 315; próstata, 138, 244, 246-7, 351; pulmão, 109, 241, 246, 272, 355; rim, 317
Carandiru, casa de detenção, 98, 262
carboidratos, 146, 153, 155, 161-3, 171, 222, 347, 356
cardiovasculares, doenças, 125, 136, 166, 222-3, 258, 260, 285, 287, 293, 306, 324, 343-4, 348, 351; *ver também* hipertensão arterial; infarto do miocárdio
carne vermelha, 147, 149, 151-3, 155, 158-9, 199, 222
Carnes, Bruce, 332
carotenóides, 78-9
catapora, 278
catarata, 349
cefaléia, 39, 127, 191, 217, 307
células-tronco, 254
cérebro, 19; amígdala, 54, 57, 90, 95; bulbo olfatório, 76; circuitos, 20-1, 41-5, 47-9, 53, 55, 57, 76, 83, 85, 88, 94-6, 219, 232-3, 294-5, 297-8, 300, 312, 317, 363-4; córtex cingulado, 57; e comportamento, 65-6; e diferenças se-

xuais, 50, 52-5; e linguagem, 41, 51, 91, 183; e visão, 20, 47; estrutura do, 40-1, 50, 66, 90; função do, 40, 124; hipocampo, 57, 90, 183, 232, 233, 299, 363; humano, 20, 39, 146, 301; lobo frontal, 21, 87, 91, 95, 297, 299, 364; núcleo acumbens, 57
Chamberlain, Patricia, 103
Chlamydia pneumonia, 188
Choi, 221
ciática, dor, 223
cigarro, 103, 109, 138, 187, 212-3, 215, 235, 244, 246, 292, 295, 316-24, 327; "light", 322, 324, 325; *ver também* tabagismo
circadiano, ciclo, 124
cirrose, 35, 260, 314
citomegalovírus, 188
clonagem, 26, 29-30, 33-6; boi, 30-2; cabrito, 32-3; galinha, 34; homem, 34; legislação, 35; macaco, 34; ouriço-do-mar, 27, 29; ovelha, 26, 31-3; porco, 33; rã-africana (*Xenopus laevis*), 29; rã-leopardo (*Rana pipiens*), 28; *ver também* Dolly
Clonagem de Joanna May, A, 30
Coccaro, Emile, 90
Cohen, Stanley, 46
colecistoquinina *ver* hormônios
Coleman, Paul, 361
colesterol, 149-52, 156-64, 169, 183, 187-8, 255-7, 260, 287, 293, 306, 326-7, 331, 343, 355; *ver também* HDL; LDL
colestiramina, 157
cólicas, 299, 301
Colman, Alan, 33

coma irreversível, 368
comportamento humano: evolução e, 16-7; genes *versus* ambiente, 48, 83, 85, 88, 92, 96
consciência, 39; bases moleculares, 49
constipação, 202-3, 205-6
contracepção *ver* planejamento familiar
coração: como sede da consciência, 39; *ver também* cardiovasculares, doenças; infarto do miocárdio
cortisol *ver* hormônios
C-reativa, proteína, 257-8, 260
CRF *ver* hormônios
Crick, Francis, 29, 36
Crohn, doença de, 203
cuidado parental, 65

Darwin, Charles, 14, 24, 64, 198, 221, 337, 347
Dawkins, Richard, 61
dengue, 190, 192-4, 279
depressão, 44, 53-5, 127, 191, 219, 224-33, 276, 298, 307, 311, 315, 335, 356
derrame cerebral, 165, 169, 227, 255, 314, 318, 322, 337, 338, 351
Descartes, 40, 49
desenvolvimento embrionário, 28-9, 47-8
Désesquelles, Aline, 332
diabetes, 34, 125, 136, 143, 148, 155, 162, 165-6, 169, 187, 207, 222-3, 227, 230, 236-40, 258, 260, 285, 289, 306, 327, 337-8, 341-2, 348-9, 358
diarréia, 340
dieta, 142, 148, 150, 152-3, 155-65,

167, 171, 173-4, 199, 200, 209, 221-2, 238-9, 289, 346-7, 349, 351, 354, 356; para emagrecer, 142
dimorfismo sexual, 18, 50, 334, 335-6; cérebro, 50-2
disfunção erétil, 292-3; *ver também* impotência sexual
Dishion, Thomas, 103
dispepsia, 202
diversidade genética, 60, 65, 72, 115
DNA, 22-3, 29, 36-7, 60, 67, 117; estrutura do, 29, 36; recombinante, 37
Dobzhansky, Theodosius, 174
Dolly, 26-8, 31-2, 38; *ver também* clonagem
Donohue, John, 105, 106
dopamina, 44, 295, 297-8, 300-301, 366
dor crônica, 218-9, 303
DPOC, 212, 214
Driesch, Hans, 27
drogas, 55, 57, 88, 231, 263, 294, 296-8, 305-6, 317; anfetamina, 227, 274-6, 299-300; cocaína, 57, 89, 101, 216, 228, 261-2, 294-300, 317; crack, 100-101, 262, 264, 296, 299, 317, 322; dependência, 294, 296, 298, 316-7, 321, 325; e aids, 261-2; maconha, 103, 264, 294-6, 298, 322; nicotina, 125, 180, 214, 292, 316-25
Duplicação do homem, A, 30

eczema, 113
eletrochoques, 229
Elsdale, Thomas, 29
emagrecimento: fórmulas para, 274, 276

embolia, 288
Empatia-Sistematização, teoria da, 52
encefalinas, 219
Enders, John, 278
endócrinas, doenças, 207
endorfinas, 57, 219
enfisema, 207, 212
envelhecimento, 56, 61, 164-5, 167, 173-4, 182, 292, 333, 336-8, 342, 344-5, 347-9, 352-6, 362, 363-4; celular, 353
esquizofrenia, 53
estatinas, 158, 163, 256-7
estresse, 54, 79, 94, 146, 162-3, 174, 187, 209, 215, 231-2, 235, 307, 328, 344; pós-traumático, 54, 307
evolução, 16, 19-20, 24-6, 36, 55, 60-1, 65-6, 69, 79, 124, 129-30, 140-1, 143, 146, 148, 173-4, 183, 198, 209, 230, 335, 337-8, 341, 347, 354; humana, 13-8, 20-1, 23-5, 55, 146, 169, 173, 333, 337; princípio da parcimônia, 17; *ver também* seleção natural
Evolução: teoria da, 14, 24, 337, 347

fadiga crônica, síndrome da, 207-9; possível base biológica e genética para, 210-2
Fagan, Jeffrey, 100
Faivre, Bruno, 78
Febem, 102
fecundação, 26, 45, 63, 67, 75, 248
ferimentos, 100, 119-20, 218, 302
Ferris, Craig, 90
fibromialgia, 219
fígado, 27, 33, 252, 272-3, 305-6, 311, 351

Flood, Dorothy, 361
frenologia, 86
Freud, Sigmund, 129
friagem, 121-2
fungos, 16, 25, 115, 121, 172-4

"gaiola comportamental", 97
Galeno, 40
Gall, Franz, 86
gametas, 60-1, 67
genes, 20, 23-5, 29, 34-8, 46, 48, 59, 61-3, 65, 67-9, 72, 74, 83, 85, 88, 92, 96, 115, 117, 167, 169, 174, 183, 195, 242, 245, 334-44, 356, 366
genoma, 23, 36, 37, 74; *ver também* Projeto Genoma Humano
germinativas, células *ver* gametas
gestação, 46, 56-7
GFP, 37
Gofman, John, 150
Goldberg, Ira, 260
Goodal, Jane, 67
gota, 220-3
grelina *ver* hormônios
gripe, 190, 195-7, 208, 214, 216, 271-2, 278-9, 283-6, 357; asiática, 195; de Hong Kong, 195; dos frangos, 195; vacina, 283-6
Gupta, Sandeep, 189
Gurdon, John, 29, 30

H5N1, 195-7
Haldane, John, 338, 340
halitose, 117, 215-6, 233-5
Hall, Stephen, 173
Harman, Denham, 353
Harshberger, John, 271
Haug, Hartmut, 360

HDL (colesterol "bom"), 150-1, 159, 162, 255, 306
Health Professionals Follow-up Study, 153, 221
Helicobacter pylori, 188
hemofilia: e aids, 261
hereditariedade, 26-7
hipertensão arterial, 125, 128, 136, 143, 148, 155-6, 162, 165-6, 169, 187, 217, 222-3, 225, 252, 258, 289, 293, 314-5, 327, 339-40, 348-9
hipertireoidismo, 275
Hipócrates, 39, 40, 220
histocompatibilidade, 69-75
HIV, 261, 263-6
Holden, Constance, 296
homossexualidade, 82-4; e aids, 261, 263-4
hormônios, 53-4, 56-7, 66, 81, 144-6, 164, 168, 231-2, 237-8, 275, 289, 304, 352, 366, 369; adiponectina, 237-8; colecistoquinina, 145; cortisol, 54, 231-2; CRF, 232; estrogênio, 54; grelina, 145, 168; insulina, 37, 144, 161-2, 165, 168-9, 171, 236-8, 350-1; leptina, 144-5, 168, 237; progesterona, 56, 248-9, 288-90; prolactina, 56; PYY, 146, 168; resistina, 237-8; sexuais, 53-4, 56, 81; testosterona, 51-2, 54-5, 304-5, 335-6; tireoidianos, 274-5
Huxley, Aldous: *Admirável mundo novo*, 30

impotência sexual, 127, 165, 306
imprinting, 64
imunológico, sistema, 33, 35, 68, 70-1, 73-4, 78-9, 113-4, 195, 336

índice de distúrbio respiratório, 126
índice de massa corpórea, 170, 250
infarto do miocárdio, 38, 138, 149-52, 157-60, 162, 165, 167, 252-6, 258, 260, 289, 318, 322, 325, 327, 337-8, 341, 348
infecciosas, doenças, 123, 125, 162, 209, 333-4, 339
insulina *ver* hormônios
inteligência, 40, 50, 366
interferon, 37

Jenner, Edward, 149, 187
Johnson, Jeffrey, 107

Kandel, Eric, 48
Kerr, Jonathan, 211
King, Thomas, 28
Kinsey, L., 151
Kinsley, Craig, 56
Komaroff, Anthony, 211

Lambert, Kelly, 56
laqueadura de trompas, 132-3
LDL (colesterol "mau"), 150-2, 161-4, 255-7, 306
Leeuwenhoek, Antony van, 116
Leon, Mony de, 359
leptina *ver* hormônios
Levi-Montalcini, Rita, 46
Levin, Ira, 30
Levitt, Steven, 104-6
límbico, sistema, 76, 90, 297
Loeb, Jaques, 27-8
Loesche, Walter, 234
Loewi, Otto, 43
Lombroso, Cesare, 86
longevidade, 56, 152, 156, 165, 172-4, 182, 212, 331-5, 339, 341-5, 347-50, 355-6, 358

LRC Coronary Primary Prevention Trial, 157
Luft, Rolf, 352

mamografia, 244
Manuck, Stephen B., 92
"Maravilha Curativa do dr. Humphrey", 119
Marchand, Felix, 149
Massachusetts Male Aging Study, 292-3
maternidade, 56, 132
materno, comportamento, 56-7, 66
mau hálito *ver* halitose
May, R., 75
McCay, Clive, 345-6
Medawar, Peter, 338, 340
medicina alternativa, 355
memória, 41, 45, 49, 57-8, 76, 84, 90, 130, 181-4, 208, 219-20, 232-3, 273, 276, 287, 298-301, 312, 343, 356, 358, 360, 362-6
menarca, 249
Mendel, Gregor, 26
Meninos do Brasil, Os, 30
menopausa, 56, 149, 245, 249-50, 287-8, 290, 334, 366
menstruação, primeira *ver* menarca
mercurocromo, 118-9
mertiolate, 118-9
MHC, 69, 70-1, 75; *ver também* histocompatibilidade
micróbios, 116, 122; *ver também* bactérias; fungos; vírus
Miczek, Klaus, 89
Minâncora, 119
Moffitt, Terrie, 99
monogamia, 65-6, 68
Moore, Sarah, 334-5

morfina, 57, 219, 294, 296, 300-304, 317
Morris, J., 362
Morrison, John, 366
morte, 39, 41, 46, 55, 59-62, 67, 91-2, 98, 108, 149, 164, 187, 191-2, 226, 228, 253, 260, 265, 302, 311-2, 314, 318, 322, 327, 329, 331-2, 335-8, 345, 348, 360-1, 365, 367-9; celular, 46, 164, 253; cerebral, 253, 368
Moss, Mark, 362
Multiple Risk Factor Intervention Trial, 156
Muniz, Egas, 86

naltrexona, 297
Nappo, Solange, 275
narcolepsia, 207
nervoso, sistema, 16-7, 19-20, 39, 44-5, 47-9, 52-3, 56-7, 83, 88, 94, 124, 182, 185, 231, 275, 312, 317, 326, 352, 357-9, 369; e testosterona, 51
nervosos, impulsos, 40-1, 45, 54
neurociência, 40-2, 46-7, 48, 366; e psicologia, 48
neurodegenerativas, doenças, 343, 363; *ver também* Alzheimer; Parkinson
neuronal, rede, 42, 360
neurônios, 20-1, 39, 41-7, 49-50, 53, 57, 66, 76, 81, 83-5, 88-91, 94-6, 124, 143, 146, 163-4, 168, 183-4, 186, 201-2, 218, 231, 233, 291, 294-5, 300, 312, 317, 323, 356, 358-66
neurotransmissores, 44-5, 48, 54, 92, 95, 144, 146, 201-3, 206, 231, 295, 366; *ver também* ocitocina; octopamina; serotonina; vasopressina
New England Centenarian Study, 55
Newton, Isaac, 14, 221
NGF (Fator de Crescimento dos neurônios), 46
Nieuwenhuijsen, Kees, 97
Nobel, Prêmio, 277-8
Nurses' Health Study, 152-3, 314
nutrição, 139, 151, 161, 164

O'Connor, Daniel, 279
Ober, Carole, 73
obesidade, 125, 127, 142-3, 145, 148, 155, 162, 165-72, 222-3, 237-8, 240, 244, 348; infantil, 169-70
ocitocina, 57, 66
octopamina, 295
olfato, 69-70, 76, 216
Olshansky, Jay, 332
Organização Mundial da Saúde, 166, 236, 239, 275, 280
órgãos, transplante de, 38, 76, 367
osteoporose, 136, 199, 275, 287-9, 315
Ostrander, Gary, 271

Parkinson, doença de, 34, 227, 351, 360
parto, 31-2, 57, 64, 70, 139, 216, 227
penicilina, 115
Penn, Dustin, 70
peristálticas, ondas, 201, 203
Peters, Alan, 362, 365
planejamento familiar, 130-3, 135; *ver também* anticoncepcionais; laqueadura de trompas; vasectomia
polifenóis, 173-4

poligamia, 65, 67-8
poliomielite, 277-8, 280
Polly, 32
Potts, Wayne, 70
pressão arterial, 192, 209, 213, 260, 306, 311, 343, 350; *ver também* hipertensão arterial
primatas, grandes: e o homem, 16-21
prisão de ventre *ver* constipação
progeria, 337-8
progesterona *ver* hormônios
Projeto Genoma Humano, 23-4, 245
prolactina *ver* hormônios
PSA, 244, 246-8
pulmonares, doenças, 207, 284-5
PYY *ver* hormônios

queimaduras, 120
quimioterapia, 243, 251

radicais livres, 183, 353-5
radioterapia, 242, 250-2
Raine, Adrian, 91, 94
Ramón y Cajal, Santiago, 41
Rapoport, Stanley, 359
Reeves, William, 211
refluxo, 127, 179-81
REM, fase do sono, 129
renal: cólica, 301; insuficiência, 35, 240, 285, 349
reposição hormonal, 251, 287-90, 366
reprodução sexuada, 59-67
resfriado, 121-3, 208, 216, 273, 283
resistina *ver* hormônios
respiratórias, doenças, 121-3, 225, 324, 338
retocolite ulcerativa, 203
reumatismo, 136, 165, 169, 348

rinite, 215-7
rins, 220, 311, 352; insuficiência renal, 35, 240, 285, 349; *ver também* cálculo renal
Riva, Daniele, 146, 301
RNA, 14-5, 22
Robbins, Fred, 278
Robinson, Terry, 300
Rorvik, David, 30
Rosenberg, Mel, 233
Rosenfeld, Richard, 103-4
Roth, Emilie, 97
Rowe, David, 94

Sabin, Albert, 279-80
Sabin, vacina, 280
Salk, Jonas, 279
Schächter, François, 342
Schenck, Dale, 184
Schiffman, Susan, 76-7
Schwartzman, José Salomão, 51
seleção natural, 14, 20, 24, 45-6, 50, 61, 64, 68, 77, 81, 121, 137, 143, 148, 174, 198, 295, 334, 337-8, 341; *ver também* evolução
seleção sexual, 67, 75
Sêneca, 220
serotonina, 44, 89-90, 92, 230-1, 233, 307
sexos, diferenças entre os, 50-2, 75, 79; *ver também* dimorfismo sexual
sinapses, 43, 45-50, 184, 365-6
síndrome do pânico, 54, 305
Socransky, Sigmund, 116
somáticas, células, 61-2, 67
sonho, 129-30; *ver também* REM
sono, 124-9, 207, 209, 217, 225-6,

229, 297; *ver também* apnéia do sono; narcolepsia; REM
Spemann, Hans, 27-8, 30-1
Squire, Larry, 48
stents, 154

tabagismo, 162, 322
Taubes, Gary, 153-6, 160-1
Teicher, 90
Terry, Robert, 361
testosterona *ver* hormônios
Tilghman, Shirley, 63
tireóide *ver* hipertireoidismo
tosse, 179, 181, 216, 224, 283
transgenia, 37
Tremblay, Richard, 93
trepanação, 39
Trichopoulos, Dimitrios, 160
triglicérides, 162, 169, 293, 306, 350, 355
tromboangeíte obliterante, 318

ubiquitina, 24-5
ultra-sonografia, 248

vasectomia, 132-3
vasopressina, 66, 90
violência, 55, 85-8, 90-3, 95-102, 104-9, 133-5, 230, 232, 260; doméstica, 102; e encarceramento, 98; e televisão, 107-9
Virchow, Rudolf, 26
vírus, 15, 37, 69, 115, 121-3, 164, 187-8, 190, 192, 195-8, 216, 261-6, 278-80, 283-6; *ver também* H5N1
vitamina C, 272-3
vitamina D, 289
Volkow, Nora, 299

Waal, Frans de, 97
Wallace, Alfred Russel, 14, 24, 198, 337, 347
Watson, James, 29, 36
Wedekind, Claus, 72
Weindruch, Richard, 350
Weldon, Fay, 30
Weller, Tom, 278
Westermack, Edward, 72
Wijdicks, Eelco, 367
Willadsen, Steen, 30
Willet, Walter, 153
Wilmut, Ian, 26, 31
Wilson, Jonathan, 130
Wilson, Kenneth, 334
Windaus, Adolph, 149
Witzel, Hans, 69
Women's Health Initiative, 288

ESTA OBRA FOI COMPOSTA POR 2 ESTÚDIO GRÁFICO
EM MINION E IMPRESSA PELA RR DONNELLEY MOORE EM OFSETE
SOBRE PAPEL PÓLEN SOFT DA SUZANO PAPEL E CELULOSE
PARA A EDITORA SCHWARCZ EM OUTUBRO DE 2006